# DIEU, L'OR ET LE SANG

# DU MEME AUTEUR

*aux Presses de la Cité*

Les centurions
Les centurions (illustré)
Les mercenaires
Les prétoriens
Les prétoriens (illustré)
Les tambours de bronze
Les chimères noires
Le mal jaune
Sauveterre
Les baladins de la margeride
Tout homme est une guerre civile, tome 1
Les libertadors, tome 2
Guerre civile
Le paravent japonais
Les guérilleros
Voyage au bout de la guerre
Tout l'or du diable
L'Adieu à Saigon
Fiu. Tahiti, la pirogue et la bombe
La fabuleuse aventure du peuple de l'opium

## *Flammarion*

Enquête sur un crucifié
Les rois mendiants *(romans)*

## *Gallimard*

Saharo Au L.
La grande aventure de Lacq
Visa pour l'Iran

## *Le Mercure de France*

Le Protecteur *(théâtre)*

## *Albin Michel*

Chefs pour l'Afrique
Lettre ouverte aux bonnes femmes

## *Edition Spéciale*

Les murailles d'Israël

## *La Pensée Moderne*

Les Dieux meurent en Algérie
Les centurions du roi David *(albums)*

JEAN LARTÉGUY

# DIEU, L'OR ET LE SANG

PRESSES DE LA CITÉ/PARIS-MATCH

© Presses de la Cité/Paris-Match 1980

ISBN 2-258-00703-8

A trois reprises, au cours de l'année qui vient de s'écouler, j'ai parcouru le Moyen-Orient livré à ses démons. En Egypte, Sadate, le fellah, succédant à Nasser, l'Arabe avait fait la paix avec Israël. Mais on l'accusait d'avoir trahi Allah « le grand, le miséricordieux » en pactisant avec Iaveh, le dieu maudit des Juifs. Sous un nom différent, c'était pourtant la même divinité venue des déserts d'Arabie. A l'ombre des mosquées du Caire se préparaient de sanglantes révoltes [1].

En Israël, des Juifs attaquaient Begin pour avoir trahi les promesses de la Bible en rendant le Sinaï aux Égyptiens. Ils s'installaient dans les territoires occupés de Samarie, remettant en cause cette paix fragile qui avait coûté tant d'efforts et tant d'or aux Américains.

En Syrie, toujours au nom de Dieu, les « Frères musulmans » ou prétendus tels se soulevaient contre un régime qui se disait laïque mais dont les racines plongeaient dans le fonds obscur des plus anciennes religions. Payés par l'or de Kadhafi et des émirs du pétrole, les terroristes de « la vraie foi » éclaboussaient de sang les souks de Damas et les casernes d'Alep.

Au Liban, chrétiens et musulmans s'exterminaient, croyaient-ils, au nom du Christ, au nom d'Allah. Mais Baal, le veau d'or des Hébreux, la divinité sanglante de Phénicie, engraissée du sacrifice de cent mille victimes régnait sur les décombres de Beyrouth.

En Iran, la folie du sang, la folie de Dieu avait emporté tout un

---

1. Sadate poussera la provocation à l'égard de « ce fou maniaque » de Khomeiny jusqu'à accueillir en Égypte le Diable, l'ex Shah d'Iran proscrit, mourant que rejettent aujourd'hui tous ceux qui hier le flagornaient. Valeureux, généreux Sadate ! Subtil Sadate qui sait combien les peuples d'Orient sont sensibles au beau geste, qui n'ignore pas non plus que cette fidélité aux amis dans le malheur rassurera rois, princes d'Arabie et émirs du Golfe, grands dispensateurs de Dollars.

peuple guidé par un imam qui rêvait d'Apocalypse. Tels des vautours, les grandes puissances surveillaient l'agonie de l'ancien empire de Cyrus, prêtes à se partager ses dépouilles. A toi les roseaux du lac Rézaieh, à toi l'Azerbaïdjan et le Baloutchistan, mais à moi tous les trésors du Golfe et le pétrole, sang noir de la terre.

Israël, le Juif errant, fils de Sara et d'Abraham, avait retrouvé sa terre mais Ismaël, le Palestinien, bâtard d'Abraham et d'Agar, la servante, avait perdu la sienne. Agar gémissait en exil ; ses enfants désespérés ne rêvaient que de mettre le feu au monde qu'ils rendaient responsable de leurs malheurs et s'alliaient au diable.

Partout, au nom d'un dieu exigeant et impitoyable, tous ceux qui ne voulaient que l'or et la vengeance faisaient couler le sang.

J.L.

# I

## ÉGYPTE :
## LES TROIS « SACRILÈGES » DE NASSER

> *« Le Nil, comme on sait, fait non seulement la fertilité du pays, mais il en fait même le sol. Que l'on suspende un instant, par la pensée, la régularité annuelle des inondations, en peu d'années, le désert stérile, les entassements de sable viendront descendre jusque dans les eaux sacrées. »*
>
> Gobineau, *Trois ans en Asie*, 1854.

Nasser, fils d'un postier de la Haute-Egypte, se disait de la tribu arabe des Beni-Morr. De 1954, quand il se débarrasse de Néguib, jusqu'à sa mort, en 1970, il voudra faire de son pays le champion de l'arabisme alors que l'Egypte par ses traditions, son économie, par son passé et son avenir est africaine même si elle est musulmane. On y compte à peine 6 % d'Arabes.

Le pouvoir charismatique du « Raïs », du « Zaïm » sera tel, ses polices secrètes si puissantes que sans rencontrer d'opposition véritable il lancera l'Egypte dans une croisade contre Israël où elle n'avait rien à gagner et tout à perdre. Mais il se veut l'incarnation d'Ismaël, le fils d'Abraham frustré de son héritage par son frère Jacob. Dans cet avatar, il ne connaîtra que défaites. Mais elles lui vaudront pourtant un immense prestige moins parmi les Egyptiens qu'auprès de ces Arabes qui, depuis l'Hégire, se cherchent des guides et des prophètes. Sitôt trouvés, ils s'emploient à les perdre par leur jalousie, leurs querelles, leur goût du désordre, pour les mieux pleurer ensuite.

Nasser mort, son rêve évanoui, l'Egypte sous la conduite du sage, du rusé Anouar el Sadate, un fils de fellah du Delta, s'efforcera d'oublier cet accident de son histoire : Nasser, « l'Arabe ». Il fit passer sur elle le grand souffle de l'épopée des califes fatimides. Mais à quel prix ! Mensonges, privations, gabegie bureaucratique, dictature bottée, tortures. Et des centaines de milliers de morts tombés dans les sables du Sinaï et les rocailles du Yémen. Pour rien ? On ne peut encore en juger. L'histoire des peuples n'est-elle pas faite de ces grands rêves fracassés ?

*  
**

Juin 1979. C'était mon deuxième séjour en Egypte. J'avais connu l'Egypte de Nasser, au moment de la nationalisation du canal de Suez, quand des foules immenses acclamaient le Raïs. Jeune reporter, je m'abritais alors sous l'immense parapluie noir de Selfton Delmer, rédacteur en chef du *Daily Express*, personnage étonnant par la taille et la masse, 2 mètres, 200 kilos, mais aussi par un passé d'aventurier de grande classe et d'agent secret exceptionnel. Je ne sais plus quel tour il avait joué à Hitler lui-même, dupé par son assurance et sa parfaite connaissance de la langue allemande.

Impassible, indifférent, il traversait les rues du Caire en folie. Des rafales de mitraillettes ou l'explosion d'une bombe n'auraient pas accéléré son pas lent et solennel. Je piétinais à ses côtés mais il était ma garantie et ma sauvegarde. Ma disparition serait passée inaperçue, pas la sienne.

Il pratiquait l'humour britannique jusqu'à la caricature. Nous venions de croiser l'un de ces cortèges de « nassériens » qui hurlaient des slogans, confondant le Raïs et Allah. Ils brandissaient des pancartes peu flatteuses pour notre orgueil national. Selfton me surprit par cette question :

— Dear boy, avez-vous lu au moins ce qui est inscrit sur « votre » obélisque de « votre » place de la Concorde, à Paris ?

Je m'excusais. Il ne m'était jamais venu à l'idée d'emporter de jumelles quand je devais traverser cette esplanade, le plus souvent noyée dans un flot de voitures, encore moins de m'y arrêter pour déchiffrer les hiéroglyphes dont j'ignorais tout sinon qu'il avait fallu quelques siècles et le génie de Champollion pour s'y retrouver.

Selfton Delmer s'immobilisa devant un marchand de beignets au miel, il hésita ; il faisait un régime pour le plaisir de ne pas le suivre. Il se retourna pour dévisager les deux policiers attachés à nos pas par le colonel Hatem, ministre des Services spéciaux et de l'Information.

Les deux argousins se rapprochèrent. Ils ne demandaient qu'à se faire de l'argent de poche, en nous rendant de menus services. D'un geste, il les fit rentrer sous terre et, après qu'il eut surmonté la tentation des beignets, il me lâcha :

— Votre ignorance me navre et je vous trouve l'esprit bien compliqué. Qui vous demande de connaître les hiéroglyphes ? Ou de vous trimbaler dans Paris avec des jumelles autour du cou comme un amiral en retraite de la Navy ? Faites comme moi, prenez un guide, le Baedeker de préférence, les autres ne valent pas tripette. Et vous saurez ce qui est inscrit sur « votre » obélisque que Mehemet

Ali donna à Louis-Philippe qui le remercia dix ans plus tard en lui refilant une horloge qui ne marcha jamais.

« Moi Ramsès (il s'agit bien sûr de Ramsès le Grand, deuxième du nom), conquérant de tous les peuples étrangers, maître de toutes les têtes couronnées, Moi Ramsès qui combattis des millions d'ennemis demande à ce que le monde entier se soumette à mon pouvoir selon le vœu de mon père, le dieu Amon. »

« Mon cher, tous les pharaons, tous les rois, vice-rois d'Egypte, grecs, latins, byzantins, turcs, mamelouks et tous les colonels devenus présidents sont obsédés par l'idée de soumettre le monde entier à leur pouvoir, ce monde se limitant, il est vrai, aux pays qui les entourent : le Soudan et la Libye en Afrique, la Syrie, la Palestine, le Liban et l'Irak en Asie. Du Nil à l'Euphrate !

« Ramsès s'est cassé la figure à la bataille de Kadesh contre les Hittites venus de Syrie et d'Irak. Ce qui ne l'empêcha pas de proclamer sa victoire et de le graver partout dans le granit. Mais il avait dû traiter avec les Hittites pour se partager le Moyen-Orient. Nasser qui se prend volontiers pour l'héritier de Ramsès, quand ce n'est pas celui des califes, se cassera la figure comme lui. Car il ne s'en tiendra pas à la nationalisation du canal de Suez ; il voudra l'Euphrate.

Nous nous trouvions dans une étrange situation. La poste n'acceptait de prendre notre copie qu'à condition d'avoir le visa de la censure ; le gouvernement proclamait bien haut, qu'il n'existait pas de censure en Egypte. Le colonel Hatem, ministre des Services spéciaux et de l'Information, s'en tenait à cette déclaration officielle. Les policiers de notre suite, pour essayer d'arranger notre affaire, nous conseillaient de demander à ses bureaux de bien vouloir jeter un œil bienveillant sur nos articles pour voir si aucune erreur ne s'y était glissée. Ils pourraient alors intervenir auprès des postiers qui, avec un petit cadeau, s'empresseraient de passer nos câbles.

Selfton Delmer s'y refusait. Nous en restâmes là.

M'étant glissé hors du parapluie protecteur de mon compagnon, et ayant faussé compagnie à mon escorte, je manquai être lapidé dans un cimetière du Caire en suivant en enterrement que j'avais pris pour une manifestation politique.

Je m'étais ensuite retrouvé au poste de police pour avoir voulu m'exercer dans ces stands de tir installés sur toutes les places, à tous les carrefours, afin d'entraîner les Cairotes au maniement des armes, et les inciter à se défendre contre l'invasion des « impérialistes ».

Je jouais les naïfs ; on voulut bien me croire et tout s'arrangea par une amende en dollars qui passa dans la poche du commissaire.

Ma situation devint plus difficile après le débarquement des forces franco-britanniques à Suez.

Je me réfugiai à Alexandrie où l'on m'avait donné des adresses. Quand je compris que je devenais gênant pour mes hôtes, je jouai les « touristes éclairés » et je visitai toutes les « mastabas » de Sakkara, l'ancienne Memphis, sous la conduite du très savant M. Lauer que mon ignorance amusait.

Je fus même recueilli par les membres du « Front du Maghreb » qui, sous le contrôle pesant des services secrets égyptiens, qu'ils vouaient au diable, préparaient la révolution dans cette partie de l'Afrique blanche. Il y avait là Khidder qui regrettait son siège de député, Lahouelle qui rêvait de Tunisie, Ben Bella qui me raconta sa brillante campagne d'Italie, Allal el Fassi, le leader marocain de l'Istiqlal, qui tenait absolument à me faire adapter ses poèmes en français, tous personnages promis à l'assassinat, à l'exil, à la prison par leurs « frères » en révolution. Seul Allal el Fassi, après pas mal d'ennuis, devait mourir dans son lit.

Il n'est jamais bon de commencer les révolutions. Les ouvriers de la dernière heure qui en cueillent en général les fruits ne vous le pardonnent pas.

Un jour je pus enfin filer... et j'oubliai l'Egypte.

Quand j'y revins vingt-trois ans plus tard, Nasser était mort. Après lui avoir fait de folles funérailles, avoir hurlé jusqu'à la frénésie qu'il était vivant et qu'il le resterait, on s'appliquait à l'oublier. Je n'ai pas vu un seul portrait de lui. Il en resterait paraît-il quelques-uns dans les quartiers populaires du Caire. J'ai dû attendre d'arriver à Beyrouth-ouest pour retrouver, à presque tous les carrefours, son effigie grossièrement peinturlurée sur de grands panneaux. La pluie et le soleil en avaient brouillé les couleurs.

En Egypte, par contre, Sadate était partout, en complet-veston, en militaire, en maréchal, en amiral... et même en pharaon. Comme s'il voulait débusquer jusqu'au souvenir, jusqu'à l'ombre de son ancien compagnon et maître.

Plus tard, j'ai compris que ce n'était pas seulement un règlement de comptes entre deux frères ennemis, dont l'un avait blousé l'autre, mais que cette démarche allait infiniment plus loin et relevait de l'exorcisme.

Anouar el Sadate, fils de fellah du Delta, c'était la réalité, l'Egypte africaine, Gamal Abdel Nasser qui disait descendre d'une tribu bédouine de la Haute-Egypte, le rêve pan-arabe.

En vingt ans, Le Caire était devenu une mégapolis invivable. Cacophonie des klaxons déchaînés, enchevêtrements inextricables des voitures. En émergeaient quelques chameaux balançant leurs longs cous, avec cet air écœuré de vieilles demoiselles que l'on a entraînées dans un festival de rock, ou des carrioles à âne qui suivaient sagement leur rythme au milieu de cette circulation démentielle. Les voitures prenaient le galop de charge sur dix mètres pour stopper brutalement dans un crissement de freins. Une poussière âcre venait du désert... ou des innombrables chantiers en construction. Fumée bleue de l'essence mal brûlée, odeur de détritus. Par cette dure chaleur, ils transforment la capitale égyptienne en un enfer bruyant, puant.

De rares bouffées de fraîcheur montaient du Nil. Etait-ce bien la même ville que Gobineau, un siècle plus tôt, visita ?

« Il faut monter à la citadelle, écrit-il dans *Trois ans en Asie...* On aperçoit d'abord à ses pieds une vaste place... puis à droite et à gauche l'étendue de la ville, coupée de milliers de rues, semée de places, encombrée de mosquées et de grands bâtiments en cent endroits, fleurie par des bouquets d'arbres et des jardins. Ce n'est pas gai, ce n'est pas bizarre, ce n'est pas majestueux comme on l'entend d'ordinaire, c'est-à-dire que toute symétrie est absente ; mais c'est grand, vaste, plein d'air, de vie, de chaleur, de liberté et partant de beauté... Je ne crois pas qu'on puisse trouver dans le monde un lieu où la vie soit plus douce qu'au Caire... »

Le Caire comptait alors 256 000 habitants ; quand j'y vins pour la première fois 3 800 000 ; en 1979, neuf millions (1).

Aux dires de tous les spécialistes, démographes et urbanistes, à l'extrême rigueur, il aurait pu abriter trois millions d'habitants. Les égouts n'étaient prévus que pour un million et on en avait perdu les plans après le départ des Britanniques si bien qu'on ne savait plus où ils passaient. On s'était poussé, on s'était tassé. Les morts avaient dû laisser la place aux vivants dans les grands cimetières d'Al Qarafa, du Qaïlbaï où s'étaient installées cent mille personnes. Les mieux lotis s'abritaient dans les tombeaux à deux niveaux des riches familles, les autres sous des bâches de toile ou de papier goudronné. Cet envahissement des cimetières date de 1940. Dans les nouveaux quartiers du nord, des buildings de ciment gris à la laideur toute stalinienne, on s'entassait à dix par pièce de vingt mètres carrés. Sans compter les poules, les lapins et quelquefois le mouton et la bufflesse qu'on y élevait avec les chèvres qui avaient brouté toutes les pelouses des jardins publics. Beaucoup de ces nouveaux Cairotes, venant de la campagne, en avaient conservé les habitudes et restaient groupés par villages. Le chant du coq se mêlait à l'appel du muezzin, enregistré sur cassettes. Palais rococo des mamelouks qui s'effritaient, buildings gris dans les quartiers du nord, casernes jaunies datant de l'occupation britannique, perdues dans un fouillis de taudis et de bidonvilles où cahotaient d'invraisemblables autobus chargés de grappes humaines, accrochées aux fenêtres. Un tiers des habitations du Caire n'ont ni l'eau courante ni l'électricité. Les chômeurs, les sans-abri, les « migrants » sont plus d'un million.

On a fêté, en 1969, les mille ans d'existence de la ville d'Al Qahira (Le Caire), nom que lui donnèrent ses nouveaux maîtres, les Fatimides, hérétiques, venus non pas de l'est, de l'Arabie, mais de l'ouest, du Mahgreb, de l'Afrique. Ils en firent leur capitale, édifiant palais, mosquées et la fameuse université d'Al Azhar. Qu'en reste-t-il ?

Quelques murs ocre, quelques coupoles bleues que le grouillement des bidonvilles encercle pour mieux les dévorer.

―――――――

(1) 1882 : 375 000 hab. ; 1927 : 1 060 000 ; 1937 : 1 312 000 ; 1967 : 3 300 000 ; en 1976 : 7 millions.

*
**

Je regardais couler le Nil d'un balcon aux moulures rococo, sorte de loggia aux grilles tarabiscotées, mangées par la rouille. L'entrée de l'immeuble était encore défendue par un mur de briques construit vingt-trois ans plus tôt en prévision des bombardements, au moment de l'intervention franco-anglaise. Ce mur qui n'avait pas été détruit était devenu une pissotière. On avait laissé dans la cour une casemate de planches vermoulues et des sacs de sable, garnie de barbelés. L'édifice avait connu des jours meilleurs avant qu'il ne devienne propriété de l'Etat et ne se transforme, par manque d'entretien, en ce monument décrépi à la gloire du socialisme arabe et de la gabegie bureaucratique qui s'ensuivit. Il n'attendait plus, semble-t-il, que le pic des démolisseurs, comme des milliers d'immeubles semblables au Caire ou à Alexandrie. Il attendra longtemps. L'Egypte est exsangue par la faute des guerres qu'elle a menées au Yémen pour soutenir la république qui chassa l'imam en se réclamant du nassérisme, puis quand s'étant faite le champion du monde arabe contre Israël, elle essuya deux sanglantes défaites. Elle est surpeuplée : des millions d'habitants sont sans logis. On construira avant de détruire, hélas n'importe comment. Le Caire et Alexandrie continueront de s'enlaidir. Pourtant, ce quartier de Giza qui bordait le fleuve, donnait sur l'Université et le jardin zoologique ; c'était notre Luxembourg. Des professeurs de faculté, des médecins, des hauts fonctionnaires l'habitaient. Boutros Ghali, secrétaire d'Etat aux Affaires étrangères, occupait un appartement dans l'immeuble voisin. Un asile de paix et de verdure mais laissé à l'abandon.

Je demandai à mon hôte, si, après Nasser, l'Egypte, retrouvant sa vocation ancienne, se désintéresserait du Moyen-Orient arabe, pour se retourner vers le Nil et l'Afrique. Ou, si Sadate éliminé, un nouveau « raïs », un nouveau prophète la relancerait à la conquête de cet Orient fabuleux que traverse l'Euphrate.

Il ne répondit pas tout de suite à ma question mais montra le fleuve où deux felouques aux grandes voiles en triangle glissaient fantomatiques.

— Regardez, me dit-il, il est aujourd'hui comme la Seine, coulant sagement entre ses berges. Il ne change même plus de couleur. Le fleuve-roi a été détrôné après avoir régné sur l'Egypte pendant des millénaires, réglant notre vie au rythme de ses crues.

« Dans la nuit du 17 au 18 juin, une larme d'Isis pleurant Osiris et tombant du ciel, déclenchait la grande crue. Les eaux vertes du Nil blanc, un mois plus tard devenaient rouges quand elles se chargeaient du limon du Nil bleu. Elles montaient jusqu'en septembre ; les barrages étaient ouverts, pour qu'elles puissent s'étaler sur la campagne environnante. On mesurait la crue à l'aide de « nilomètres » dont certains dataient des pharaons (1).

« Des crieurs publics passaient dans les villages pour annoncer chaque jour la montée des eaux. Quand elles s'étaient retirées, de la mi-octobre au mois de février, venait le temps des semailles puis de mars jusqu'à la mi-juin celui des moissons.

« Cela dura trente siècles, jusqu'à ce que Nasser, cet insensé, décidât de changer l'ordre des choses et commît le sacrilège. Il interrompit les crues du Nil, il domestiqua le fleuve, le rendit semblable à tous les autres... et ruina l'Egypte.

« De mon balcon ici même, je le regardais vivre, heureux, puissant, se gonflant de tous les limons arrachés aux montagnes d'Ethiopie quand il s'appelait le Nil bleu ou à celles de l'antique « Négritie », l'Ouganda, quand il était le Nil blanc. Le Nil bleu et le Nil blanc s'épousaient à Khartoum, dans les sables du Soudan, pour devenir le grand fleuve qu'on appelle en arabe « El Bahr », du même nom que la mer.

« Le plus ancien de tous les fleuves du monde, vieux de dix millions d'années si l'on s'en tient à l'épaisseur des alluvions accumulées dans le Delta ! Le plus glorieux par son histoire ! Nasser contre l'avis de tous les spécialistes — et j'étais l'un d'eux — a construit le haut barrage d'Assouan, supprimant les grandes crues. Il a agi par orgueil, par défi au monde, pour faire plus grand que les pharaons, lui, l'Arabe, l'homme du Saïd, lui, Nasser, qui ignorait les interdits de l'antique Egypte. Il a agi sur les conseils et avec l'aide des Barbares, ces Soviétiques, nouveaux venus dans notre Méditerranée, berceau d'une histoire dont ils ne sont pas. Ils savaient que ce projet était fou, que, par cette œuvre gigantesque et inutile, ils allaient parachever le travail de la guerre, nous enchaînant à eux pour toujours.

« Après avoir remboursé les Soviétiques — deux milliards de dollars — car leur aide ne fut pas désintéressée, nous payons encore le sacrilège. Le Nil se venge de ne plus entendre le vieil hymne séculaire à sa gloire : « Elle vient, l'eau de vie qui est dans la terre... le Dieu s'empare de l'Egypte. »

Mon hôte, ancien recteur de l'Université d'Alexandrie, doyen de la Faculté des sciences, directeur de l'Institut océanographique, avait été pendant des années sous-secrétaire d'Etat à la Culture. Il était musulman comme on savait l'être en Egypte, avec tolérance. Pour un intellectuel, il avait été plutôt bien traité par le régime brutal des colonels. Mais on lui avait défendu de sortir du pays, lui, le cosmopolite qui venait à Paris pour un soir écouter Yehudi

---

(1) Dans l'ancienne Egypte, chaque temple situé au bord du fleuve avait un « nilomètre ». Un prêtre signalait la montée, la décrue du Nil et décidait des sacrifices qu'il convenait de faire afin d'apaiser la colère et de se concilier les faveurs du fleuve-dieu.
    Le plus connu des nilomètres se trouve à la pointe de l'île de Rodah au Caire. Pendant des siècles, c'est en se basant sur lui que l'on proclamait officiellement le début de la crue. Construit en 745 par un calife omeyyade, devenu inutile, il sert de cible au mitraillage des caméras.

Menuhin. L'Université de Jérusalem l'invitait aujourd'hui à un concert du grand violoniste et il était heureux comme un enfant. Mais il n'osait encore croire à son bonheur. Pour lui, la liberté retrouvée, c'était d'abord la musique sans frontières, la fin des tabous religieux et racistes. Il me dit encore :

— Jamais, avant Nasser, un Egyptien ne pensait à se dire arabe. Etre Egyptien, avoir pour patrimoine une des plus fabuleuses histoires du monde lui suffisait. Arabe ! Selon toutes les études sérieuses qui ont été faites, il y a moins de 6 % d'Arabes et de 2 % de Berbères en Egypte. Le reste, les descendants des fellahs de l'époque phraraonique, coptes, musulmans, qu'importe ! Nasser, né en Haute-Egypte, près d'Assiout, était l'un de ces Arabes sédentarisés. Ils devenaient fonctionnaires, jamais fellahs, méprisant instinctivement la terre et ceux qui la travaillaient. Un fils de postier ! Au contraire de Sadate qui lui est un authentique enfant du Delta, né le limon du Nil entre les doigts de pied.

« L'Arabe Nasser eut toujours les yeux fixés sur le Moyen-Orient : la Syrie, la Palestine, l'Irak, le Liban, la Jordanie, l'Arabie. Il rêva d'être calife et ne récolta que des défaites. Le fellah Sadate, instinctivement, se tournera vers le Soudan et la Libye, là où est notre avenir.

« Le pétrole libyen ne profite à personne, même pas à la poignée de Bédouins qui habitent les solitudes désolées de la Cyrénaïque et du Fezzan, seulement à ce fou de Kadhafi qui, pour se tailler un empire saharien, achète des armes par milliards de dollars et entretient le terrorisme dans le monde.

« Avec les revenus de ce pétrole, nous pourrions faire fleurir le désert. Le Soudan, grâce à ses immenses terres vierges, pourrait nourrir l'Egypte, servir de déversoir au trop-plein de notre population, Nasser y renonça en 1955, non pas dans une crise d'humeur, comme on l'a prétendu, mais parce que l'Afrique ne l'intéressait pas. Il rêvait de Damas et de Bagdad parce qu'il était Arabe. Comme il renonça à la Libye que Kadhafi ne demandait qu'à lui donner.

« La paix qui vient d'être conclue avec Israël était inscrite dans notre histoire, dans notre économie, dans les fautes de Nasser, dans le barrage d'Assouan. Elle était indispensable à notre survie. Trois chiffres vous l'expliqueront : l'Egypte compte 40 millions d'habitants pour un territoire d'un million de kilomètres carrés, le double de la France, mais dont 4 % seulement sont cultivables : le Delta et la vallée du Nil qui ne cesse de se rétrécir. Chaque année, il naît un million de plus d'Egyptiens ; le revenu par habitant est l'un des plus bas du monde : 310 dollars par an, 47 piastres par jour, soit 2,66 francs. Nous survivons parce que le gouvernement maintient artificiellement très au-dessous de leur prix de revient les quatre ou cinq produits essentiels : le pain, l'huile, le riz, le pétrole lampant et la bonbonne de butagaz. Depuis vingt ans, la galette de pain « baladi » coûte une piastre. Ce sont ces galettes que transportent les charrettes à âne. Les convoyer en camionnette coûterait trop cher.

« Le gouvernement a voulu augmenter le prix du pain. On s'est alors battu dans les rues ; on a mis à sac les magasins de luxe. Il y a eu plus de cent morts. Communistes et nassériens tentèrent d'utiliser à leur profit cette révolte spontanée. Mais ils échouèrent n'ayant rien compris, ignorant les ressorts profonds du peuple égyptien pour qui la politique est un jeu de " nantis " ou d'initiés dont il n'a pas à se mêler.

« Le gouvernement dut rétablir le prix du pain à une piastre. Notre dépendance alimentaire ne cessera pas d'augmenter ; elle est liée à une explosion démographique qu'il est difficile sinon impossible de juguler. Les causes ? L'Islam mal compris et le manque d'éducation de notre peuple. Cette année, nous devrons importer six millions de tonnes de céréales. Qui peut nourrir l'Egypte ? La Russie ? Elle dépend elle-même pour sa subsistance des Etats-Unis. Seule l'Amérique pouvait le faire. Nous devions donc accepter la paix à tout prix. Nous avons supporté le poids de toutes les guerres contre Israël au nom de l'arabisme, ce qui nous coûtait 40 % de notre produit national brut. Nous faisions la République Arabe Unie avec la Syrie qui se défaisait à peine née. Et Assouan ! Ce n'étaient pas les dollars des émirs du pétrole qui pouvaient compenser ces pertes. Ils servaient surtout à acheter des armes. Et alors que nous étions sur les genoux, on nous demandait au nom de la solidarité arabe de poursuivre cette politique suicidaire.

L'ancien recteur me montra une dernière fois le Nil :

— Savez-vous, me dit-il, qu'il se venge, qu'il détruit aujourd'hui ce qu'il a créé au cours des siècles : le Delta. Les 150 millions de tonnes de sédiments apportées chaque année par le fleuve compensaient l'érosion de la mer. Ils sont maintenant retenus dans le lac Nasser. En certains endroits, la mer a gagné de 20 à 30 mètres.

« C'est lui, le Nil, que vous devriez interroger. Il vous dira que Nasser était fou, que Sadate est un sage et que, de toute façon, il n'existe pas pour l'Egypte d'autre politique que faire la paix quel qu'en soit le prix.

Il me raccompagna parmi les meubles vétustes et les livres qui encombraient les longs couloirs. Il ne put s'empêcher en ouvrant la porte de jeter à droite, à gauche un regard inquiet. Il s'en excusa.

— Au temps de Nasser, il était très mal vu, il était même dangereux de recevoir un étranger chez soi, surtout si on occupait un emploi dans la fonction publique, encore plus si l'on était étiqueté " intellectuel ". C'était mon cas.

« Nous allons devoir apprendre la liberté.

Il ne me restait plus qu'à interroger le Nil, en Haute-Egypte où il donnait traditionnellement ses oracles. Pendant quarante siècles il avait réglé la vie des Egyptiens et même décidé des impôts, car ils étaient fixés selon les crues fastes ou néfastes.

Comme tous les dieux, le lieu de sa naissance demeura longtemps secret.

Un demi-millénaire avant J.-C., Eschyle nous dit que le Nil était nourri par les neiges ; Hérodote « que ses sources jaillissaient d'entre deux montagnes appelées l'une Crophi, l'autre Hophi » ; Aristote que le fleuve vient d'une montagne d'argent. Enfin le géographe et astronome Ptolémée affirmait que le Nil prenait sa source dans les Montagnes de Lune qui se trouvent aux bornes de l'Univers. En bon mathématicien, toujours précis, il les situait par 12° de latitude, entre 57 et 67° de longitude (1).

Ptolémée avait puisé ses renseignements dans les écrits d'un géographe de Tyr lequel les tenait d'un marin du nom de Diogène qui avait abordé sur la côte de Zanzibar.

Tous les grands conquérants de l'Antiquité rêvèrent de découvrir les sources du Nil. Selon Lucain, César aurait dit un jour à Cléopâtre : « Dites-moi quelles fontaines alimentent le fleuve célèbre, montrez-moi les lieux d'où sortent, depuis l'origine des temps, la longue suite de ses ondes. Il n'est rien que je misse à si haut prix. »

Il fallut attendre 1858 pour qu'un jeune capitaine de l'armée des Indes, John Hanning Spake, découvre le lac Nyanza-Victoria. Cette mer intérieure de 70 000 km², à plus de 1 000 mètres d'altitude, se trouvait à la frontière de l'Ouganda, de la Tanzanie et du Kenya. Elle donnait naissance au Nil en sa partie nord, aux Ripon Falls.

Déjà large de 500 à 600 mètres le Nil était « parsemé de petites îles habitées par des pêcheurs et de rochers sur lesquels des crocodiles se chauffent au soleil ».

On douta de la découverte. La très noble « Royal Geographical Society » de Londres finança une autre expédition. Stanley et Livingstone s'en mêlèrent. Le duc des Abruzzes, au prix de mille difficultés, escalada le massif du Ruwenzori, les « Montagnes de Lune » de Ptolémée.

En 1937, le Dr Burkhart Waldecker put mettre tout le monde d'accord. Le Nil naissait dans un ravin sous la forme d'un mince filet d'eau appelé Kasumo par les indigènes ce qui signifie « cascade ». Le Kasumo devenait le Ruvuvu qui, réuni à un autre torrent, le Nyawarongo, formait le Kagera, lequel se jetait dans le lac Victoria pour en ressortir déjà fleuve sous le nom de Nil Victoria. Après avoir failli se perdre dans les marécages du lac Kyoga encombré de roseaux, de papyrus et de nénuphars, il franchit les chutes de Murchinson et se jette dans le lac Albert qu'alimentent les neiges du Ruwenzori, les Montagnes de Lune. Devenu le Nil Albert, il s'élance dans les rapides de Folo et change encore de nom. Il est le Bahr el Gebel, le Fleuve des Montagnes quand il aborde la grande plaine du Soudan à Juba. Après avoir reçu les eaux du « Fleuve des Gazelles » après Fachoda de fâcheuse mémoire pour les Français, il devient le Nil blanc, le Bahr el Abiad, large de plus de 1 000 mètres.

Il rejoint alors à Khartoum le Nil bleu, le Nil éthiopien, issu du lac Tana, pour devenir enfin le « Grand Nil », celui que les fellahs appellent « la mer ».

_____

(1) Bernard Pierre, *Le Roman du Nil*, Ed. Plon.

Auparavant, le Nil blanc et le Nil bleu auront traversé le Tanganyka, le Kenya, le Ruanda, le Burundi, le Zaïre, l'Ethiopie. Ils se seront écorchés aux montagnes de la « Négritie » ils se seront égarés dans des lacs et des marécages, ils se seront purifiés dans les déserts fauves des « Arabies » avant d'entrer enfin réunis en Egypte, salués à Abou Simbel par les statues géantes de Ramsès et de Néfertari, son épouse, et sa fille, la reine qu'il aima.

Le « Grand Nil » ressemble à la tige mince et contournée d'un lotus planté dans les sables du Soudan et dont la fleur — le Delta — s'épanouirait en larges pétales jusqu'à la Méditerranée.

Quand on le survole, en remontant vers la Haute-Egypte, on s'aperçoit que les terres cultivées de part et d'autre de son cours, insérées dans deux déserts fauves, ne dépassent pas, par endroits, 4 ou 5 kilomètres de large. Mais chaque pouce en est soigné comme un jardin de curé. Les méthodes de culture n'empruntent rien au monde moderne : norias que font tourner les ânes et qui répartissent l'eau dans des canaux s'amenuisant jusqu'à n'être plus que des fils brillants, épis de blé qu'écrase un rouleau de pierre traîné par un chameau, balanciers tout le long du fleuve avec leur contrepoids lesté d'une lourde pierre. Pas de tracteurs ou si peu. Ils ne serviraient à rien et la main-d'œuvre n'est déjà que trop abondante. Alors, pourquoi Assouan ? Au départ doubler la superficie des terres arables en les gagnant sur le désert par une irrigation permanente qui ne serait plus liée aux crues du Nil ; créer une énorme réserve de puissance électrique qui permettrait de doter l'Egypte de l'industrie qui lui manquait ; fournir des emplois, rendre enfin le Nil navigable toute l'année.

Il existait déjà un barrage avant la première cataracte. Il était en beau granit rose mais devenu insuffisant. Un projet prévoyait la construction d'une dizaine de petits barrages peu coûteux qui suffiraient à l'irrigation, laisseraient passer le limon, empêcheraient les inondations et produiraient plus d'électricité qu'il n'en fallait. Un travail patient, modeste, et de longue haleine.

Mais Nasser voulait sa pyramide, plus gigantesque encore que celle de Chéops, et il était pressé. Les Américains mirent des conditions politiques à leur aide ; les Européens, dont les Allemands, hésitèrent à s'engager dans cette aventure. La Banque mondiale refusa les crédits. Dépité, Nasser se jeta dans les bras des Soviétiques, qui ne posèrent aucune condition. Elles vinrent ensuite. Ils construisirent le barrage, traitant le vieux Nil comme la jeune Volga sans se soucier de son histoire, ni de ce qui serait sacrifié à ce projet : des temples admirables, un peuple qui perdit son âme lorsqu'il fut obligé d'abandonner le cadre millénaire où il vivait.

Le barrage est laid, colossal : une immense digue constituée par un entassement de limon, de sable et de blocs de roche, renforcé en son milieu d'un rideau de béton. C'est un barrage-poids qui n'a rien de la grâce aérienne d'un barrage-voûte : 43 millions de mètres cubes entassés, 17 fois la grande pyramide. Il le fallait pour pouvoir résister aux 157 milliards de mètres cubes d'eau du lac

Nasser en son remplissage maximum. Commencé en 1960, il fut terminé en 1971. Trente mille hommes y travaillèrent encadrés par six mille techniciens soviétiques. Haut de 111 mètres, large à sa base de 980 mètres, il mesure 40 mètres à son sommet. Le lac artificiel s'étend sur 500 kilomètres de long, pour les deux tiers en Egypte pour un tiers au Soudan : une mer d'un vert changeant au milieu des sables ocres du désert. C'est très beau et gênant comme si on se trouvait sur une autre planète. Les rives du lac sont restées désolées. Rien ne pousse. Où sont les terres qu'il devait fertiliser ? Alors que sous les eaux ont été engloutis toute la Basse-Nubie avec ses temples, ses forteresses pharaoniques, ses monastères et ses églises coptes aux fresques prestigieuses. On n'a pu sauver que les plus célèbres monuments comme Abou Simbel ou l'île de Philae, au prix de travaux gigantesques payés par la communauté internationale. Mais quatre mille ans d'histoire ont disparu et 70 000 Nubiens ont été arrachés à leurs villages aux murs rouges, aux portes incrustées de miroirs. Ils ont été déportés loin du Nil dans des casernes de béton, d'où ils se sont enfuis. Même les cigognes désorientées ont déserté ce paysage d'une infinie tristesse.

Après sa crise « pharaonique » de jeunesse, Nasser s'était pris à détester le passé non arabe de son pays. Il fit interrompre la plupart des fouilles à l'exception de celles de Karnak, de Louqsor, de la vallée des Rois, et il donna l'ordre de fermer de nombreux sites archéologiques.

Quand il décida de construire le barrage d'Assouan (l'idée n'était pas de lui mais d'un certain Daninos, qu'on prenait pour un fou) (1), il ne se soucia pas des destructions qui seraient opérées. Ce fut malgré lui que l'on sauva Abou Simbel, Philae, Qertassi et Qalabech, grâce aux efforts de l'UNESCO. Il laissa faire pour ne pas se mettre à dos la communauté internationale des archéologues qu'il méprisait, les intellectuels égyptiens qu'il détestait mais dont il exigeait louanges et flatteries. Il eut peur de son peuple au nationalisme vivace, tellement fier d'un passé qu'il connaissait mal puisqu'il faisait de Ramsès un calife. Grâce au barrage, 8 à 10 millions de « feddans » (un feddan équivaut à 4 200 m$^2$) devaient être fertilisés. En dix ans, à peine 650 000 ont été rendus productifs alors que dans le même temps 900 000 feddans de terres arables étaient perdus par la construction d'habitations.

On essaya bien de créer des villes dans le désert. Ce fut un échec.

---

(1) « Je me souviens d'un ingénieur d'origine grecque, aux cheveux hirsutes et aux yeux sauvages qui venait sans cesse nous voir au quartier général du Conseil, à Abbasiyyah. Il arrivait toujours au moment de son choix, sans prévenir ni prendre de rendez-vous. Si mes souvenirs sont exacts, il s'appelait Daninos et il ressassait une seule idée : il fallait construire un grand barrage sur le Nil, à Assouan. La manière dont il ressassait cette idée, l'impression de hantise qu'il nous donnait et l'obsession qu'on lisait sur son visage quand il parlait, tout cela semblait indiquer qu'il était fou. »
Anouar el Sadate, *A la recherche d'une identité*, Ed. Fayard.

L'eau manquait ; les vents brûlants rongeaient les fragiles constructions, et l'Egyptien, enfant du Nil, refusait de s'en éloigner.

Le barrage devait fournir avec ses 12 turbines 10 milliards de
kilowatts/heures, cinq fois la production de Donzère-Mondragon. Je
n'ai vu fonctionner que trois turbines. Comme j'en demandais la
raison on me dit qu'on ne savait que faire de l'électricité, que rien
n'avait été prévu pour la transporter jusqu'au Caire et que les
complexes industriels qui devaient l'utiliser n'avaient pas encore été
édifiés.

Si le pays ne connaît plus d'inondations, tout le limon s'amasse
dans le lac, beaucoup plus vite que l'on ne le croyait, et il ne vient
plus fertiliser les terres. Les paysans ont dû le remplacer par des
engrais qui coûtent cher, qu'ils ne savent pas utiliser, qui brûlent le
sol et polluent les eaux du fleuve par leurs composantes toxiques.
Pire encore. A la suite d'infiltrations, les berges du barrage n'étant
pas étanches, on assista à une remontée de la couche souterraine
d'eau et avec elle du sel qui brûle les cultures. La moitié des 650 000
feddans gagnés sur le désert est déjà perdue. On ignore encore
comment enrayer, au moins limiter cette catastrophe qui menace
toute la vallée du Nil et son delta. La terre a pris « le mal du sel », les
hommes la bilharziose, due à un parasite qui infeste les canaux aux
eaux stagnantes que ne lavent plus les crues du Nil. Dix pour cent
des cas sont mortels. Hier une exception, elle est aujourd'hui
devenue une véritable épidémie.

Les poissons privés du limon nourrissier ont déserté les côtes de
la Méditerranée. Les pêcheurs remontent des filets vides. On leur a
conseillé de s'installer sur les bords du lac Nasser où ces poissons
deviennent énormes. Mais à qui les vendre ? Il n'y a personne.
Faudra-t-il faire sauter le barrage comme le demandent déjà
certains ? J'ai rêvé devant cette mer Morte dix fois plus grande que
le lac Léman où ne glissait aucune felouque, devant cette formidable
centrale électrique inutile, devant ces lignes à haute tension qui
n'allaient nulle part alors qu'au Caire une partie de la population
s'éclairait encore au pétrole.

A l'actif du barrage : avoir rendu le fleuve navigable ce qui
permettra aux touristes de le remonter toute l'année. Mais est-ce
suffisant pour nourrir l'Egypte ? Avoir évité en 1972 une sécheresse
et en 1974 une inondation. On doit reconnaître au barrage cette
autre utilité : servir de pierre de touche dans les salons du Caire pour
connaître l'opinion politique de son interlocuteur. A la différence du
fellah de la vallée du Nil ou du Delta, qui n'est concerné que par les
problèmes concrets souvent dramatiques que pose Assouan, l'intellectuel cairote ne s'embarrasse pas d'aussi vulgaires considérations.
Il sera pour le barrage, s'il est communiste, parce que ce sont les
Soviétiques qui l'ont construit et que tout ce qui vient de l'Est est
sacré, ou s'il est nassérien parce que Nasser en décida afin de braver
l'impérialisme américain.

Par contre s'il suit Sadate, s'il est partisan de la libéralisation du
régime et de la paix avec Israël, il sera contre, accusant Nasser de

mégalomanie et les Russes de n'avoir accepté de construire Assouan que pour rendre l'Egypte encore plus dépendante de leur politique.

Sadate maître de l'Egypte aurait-il construit le barrage ? J'en doute. Trop prudent, trop madré, trop paysan pour se risquer dans une telle entreprise. Mais sur le monument à la gloire de l'amitié russo-égyptienne, une sorte de gigantesque château d'eau qui domine l'ouvrage, l'effigie de Sadate dissimule en grande partie le profil de Nasser. Il ne faut y voir que l'un des innombrables épisodes de ce règlement de comptes, qui, par-delà la mort, oppose deux hommes qui, pendant vingt ans, se haïrent, se méprisèrent sans pouvoir se passer l'un de l'autre. Sadate depuis qu'il est au pouvoir n'a de cesse d'exorciser le fantôme de Nasser, et les démons qu'il réveilla en Egypte.

Quand Chou En-lai apprit que Nasser avait été emporté par une crise cardiaque, il déclara à une délégation égyptienne : « Moi je vais vous dire de quoi il est mort, de chagrin, le cœur brisé. Et c'est la faute aux Soviétiques. Ils l'ont poussé à se mettre dans une situation intenable, puis l'ont abandonné. Ils se sont arrangés pour lui briser le cœur. » Et si Nasser était mort d'Assouan et de quelques autres sacrilèges qu'il avait commis contre l'Egypte ? Et si c'était le dieu du Nil qui l'avait tué ?

*<br>* *

J'entendis accuser Nasser d'un second « sacrilège », commis cette fois contre Alexandrie, la grande capitale de la Méditerranée au charme cosmopolite et provincial. Avant qu'il ne la fit assassiner on y parlait grec, arménien, anglais, français, rarement arabe, sauf dans les quartiers populaires. Les belles villas du front de mer appartenaient à ces grandes familles levantines dont Durrell raconta la vie tourmentée et oisive.

Nasser, le 26 juillet 1956 sur la grande place Méhémet Ali, y prononça son fameux discours où il annonçait la nationalisation du canal de Suez dont les revenus serviraient, disait-il, à financer le barrage d'Assouan. Un défi aux Américains et par-delà eux à l'Occident, à la France, à l'Angleterre. Le peuple hurla de joie.

Mais à la terrasse de l'Hôtel Cecil, où se réunissait « la Société », le discours fut senti comme une condamnation à mort d'Alexandrie, lieu privilégié de rencontres, carrefour de commerce. Les Grecs, les Juifs, les Italiens, les Arméniens et même la riche bourgeoisie copte avaient compris qu'ils seraient bientôt indésirables dans leur ville.

J'ai vécu l'agonie d'Alexandrie quand Nasser décida de « l'arabiser » — parce qu'il la haïssait et qu'il en avait peur. Il la haïssait parce qu'il y avait connu une enfance sans joie, envieuse, quand il allait à l'école de Ras el Tine, à côté du Palais royal et qu'autour de lui on parlait toutes les langues sauf l'arabe, la seule qu'il comprit.

Elle symbolisait à ses yeux un passé de collaboration avec l'Occident. Il voulait la punir d'avoir été si peu arabe, d'y avoir été brocardé, traité en lourdaud.

Il en avait peur parce qu'on avait tenté de l'y assassiner. Le 26 octobre 1954, un certain Mahmoud Abdellatif, un Frère musulman, avait tiré sur lui huit balles de pistolet. C'était aussi à ses yeux un foyer d'intrigues, un repaire de communistes.

Ce fut, je m'en souviens, la panique parmi les colonies grecques, italiennes, juives, arméniennes. On se préparait à l'exode ; on vendait les meubles dans la rue ; on planquait les bijoux et les honorables entremetteuses cherchaient des maris européens aux jeunes Grecques pour leur permettre de changer de passeport.

Etant à l'époque célibataire, ayant eu la maladresse de le faire savoir, je fus très sollicité. On voulut me coller une jeune danseuse du ventre orientale — grecque bien sûr — qui sévissait à l'auberge des Pyramides, une belle lesbienne aux grands yeux de Nefertiti — qui était copte, et une petite juive, grasse comme une caille, qui avait du bien, de l'esprit et une imposante famille.

J'ai fait quelques promenades en fiacre, sur le front de mer avec mes « prétendantes » et leurs duègnes. Alexandrie dans ma mémoire restera lié au claquement des sabots d'un petit cheval nerveux qui faisait sonner ses clochettes et agitait ses pompons. Et au souvenir de Constantin Cavafy, le poète grec alexandrin que j'imaginais pâle et défait, sortant de quelque bouge, en quête de jeunes gens complaisants après une journée passée sagement comme chef de bureau au ministère de l'Irrigation.

J'ai cherché son souvenir dans les tavernes grecques aux odeurs d'oignon et de retziné. Je n'ai trouvé qu'un vieux serveur qui depuis vingt ans recherchait le trésor d'Alexandre, en vain... bien qu'il sût exactement, me dit-il, sous quelle église byzantine il se trouvait.

Cavafy le prophète écrivait en 1911 :

« Quand tu entendras, à l'heure de minuit, une troupe invisible passer avec des musiques exquises et des voix, ne pleure pas vainement ta Fortune qui déserte enfin, tes œuvres échouées, tes projets qui tous s'avérèrent illusoires. Comme un homme courageux qui serait prêt depuis longtemps, salue Alexandrie qui s'en va. Surtout ne commets pas cette faute : ne dis pas que ton ouïe t'a trompé ou que ce n'était qu'un songe. Dédaigne cette vaine espérance... Approche-toi de la fenêtre d'un pas ferme, comme un homme courageux qui serait prêt depuis longtemps ; tu te le dois, ayant été jugé digne d'une telle ville...

« Emu, mais sans t'abandonner aux prières et aux supplications des lâches, prends un dernier plaisir à écouter les sons des instruments exquis de la troupe divine et salue Alexandrie que tu perds... »

Combien d'anciens compagnons de Cavafy ont récité ce poème en pleurant sur le bateau qui les ramenait en Grèce, en Italie ou en Israël !

Avec un million et demi d'habitants, Alexandrie est devenue, en 1979, une cité grouillante, bruyante, crasseuse dont la périphérie se boursoufle de bidonvilles. Le bord de mer est encombré d'établissements de bains aux cabines de bois vermoulu. A peine si l'on voit la

Méditerranée. Guinguettes où l'on boit du pepsi-cola, où l'on sert sur des tables bancales des fritures à l'huile rance. Les immeubles aux nobles proportions n'étant plus entretenus tombent en ruine. Les linges blancs et roses qui claquent à la brise comme des oriflammes font ressortir les couleurs sinistres d'une peinture qui s'écaille.

Les survivants de la cité d'Alexandre et de Cléopâtre ne sont plus qu'ombres furtives aux costumes élimés, à la coupe désuète. Quand on les aborde, leur premier mouvement est de recul, puis, ce réflexe surmonté, ils vous répondent fort obligeamment dans un français recherché, avec ce merveilleux accent, ce léger roulement des r, qui n'existe qu'au Levant. Au besoin, ils n'hésitent pas à se détourner de leur chemin pour vous servir de guide. Puis avec un salut d'une infinie courtoisie, ils vous abandonnent, pour regagner les deux ou trois pièces minuscules qu'on leur a abandonnées sous les combles du palais, de la villa, de l'immeuble qu'ils possédaient jadis. Ils y ont entassé tous leurs meubles ; on ne peut s'y mouvoir. Les murs sont ornés de vieilles croûtes, de soleils couchants, parfois de toiles de grands maîtres. Bien que ruinés, ils refusent de s'en défaire et en vous offrant une mauvaise orangeade dans un verre à moutarde, ils vous demandent comment vous trouvez ce petit Modigliani, ou ce Douanier Rousseau qu'un grand-père ramena de Paris en guise de plaisanterie.

Alexandrie, avec la paix, renaîtra-t-elle de ses cendres ? On a pour elle de grands projets : buildings et hôtels géants mais qui condamnent à la disparition les belles constructions à l'italienne, les derniers tamaris et les derniers palmiers qui n'ont pas été brûlés par les vapeurs d'essence.

Il reste encore deux ou trois fiacres. Ils font pitié, englués comme des mouches dans une circulation qui n'a plus rien à envier à celle du Caire.

Le téléphone y fonctionne encore plus mal.

*
**

Le troisième « sacrilège » que l'on reproche à Nasser, le plus grave par ses conséquences, fut d'avoir oublié la vocation africaine et « nilotique » de l'Egypte, de l'avoir détournée de sa zone historique d'expansion et d'influence : le Soudan, la Libye, pour la lancer à la conquête de cet Orient de l'Euphrate, l'Orient des complots, des révolutions, des guerres civiles, l'Orient des inquiétudes, des grandes exaltations suivies de crises de désespoir. Ce fut d'avoir choisi le rêve impossible en condamnant, pour le réaliser, les Egyptiens à une longue misère.

En 1955, Nasser cesse de s'intéresser au Soudan où, profitant des luttes intestines et de son prestige pas encore entamé, il aurait pu asseoir définitivement l'influence égyptienne.

Tout liait le Soudan à l'Egypte : l'histoire, la religion, le climat, les habitudes, et surtout le Nil. Mais le Soudan était en Afrique.

Nasser préféra vagabonder en Syrie, dans les sables du Sinaï et les montagnes du Yémen.

Sadate, en portant aide au gouvernement de Nimeiry menacé par les Soviétiques et leurs clients, s'efforcera de regagner ce terrain perdu. Mais n'est-il pas trop tard ?

L'arabisme de Nasser est en lui-même suspect. Les subtils et confus fondateurs du Ba'th, le parti de la renaissance arabe, Michel Aflak et Salah Bitar qui provoquèrent l'union de la Syrie avec l'Egypte devaient rapidement en faire l'expérience, à leurs dépens.

Dès les premiers entretiens, Nasser parle en maître, exige qu'on lui donne de l'Excellence, du Monsieur le Président, il les appelle lui-même par leur prénom, comme de simples recrues qui viennent de débarquer dans une caserne. Ils représentent à ses yeux ce qu'il ne peut supporter, les « intellectuels » imprégnés d'une culture occidentale à laquelle il n'a pas eu accès.

Genre de dialogue. Nasser se plaint d'un article publié par la revue syrienne *Al Ba'th* que Bitar prétend ne pas avoir lu.

*Nasser :* — Vous ne lisez donc pas la presse arabe ? Cet article a été aussi publié au Liban et en France dans *le Figaro*.

*Bitar :* — Non Excellence, nous ne l'avons pas lu.

*Nasser :* — Ainsi vous ne lisez ni la presse libanaise ni la presse française ?

*Bitar :* — Elles n'entrent pas en Syrie.

*Nasser :* — Incroyable ! Qu'est-ce que vous me chantez là ? Comment gouvernez-vous alors votre pays ?

*Bitar :* — Votre Excellence, on nous informe. Nous n'avons pas le temps de tout lire.

*Nasser :* — Moi avant d'aller me coucher je lis toute la presse libanaise, française, anglaise, et syrienne...

Pure vantardise. Nasser ignore le français et écorche l'anglais.

Nasser ira encore plus loin dans sa haine des intellectuels syriens quand par « la Voix des Arabes » qui reflète servilement ses pensées, le 26 mai 1963, il proclamera :

« Le sang de Bitar et d'Aflak est le prix à payer pour corriger les déviations du parti Ba'th. Tuez ces deux traîtres et vous aurez coupé les longues mains de l'impérialisme britannique. Quiconque les tuera aura rendu à la Nation arabe un service que l'histoire n'oubliera jamais. »

En juillet 1963, cette même radio appellera « le peuple musulman de Syrie et d'Irak à se soulever contre le prénommé Michel, l'infidèle, et son parti qui veulent instaurer l'athéisme et la laïcité en terre d'Islam ».

— Nasser, m'avoua un jour Salah Bitar à Beyrouth, était rapidement passé du mépris à la haine. Nous avions cru qu'il serait le poing armé de notre révolution panarabe, que nous lui fournirions ce qui lui manquait le plus : l'idéologie. Une fois s'être servi de nous, il comptait nous éliminer. Ce n'était qu'un militaire brutal dont la pensée se reflète dans sa *Philosophie de la Révolution*, un *Mein Kampf* édulcoré.

Dans sa jeunesse, Nasser adhéra à un mouvement fasciste et paramilitaire « La Jeune Egypte », « Misr el Fatah », dont le « führer » Ahmed Hussein se prétendait de pur sang pharaonique et s'était donné pour mission de régénérer le pays corrompu par les néfastes influences étrangères.

Parmi les dix commandements des « Chemises vertes », citons :
— Tu n'achèteras rien à un commerçant qui ne sera pas égyptien, tu ne porteras que des vêtements fabriqués en Egypte, tu ne consommeras qu'une nourriture strictement égyptienne...
— Tu mépriseras de toute ton âme ce qui est étranger et dans ton appartenance égyptienne tu feras preuve d'un fanatisme qui ira jusqu'à la folie (1).

Erreur de jeunesse ? Nasser dès qu'il se lancera dans la politique choisira l'arabisme contre le « nilotisme » et avec une belle sincérité il en donnera la raison.

En 1953 il confie à Ahmad Abou el Fath :
« Autrefois, je ne croyais ni dans les Arabes ni dans l'arabisme... Je ne pouvais croire que les peuples arabes étaient capables de quelque chose... Mais tout ce potentiel (pétrolier) que possèdent les Etats arabes m'a fait changer d'avis... »

Une raison qui sent son marchand de tapis.

Il déclare à Benoist-Méchin avec cette fabuleuse vanité digne de Ramsès, d'un calife... ou d'un Bédouin : « Les contours de la Nation arabe s'arrêtent là où ma propagande ne soulève plus d'écho. Au-delà commence autre chose, un monde étranger qui ne me concerne plus. »

Nasser conçoit l'arabisme comme Hitler le germanisme, une annexion puis une égyptisation des pays arabes voisins. Pour lui, la vocation arabe de l'Egypte « confine à l'hégémonie » (2).

Quand se constituera la République arabe unie, on assistera à une véritable invasion de la Syrie par les officiers, les techniciens, les policiers et les services spéciaux égyptiens chargés de la transformer en simple province égyptienne. On lui donnera pour vice-roi le maréchal Amer, l'ami intime, le confident, « l'enfant terrible » de Nasser. D'où l'échec.

Amer qui n'était pas idiot s'en rendra compte, mais le temps lui manque pour faire le siège de Nasser et le persuader de mener une autre politique. Refusant tous les conseils, toutes les mises en garde, ne pouvant supporter qu'on lui résiste, le Raïs accentue la répression.

Dans sa politique d'arabisation à tout prix d'une Egypte qui n'est pas arabe, Nasser liquidera ou obligera à l'exil les minorités ethniques et religieuses qui donnent au pays sa diversité, son allure occidentale, sa richesse. Il veut en faire un Etat monolithique qu'il

---

(1) La découverte, en 1930, du tombeau de Toutankhamon devait donner naissance, parmi les intellectuels égyptiens, à ce « fascisme » pharaonique, qui reste encore vivace, là où on s'attendrait le moins à le rencontrer, dans certains cercles gauchisants.

(2) O. Carré, *L'Egypte d'aujourd'hui*, Ed. CNRS.

contrôlerait entièrement, dont il ferait l'instrument de ses ambitions.

Il était difficile d'en user ainsi avec les coptes chrétiens qui étaient plusieurs millions, à qui on ne pouvait reprocher comme aux Grecs, aux Juifs, aux Italiens, aux Arméniens de ne pas être d'authentiques Egyptiens. Ne pouvant s'en débarrasser, Nasser les privera de tous les droits, faisant d'eux des citoyens de seconde zone, pratiquant à leur égard le même apartheid que les Blancs d'Afrique du Sud avec les Noirs.

« La seule différence entre un copte et un musulman, constatait déjà lord Cromer, proconsul britannique, est que le premier est un Egyptien qui adore Dieu dans une église alors que le second est un Egyptien qui l'adore dans une mosquée. »

Copte vient du grec « Aegyptos » qui signifie égyptien. L'Eglise copte, la plus ancienne Eglise chrétienne d'Orient, rassemble plus de 6 millions de fidèles (7 millions selon le Patriarcat qui se base sur le nombre des baptêmes enregistrés, 2 315 000 selon un recensement officiel plus que suspect). Fondée par saint Marc l'Evangéliste, elle est aujourd'hui dirigée par Chenouda III, pape d'Alexandrie, cent dix-septième dans la lignée ininterrompue des patriarches. S'opposant à la fois à Rome et à Byzance, l'Eglise copte s'est toujours voulu nationale et égyptienne. Pour se différencier des autres communautés chrétiennes, elle a son propre calendrier qui débute en 284 de notre ère, date des grandes persécutions de Dioclétien, « l'année des martyrs ». Si bien que 1980 correspond dans ce calendrier à l'an 1696.

Au moment de la conquête arabe (640-642 de notre ère), l'Egypte est chrétienne. Les musulmans, dans la proportion de 90 %, seront des coptes convertis souvent pour des raisons d'intérêt, afin d'échapper à la capitation ou pour accéder à des charges dans l'administration. Cette conversion ne sera pas instantanée. Ce n'est que trois siècles plus tard, sous les Fatimides, que le nombre de musulmans l'emporte sur celui des chrétiens. Et l'islamisation de l'Egypte ne sera complète que sous les Ottomans.

La langue copte dérive du parler de l'antique Egypte pharaonique enrichi de nombreux apports grecs. Elle cessera d'être parlée vers le milieu du xviiiᵉ siècle pour être remplacée par l'arabe vulgaire et ne sera plus utilisée que dans les offices religieux.

Les coptes sont semblables à leurs frères musulmans ; ils mènent la même existence, ils ont les mêmes traits physiques, le même caractère, ils portent les mêmes habits, parlent et écrivent la même langue. Dans les villes, leurs boutiques se touchent ; ils sont fonctionnaires dans les mêmes bureaux, professeurs ou élèves dans les mêmes écoles. Il est courant qu'un enfant musulman fasse une partie de ses études dans une école copte (ce fut le cas aussi bien pour Sadate que pour Nasser).

Tous les paysans, qu'ils soient chrétiens ou musulmans, règlent leurs travaux sur le calendrier copte lié au cycle du soleil, découlant lui-même du calendrier pharaonique.

Les deux communautés célèbrent ensemble certaines fêtes comme Cham el Nessim, la fête du Printemps.

Il est courant, surtout en Haute-Egypte, de voir côte à côte les deux clochers jumelés d'une église copte à côté du minaret d'une mosquée.

Les coptes se montrent très discrets dans leurs manifestations extérieures, pèlerinages, processions. Ils sont facilement secrets, repliés sur eux-mêmes. Ils ont vécu des siècles, tolérés, devenus des hôtes sur la terre de leurs ancêtres (1), et il leur en est resté un certain comportement humble, effacé. Ce que leur reprochent d'autres chrétiens orientaux comme les maronites.

Pierre Gemayel, fondateur et « guide » des Phalanges chrétiennes du Liban, m'affirmait : « Nous autres maronites nous ne serons jamais comme les coptes, nous n'accepterons jamais de devenir des citoyens de seconde zone, et de nous comporter en " carpettes " devant des maîtres musulmans. »

Il oubliait que si les maronites avaient eu leurs montagnes pour refuges, il en allait tout autrement des coptes dispersés dans toute l'Egypte, parfois en minuscules communautés.

Les coptes n'ont cessé de donner au cours des siècles des gages de leur nationalisme égyptien. Au contraire des autres chrétiens d'Orient, ils n'ont pas répondu à l'appel des Croisés qu'ils ont combattus côte à côte avec les musulmans. Comme ils ont fait front avec les musulmans aussi bien contre les Français de Bonaparte que les Anglais de Kitchener. Jamais ils ne collaboreront avec l'occupant, pourtant chrétien comme eux, et ils n'apporteront aucun soutien aux maronites du Liban suivant strictement là comme ailleurs « la voie égyptienne ».

Par contre ils participeront à la lutte politique de libération contre les Britanniques. Ils adhéreront en masse au parti nationaliste « Wafd ». L'un de leurs prêtres, Abouna Sergios, parle à la mosquée d'Al Azhar qui sert de refuge aux manifestants pourchassés par les Anglais. Quand les Anglais ferment la mosquée, Sergios leur ouvre son église. Nombreux seront les coptes qui connaîtront la prison ou l'exil.

En participant au combat du Wafd, ils espéraient que les dirigeants du parti comme Nahas pacha feraient d'eux des citoyens à part entière.

Il n'en fut rien.

Officiellement, les coptes étaient électeurs et éligibles ; ils avaient le droit de remplir toutes les charges de l'administration. En pratique, il en allait tout autrement. Le Wafd vainqueur les oublie : Nasser, dès 1952, les persécute car il a compris leur réticence à s'engager dans cette aventure panarabe, qu'ils ressentent comme une atteinte à l'histoire de l'Egypte et à ses traditions pacifiques.

_____

(1) O. Carré, *L'Egypte d'aujourd'hui*, Ed. CNRS.

Nasser réagit brutalement. Sur 360 parlementaires, les coptes n'eurent plus droit qu'à 6 députés, encore n'étaient-ils pas élus mais nommés. Aucune des 160 plus hautes charges de l'administration civile ne pouvait être exercée par eux. Sur 600 directeurs de ministères, 30 seulement étaient coptes, sur 170 doyens de Faculté, un seul copte, sur 100 ambassadeurs, 3 coptes nommés dans des légations mineures du bout du monde.

Pourtant nombreux étaient ceux qui avaient fait des études supérieures. Ils étaient devenus médecins, avocats, ingénieurs, écrivains, et surtout techniciens souvent remarquables. Au contraire des autres Egyptiens, ils avaient du goût pour les sciences exactes.

Des quota très stricts furent imposés aux étudiants chrétiens dans les universités, les écoles normales et les instituts pédagogiques. Interdiction de construire de nouvelles églises et couvents alors que le monachisme copte était en plein réveil, interdiction de publier tout livre nouveau traitant de la foi chrétienne.

Le conseil communautaire fut supprimé ; le patriarche déposé et on ne lui donna pas de successeur.

Même leur statut personnel sera remis en question. Si un copte veut épouser une musulmane, il doit obligatoirement se convertir à l'Islam. Veuf ou divorcé, s'il décide de revenir à son ancienne religion, il risque la peine capitale pour apostasie. Si une chrétienne épouse un musulman, elle peut conserver sa religion mais si les époux se séparent, les enfants seront élevés dans la religion de leur père, auquel, quels que soient ses torts, ils seront toujours confiés.

Sadate, pour qui les coptes sont d'authentiques Egyptiens, abrogera un certain nombre de ces mesures. Il rétablira le conseil communautaire, il permettra la construction de nouvelles églises, il inaugurera même un couvent. Mais il faudra que le nouveau patriarche enfin élu, Chenouda III, décide cinq jours de jeûne pour que les mesures de discrimination religieuse soient assouplies.

En octobre 1973, Sadate n'hésitera pas à mettre un général chrétien à la tête de la II$^e$ Armée égyptienne : Fouad Aziz Ghali, à prendre comme vice-Premier ministre le copte Fikri Makram Obeid, et surtout à choisir comme secrétaire d'Etat aux Affaires étrangères le représentant d'une des plus grandes familles coptes d'Egypte : Boutros Ghali, qui sera chargé des négociations avec Israël. Si elles réussissent, Sadate en aura la gloire, si elles échouent, Boutros Ghali et tous ses coréligionnaires porteront le chapeau.

La communauté copte a compris le danger. D'où son silence et ses réticences.

Nasser-Sadate : deux destins qui s'opposent, deux tempéraments, deux visages de l'Egypte. Ils n'ont en commun qu'un nationalisme fervent et d'appartenir, l'un comme l'autre, à cette société militaire qui continue la tradition des mamelouks.

*
**

Gamal Abdel Nasser est né le 16 janvier 1918 à Beni Morr, un petit village du Saïd proche d'Assiout en Haute-Egypte, à 400 kilomètres au sud du Caire. Son père Abdel Nasser Hussein est postier, mais il a conservé le goût du nomadisme de ses ancêtres arabes qui conduisaient des caravanes dans le désert et se livraient au trafic des esclaves. Il vivra à Assiout, à Suez, à Khatatba, dans le Delta, à Damanhour, à Alexandrie, au Caire. Nasser, quoi qu'il en dise, n'est pas attaché à son village ; il n'a jamais participé à la vie rurale inchangée depuis les pharaons. Lorsqu'il devra décider de certains problèmes ayant trait à la terre, il s'y emploiera avec une rare maladresse imposant contre tout bon sens au vieux peuple du Nil les schémas soviétiques du collectivisme agraire.

Toute sa vie, il restera un « homme des tentes », indifférent au confort, ne possédant pas de terres au soleil, au contraire de Sadate, issu d'une famille de fellahs, profondément enracinée dans le limon d'Egypte. Dès qu'il le pourra Sadate achètera du bien dans son village, à Mit Aboul Kum et s'y fera construire une belle maison. Chaque fois qu'il en a l'occasion, il y retourne et s'y sent heureux.

Nasser est très fier de ses origines arabes. En 1952, après son coup d'Etat réussi, il déclare à un journaliste indien :

« Le monde arabe est un carrefour, une route militaire mondiale... Il y a bien longtemps, nos pas se sont dirigés du cœur de la presqu'île arabique vers la Palestine, l'Egypte, la Cyrénaïque, vers Kairouan et Fès, puis vers le nord jusqu'à Cordoue, Séville, Lisbonne et Lyon en France... Aucun de ceux qui étaient partis n'est retourné en Arabie, parce qu'ils ne se sentaient jamais étrangers dans ces pays...

« A une autre époque, des contingents de tribus de Beni Hall, Beni Soulayn, Beni Morr se répandirent sur le territoire de la patrie arabe. Ils ont laissé dans chaque famille un oncle paternel ou maternel... Tous ces émigrés étaient, au sens des historiens et des politiciens, des Arabes (1)... »

Au moment de la proclamation de la République arabe unie cette interview sera ressortie dans de nombreux journaux syriens, libanais.

Nasser se voudra arabe, au point de changer le nom de l'Egypte en celui de « République arabe unie », de maintenir cette appellation alors qu'elle ne signifie plus rien depuis que la Syrie s'en est séparée.

Mais que sont ces Arabes d'Egypte qui constituent une fraction infime de la population ? Gobineau nous en fait cette description :

« De beaux hommes, d'une stature élevée, d'une construction forte et osseuse. Leur carrure est assez puissante, et ils n'ont rien de mou ni de débile dans leur apparence. Leur physionomie est énergique et décidée, assez dure. Leurs yeux, peu faits pour exprimer des sentiments doux, sont beaux dans l'irritation, vils dans la complaisance, enfin c'est l'Arabe dont les califes abbassides pen-

---

(1) *Nationalisme arabe pratique et théorique.* Préface de Nasser. Le Caire, 1959.

saient qu'il n'était pas propre aux travaux intellectuels, aux recherches de l'érudition ni aux habiletés du gouvernement... C'est une race antique, tenace dans ses instincts et qui n'y renoncera pas. Elle vit pour elle-même. Elle n'est pas sympathique aux autres. Elle a de sa noblesse et de son excellence une haute idée et se préfère à tout. Ses sentiments religieux sont faibles et toujours ils ont été faibles... Ils se croient droit à tout et sur tout. Il est heureux qu'ils n'aient pas la force ; avec cela ils ne manquent pas de noblesse (1). »

Pour un Egyptien, Nasser est grand et massif. Il mesure 1,86 mètre et pèse 96 kilos, mais jusqu'à ce que la maladie l'épuise, il conservera une démarche souple de coureur de dunes. Le front, mangé par une toison drue et bouclée, paraît étroit par rapport à la mâchoire excessivement développée. Nasser a cette beauté un peu vulgaire d'un « plagiste » levantin aux larges épaules et « aux grands yeux sombres de gazelle ». Souvent brutal, volontiers provocant, il sait quand il le faut jouer de son charme, de sa séduction quasi féminine. Ce qui surprend chez ce robuste soudard. Il est infiniment plus complexe qu'il ne paraît. Je l'ai surpris, grisé par les ovations d'une foule en délire, les yeux fermés, les narines palpitantes, s'abandonnant avec volupté à cette drogue. Elle lui deviendra indispensable et il préférera toujours la quantité des acclamations à la qualité de ceux qui les lui prodiguent.

Nasser ne supporte pas la contradiction. Je me souviens d'une conférence de presse où il arrivait difficilement à dominer sa colère, comme si les questions que lui posaient les correspondants étrangers étaient des insultes. Il n'était au pouvoir que depuis peu de temps, mais son triomphe à Bandoung lui était déjà monté à la tête.

Par bien des traits, il me rappelait Fidel Castro que j'avais rencontré à La Havane. Même taille, même lourdeur, même souplesse de grands fauves, même besoin maladif de flatteries, un mépris des hommes joint à une certaine goguenardise qui cachait mal une jalousie inquiète et une immense suffisance. Malgré l'étalage à tout propos d'une virilité, d'un « machisme » triomphant, tous deux faisaient preuve d'une jalouse susceptibilité : un travers bien féminin. Ils aimaient humilier leur entourage, exiger de lui une servilité totale sous les apparences d'une fausse camaraderie.

Mais Nasser, plus ondoyant que Castro, plus lucide, échappa aux Russes qui s'étaient efforcés de le prendre au même piège que le Cubain.

Nasser n'aime pas qu'on lui parle de son père, de sa famille, dont il est honteux. Il affecte d'ignorer combien il a de frères et de sœurs. Pour le blesser, il suffit de l'appeler « Ibn el Boustogin », le fils du postier.

Il reste complètement étranger à tout ce qui touche l'art et la littérature, ignorant l'histoire ancienne de son pays. Il ne lui prête de l'intérêt que si elle est arabe. Ses goûts musicaux se limitent à

_____

(1) Gobineau, *Trois ans en Asie.*

écouter pendant des heures la grosse chanteuse Oum Kalsoum qui est l'idole de tous les Arabes. A elle seule, il pardonne d'être aussi populaire que lui. Mais ce n'est qu'une femme.

Orgueilleux, violent, passionné, jaloux, intolérant, par un effort épuisant de volonté, Nasser arrive à se contraindre jusqu'à ce qu'il éclate dans de folles colères.

Quand il a peur et il a souvent peur — il voit partout des complots et craint pour sa vie —, il n'hésite pas à faire torturer, pendre, ou éliminer secrètement ses adversaires. Il ment comme un Bédouin et tient rarement parole. Avec ses plus proches collaborateurs, il est facilement sadique. Il les pourrit, les comble de bienfaits, d'honneurs, de privilèges, il les incite à puiser dans la caisse et soudain leur brise les reins. Il agit ainsi avec Heykal, « son porte-plume », dont il a fait le directeur d'*Al Ahram*, le plus grand journal du Caire. Il le laisse se gonfler d'importance, il lui fait croire qu'il est essentiel à la marche de l'Egypte vers le socialisme et soudain, sans raison, lui murmure cette petite phrase qui tombe comme un couperet de guillotine : « Tu devrais te reposer. Reste donc quelques jours à la maison. » C'est la disgrâce. Le courtisan honoré n'est plus rien ; il perd ses avantages, ses passe-droits ; la police secrète s'intéresse à son compte en banque. Il vit terré au fond de son trou, attendant du maître sa grâce ou la prison. Quand on le rappelle à la cour, il n'est plus rien ; il n'existe plus ; il rampe.

Nasser est méprisant avec ses plus proches compagnons ; il est perfide, rusé, mais avant tout d'une méfiance qui confine à la folie :

« L'immensité des pouvoirs dont il disposait, la minutie du contrôle qu'il tentait d'exercer sur l'ensemble de l'appareil de l'Etat — voire de la totalité de la vie publique et sur bon nombre de vies privées — ont fait de lui le véritable responsable de ce qui s'est accompli en Egypte d'avril 1954 à septembre 1970 (1)... »

Son pouvoir n'est plus basé sur l'armée. Il s'en défie. Il a peur d'un coup d'Etat, d'un putsch comme celui qui l'a porté au pouvoir ; il la surveille et nomme à sa tête des chefs incapables. Il interdit aux unités blindées de s'approcher à moins de 20 kilomètres des villes, leur accordant une maigre dotation d'essence. Ce sera l'une des causes de la défaite de juin 1967.

Tout son régime, et peu importe le nom dont il le baptise, repose d'abord sur les services spéciaux, les Mokhabarats, auxquels appartient tout son entourage, de Zacharie Mohieddine qui passe pour être de droite à Ali Sabri qui joue à être communisant.

Les Mokhabarats, comme les « Savaks » du Shah, sont partout implantés, surveillant aussi bien les syndicats que les universités ; ils agissent en Syrie, en Irak, au Liban, ils assassinent, enlèvent et surtout torturent.

Mais infiniment plus méfiant que le souverain iranien, Nasser

---

(1) J. Lacouture, *Nasser*, Le Seuil.

fait surveiller ses Mokhabarats par deux autres polices secrètes, la police politique et la police spéciale de la présidence.

« Sur cette pyramide de renseignements parfois complémentaires, plus souvent contradictoires, régnait le Raïs ivre de méfiance et de pouvoir (1). »

Anouar el Sadate peut écrire à juste titre :

« Pauvre Nasser ! Il est mort sans avoir jamais connu la joie de vivre ; son existence tout entière a été consumée par la haine et les colères. L'anxiété rongeait sans cesse son cœur car il nourrissait des soupçons à l'égard de tous les hommes, quelle que fût leur position réelle. Mais, de ce fait, il est malheureusement naturel qu'il ait laissé un véritable héritage de haine, tant parmi ses collaborateurs les plus proches que parmi la population entière et même à vrai dire dans toutes les classes du pays. »

Il écrit encore :

« Nasser était un homme auquel il n'était pas facile d'avoir des amis au plein sens du terme, en raison de sa tendance à la défiance, à la suspicion, à l'amertume et à la nervosité (2). »

« Le peuple avait perdu tout sentiment de sécurité ; personne ne savait de quoi demain serait fait »..., etc.

Et Sadate de raconter cette histoire qui courait alors au Caire :

« Un jour un renard égyptien se présente à la frontière libyenne. On l'arrête pour l'interroger.

— Pourquoi avez-vous quitté l'Egypte ?

— En Egypte on met les chameaux dans les centres de détention.

— Mais vous êtes un renard.

— Oui, mais Dieu sait combien de temps il leur faudra pour s'en rendre compte. »

Que vaut Nasser comme soldat ? C'est un bon officier d'état-major sans plus. Mais il n'a rien d'un foudre de guerre. Il fait correctement son travail, il s'expose au feu quand il ne peut faire autrement ; il sera blessé d'une balle à la poitrine. On en a fait le héros de la bataille de Fallouga en octobre 1948 quand, encerclé par les Israéliens avec le 6ᵉ bataillon qu'il commande, il leur aura vaillamment résisté.

Il y a méprise. Le héros de Fallouga est un certain colonel Sayad Taha, le « patron » de Nasser, qu'on a baptisé « la panthère noire » car il a le teint sombre des Soudanais. Il a fait preuve sur le terrain d'un grand courage physique en même temps que de qualités indéniables de chef.

Plus tard, habilement, sans jamais l'affirmer, sans le démentir non plus, Nasser laissera ses courtisans lui donner le beau rôle dans cette méchante affaire. C'est lui qui deviendra « le tigre de Fallouga ».

---

(1) Jean Lacouture, *Nasser.*
(2) Anouar el Sadate, *A la recherche d'une identité,* Ed. Fayard.

Dans la réalité il en va autrement. Quand il épaule avec son bataillon celui de Zacharie Mohieddine qui attaque le village de Mehrez, qu'il voit le combat mal engagé et se rend compte de la détermination de l'ennemi, « il pense à sa famille » et décroche avec son unité, souhaitant « bonne chance » à son ami qui doit s'en tirer seul.

Au contraire de Sadate qui est d'un grand courage physique, Nasser est prudent et redoute les coups, sauf dans ces moments d'exaltation où il devient un autre personnage, le Zaïm sur lequel veillent Dieu et l'histoire et qui se sent invulnérable.

La trêve signée avec Israël, le major Nasser s'emploie à connaître l'adversaire et il se lie d'amitié avec le capitaine israélien Yerulham Cohen. Il l'interroge inlassablement sur la façon dont fonctionnent et l'armée et le régime de Jérusalem ; il se passionne pour les kibboutzim ; les méthodes qu'employèrent la Haganah et l'Irgoun pour chasser les Anglais de Palestine. Il en fait son miel. Ses camarades pleurent sur leur défaite ; lui s'instruit.

De son côté Cohen lui trouve du charme, de la franchise, il sent qu'il a affaire à un véritable patriote... Ce qui n'empêchera pas Nasser, dès qu'il sera au pouvoir, dès qu'il aura compris que l'antisionisme pouvait être l'instrument de son ambition, de persécuter les Juifs, comme il le fera des communistes, qu'il s'efforcera ensuite d'utiliser. Avec un parfait cynisme. Il ne sera jamais comme on a voulu le faire croire « un sioniste inversé ». Il ne sera pas raciste non plus.

Il veut le pouvoir. Elève de Machiavel qu'il n'a jamais lu mais dont il suit instinctivement les leçons, il estime que tous les moyens sont bons pour l'obtenir. C'est en cela qu'il sera tenté par le marxisme, comme technique pour conserver le pouvoir une fois conquis. L'idéologie, il n'en a que faire.

Ben Gourion, à la fin de sa vie, quand il vivait retiré dans le kibboutz de Sde Boker, me révéla qu'il avait longtemps conservé des liaisons secrètes avec Nasser par un intermédiaire dont il refusa de me révéler le nom (le capitaine Yerulham Cohen ?) mais qu'il avait dû les interrompre car si elles avaient été connues Nasser aurait pu payer de sa vie cette imprudence. Ben Gourion imaginait mal l'essence du pouvoir nassérien. Le Raïs ne risquait rien.

La faiblesse de Nasser comme sa force tient à son caractère typiquement « arabe ». Il confond sans cesse rêve et réalité ; il se prend au piège des mots qu'il prononce ; il est comme un boutiquier de souk vantant si bien un produit qu'il n'a pas dans son échoppe, qu'il arrive lui-même à croire qu'il en détient le monopole exclusif. D'où sa conviction à faire partager aux autres ses mensonges.

Un exemple : il finira par se persuader qu'il a remporté une victoire dans la guerre qui l'opposa, après la nationalisation du canal, aux Anglais, aux Français et aux Israéliens.

« Nasser, écrit Sadate, se laissa tourner la tête par la légende qui, dans toute l'Egypte et le monde arabe, faisait de lui un héros qui avait vaincu les armées de deux grands empires, la Grande-Bretagne et la France. Ayant complètement sous-estimé le rôle joué par Eisenhower pour transformer une défaite militaire en victoire politique, il fut le premier à s'imaginer qu'il avait gagné la guerre. Il refusa toujours d'admettre la vérité à savoir qu'il avait subi une défaite militaire. »

Les services de propagande égyptiens affirmèrent avoir coulé le croiseur français *Richelieu* alors qu'il se trouvait toujours en rade de Toulon.

Le colonel Hatem des Services spéciaux et de l'Information me l'affirma contre toute vraisemblance. La preuve ? Il avait entendu la nouvelle de la bouche même du Raïs. Il est bien possible que Nasser, après avoir inventé cette fable, y ait cru à son tour.

Incapable de remporter une victoire avec une armée dont il se défie et qu'il s'acharne à désorganiser « par paranoïa de sa sécurité », dit Sadate, Nasser par contre vend fort bien ses défaites si cuisantes soient-elles. Comme la guerre des Six Jours qu'il a déclenchée par ses imprudences et perdue pour ne pas l'avoir préparée.

Du 4 au 8 juin 1967 il fera croire au peuple égyptien à coups de communiqués victorieux que la guerre est gagnée. Et soudain, sans aucune préparation, il annonce le cessez-le-feu.

« La victoire qu'on avait vendue (à l'Egypte), était en fait un affreux désastre ; le cessez-le-feu, honteux, consacrait la perte de Gaza et du Sinaï, l'installation des Israéliens sur les bords du canal (1). »

Le peuple, dans un premier mouvement, exige le départ de Nasser ; l'armée de même. Le Raïs donne sa démission tout en préparant en sous-main un fabuleux rétablissement. Ses agents, qui appartiennent à toutes ses polices ou à l'Union socialiste qui n'est qu'une police de plus, se répandent dans la ville pour expliquer que Nasser n'est pour rien dans la défaite, qu'il est une victime, qu'il a été trompé. Les coupables ce sont les « Autres », les impérialistes américains dont les chasseurs, à partir de la VI⁰ Flotte, ont cloué au sol l'aviation égyptienne et non pas les Mirages frappés de l'étoile de David ; ce sont les généraux, les colonels de l'armée égyptienne qui n'ont pas obéi à leur chef : des corrompus, des incapables qui ont trafiqué sur le ravitaillement, négligé l'entretien du matériel, qui faisaient la fête au lieu de se préparer au combat.

A la télévision, lui dont la voix aux belles résonances de cuivre sait si bien galvaniser les foules, il chevrote un message dans lequel il annonce qu'il abandonne la vie politique.

Et il réitère dans le mensonge grossier, affirmant contre toute vraisemblance qu'il est obligé d'agir de la sorte à cause de la double collusion de l'impérialisme sioniste et américain. Avec perfidie, il présente son successeur qu'il a lui-même désigné, son vieux camarade Zacharie Mohieddine qu'il a déjà lâché une fois en plein

---

(1) Anouar el Sadate.

combat comme le seul qui puisse traiter avec les Américains. Sous-entendu, parce qu'il est leur homme.

Une foule immense déferle sur Le Caire, emportant toutes les barrières ; elle veut brûler l'ambassade des Etats-Unis ; elle confond Zacharie Mohieddine avec l'impérialisme du dollar, et menace de le pendre avec les députés qui le soutiennent. Elle bloque la route du Caire aux Pyramides où se trouve la villa du Raïs. Elle assiège le Parlement ; elle exige que Nasser reste au pouvoir ; « Nous avons besoin de toi, Nasser », hurle-t-elle.

Grand vaincu, responsable de cette défaite, le voici plébiscité par son peuple. Il cesse d'être le chef d'un groupe d'officiers qui a réussi un coup d'Etat militaire puis imposé par la force une politique et un régime, pour devenir enfin l'incarnation de l'Egypte par cette volonté populaire dont il ne s'était jusqu'alors jamais soucié. Comme l'armée continue à le tenir pour responsable de la défaite, il l'épure, faisant arrêter, juger, condamner ses subordonnés et même ses amis qui n'ont fait que suivre ses ordres. Il ira plus loin encore, acculant au suicide son cher Amer. Mais il passera à le pleurer le peu de temps qu'il lui reste à vivre.

D'où vient le charisme de Nasser ? De sa taille, de sa voix, de sa violence contenue qui soudain se déchaîne ? Surtout de ses rêves et de ce don qu'il a de les faire partager aux autres. Il galvanise les foules mais quand l'individu, l'exaltation retombée, se retrouve seul, face à lui-même, il se demande « Qu'est-ce qu'il a bien pu dire ?»

Nasser n'a fait que réciter un poème à sa façon brutale et convaincante, un poème dont il est toujours le héros. Comme il ne manque pas de talent, on oublie qu'il n'est qu'un homme comme les autres avec ses faiblesses, ses mensonges entrecoupés d'accès de lucidité qui le rendent triste, morose, puis furieux.

Nasser, si méfiant, est cependant extrêmement influençable.

« Sa vision des choses, écrit Sadate, était complètement troublée et il était capable de perdre tout à la fois son intuition et sa clairvoyance en grande partie sous l'influence des rapports erronés que lui soumettait son entourage... Tout ce à quoi ils tendaient, c'était à exalter l'image que Nasser se faisait de lui-même et, par ces flatteries, à préserver leurs positions et à maintenir leur pouvoir. »

Sadate évoque ses folles colères dès qu'on se mêlait de le contrarier : « Ses paroles étaient d'une amertume étrange ; elles jaillissaient dans toutes les directions comme la lave d'un volcan qui s'écoule sans contrôle et brûle sans discrimination... »

« La politique de Nasser était fortement influencée par ses réactions affectives ; lorsqu'ils s'en rendaient compte, les hommes qui l'entouraient pouvaient faire de lui exactement ce qu'ils voulaient. »

Nasser n'aura qu'un seul ami, Abd el Hakim Amer, pour qui il a toutes les complaisances. A l'Ecole militaire où il dirige un groupe d'études, il a sous sa coupe un jeune cadet de dix-huit ans originaire comme lui du Saïd, de la Haute-Egypte. C'est un garçon maigre, séduisant, qui aime à rire et rêver tout haut. Nasser est grave. Mais il se laisse prendre aux charmes du jeune homme. Il l'appelle Robinson, Amer le surnomme Jimmy. Cette amitié mouvementée se poursuivra très longtemps. Ils sont ensemble sous-lieutenants à Khartoum et ne se quittent pas. Quand l'un est puni, l'autre prend les arrêts avec lui. Amer aura toujours à l'égard de Nasser des exigences d'enfant gâté auxquelles le Raïs ne sait pas résister. Toute sa vie, il restera subjugué par « ce petit Égyptien brun, tranquille, aimable mais tout à fait ordinaire... », comme le décrit Sadate qui ne l'aime guère.

En mars 1953, à peine au pouvoir, Nasser fait passer Amer de major à général de brigade et le nomme commandant en chef de l'armée. Il lui obtiendra rapidement le titre de « Mouchir », de maréchal, le plus haut grade égyptien. Il lui pardonnera toutes ses frasques, son goût de l'alcool, des femmes, surtout celles des autres, et du haschisch dont il abuse.

Sadate dans ses Mémoires ne cesse d'accuser Nasser d'une coupable complaisance envers Amer, responsable selon lui de l'échec de l'union avec la Syrie, et d'avoir donné en 1967, pendant la guerre des Six Jours, un ordre désastreux de retraite.

Il écrit :

« Je me le demande une fois de plus, pourquoi n'a-t-il pas révoqué Amer dès le 5 juin, pour prendre lui-même la tête de l'armée ou, peut-être, pour désigner un autre commandant en chef ? A ces questions nous n'avons pas et nous n'aurons jamais de réponse. Il restera toujours ce grand point d'interrogation qui a marqué de façon sinistre les relations de Nasser avec Amer. »

« Nasser finissait toujours par céder aux exigences d'Amer », qui, de son côté, malgré son orgueil, son irritabilité, quand cela vient de Nasser et exclusivement de lui, est toujours disposé à « accepter l'inacceptable ».

En février 1967, Nasser très abattu est prêt à abandonner le pouvoir à Amer, en sachant fort bien à quoi s'en tenir sur la façon désastreuse dont il l'exercera.

Et Sadate de dire à ce propos :

« Lorsque Nasser était en proie à d'insolubles conflits intérieurs, il n'était pas facile de lui retirer ses œillères. Etant son ami, j'ai le devoir de ne pas révéler quels étaient ces conflits : tout ce que je peux dire c'est qu'ils existaient. Pauvre Nasser ! »

Quels étaient ces conflits que Sadate refuse de révéler ? Ne s'appelaient-ils pas Abd el Hakim Amer, auquel l'aurait lié plus que de l'amitié comme on le murmurait au Caire, comme le laisse entendre Sadate ? Ce qui expliquerait certain comportement surprenant, « féminin », de ce colosse.

Quand Amer se suicidera ou sera « suicidé » pour avoir tenté de soulever l'armée, Nasser ne s'en relèvera pas.

Il dira qu'en perdant Amer il a perdu plus que toutes les guerres. Morne il fixera pendant des heures le jeu d'échecs avec lequel il avait l'habitude de jouer avec son « favori ».

De sa femme Tahia, de ses enfants il ne parlera guère et il ne se montrera pas en leur compagnie. Il ne fait aucun projet pour eux et exige qu'ils vivent comme des citoyens ordinaires.

Tout son capital de tendresse, Amer l'a accaparé.

Nasser bon musulman ? Comment gouverner l'Egypte sans se proclamer fidèle du Prophète ? Nasser fait les gestes qui conviennent. Sans plus.

— Quand j'étais jeune, déclare Nasser à Robert John, je ne me voulais pas musulman parce que mon père l'était. Mais je pense que toutes les religions sont fondamentalement les mêmes.

Le Raïs considère le Coran comme un livre sur lequel on ne peut fonder aucune action politique et dont les prescriptions doivent être considérées dans un esprit prudemment critique.

En réalité c'est un « laïque » comme Mustapha Kemal qu'il admire, mais il n'ose aller aussi loin que lui, par prudence. Quand il fera le pèlerinage à La Mecque comme tout bon croyant, ce sera avec une arrière-pensée politique : rencontrer les Saoudiens et se les concilier par cet étalage de piété. Ils sont si tatillons pour tout ce qui a trait à la « vraie » foi...

Marxiste, socialiste, il l'est encore moins. Nasser n'aime pas le peuple : il s'en défie. Mais il a compris qu'en notre temps de confusion des esprits, pour exercer la dictature, disposer de la liberté, des biens, de la vie de ses sujets tout en ayant pour soi l'opinion internationale, il était nécessaire de se réclamer du socialisme. Il découvre très vite l'utilité du parti unique, du syndicat unique, simples courroies de transmission du pouvoir. Il ne tolérera jamais les communistes qu'il considère comme des espions au service d'un pays étranger, même quand il se jette dans les bras de l'URSS. Il leur choisira pour résidences les bagnes d'Abou Zaadal et de Kharga, en plein désert où l'on meurt comme des mouches. Ils y retrouveront les Frères musulmans dont il se défie tout autant. Mais les Frères ont tenté de l'assassiner, alors que sur l'ordre de Moscou, les communistes ne demandent qu'à le servir. Et il les utilisera. Son parti unique, le « Congrès des Forces populaires », est une fumisterie. Du socialisme, il ne prend que les méthodes policières. Dépendant de plus en plus des Soviétiques il doit se plier à leurs exigences, faire certaines réformes de structure ne rimant à rien. Comme la réforme agraire qui rend les riches propriétaires plus riches encore, qui ruine la culture du coton, et augmente le nombre des fellahs sans terres.

Nasser a toujours préféré l'Amérique à la Russie, mais l'Amérique est une démocratie avec laquelle il est difficile de s'entendre. Elle refuse de servir ses ambitions extérieures : elle protège Israël et hésite à fournir des armes. Homme de l'instant, toujours pressé de réaliser ses projets, il trouve les Soviétiques plus accommodants. Mais il ne se fait aucune illusion sur leur compte et n'ignore rien de leurs buts secrets : mettre la main sur l'Egypte puis l'éliminer quand ils n'auront plus besoin de lui.

Il ne fera jamais de socialisme en Egypte qu'il transforme en une coopérative militaire gérée par des polices secrètes. Vaincu, désabusé, sachant que l'URSS voulait le remplacer parce qu'il s'était permis de déclencher une guerre sans son autorisation, il songe à renouer avec les Etats-Unis. Trop tard. Sa fin sera pitoyable.

Gravement malade, à bout de forces, il s'obstine dans son rôle « panarabe » et faute de mieux joue les médiateurs dans les conflits entre Palestiniens, Jordaniens et Libanais. La défaite militaire avec Israël et l'échec de la RAU ont ruiné son prestige. Arafat se permet de le traiter en quantité négligeable. Le keffieh de travers il s'emporte contre lui, appuyé par Kadhafi qui rêve de lui reprendre le flambeau du panarabisme. Nasser mourra solitaire, angoissé, traqué par ses fantômes, ayant voulu jouer jusqu'au bout son rôle de grand leader arabe même quand il n'était plus qu'une doublure.

Et Sadate de dresser le constat de l'échec :

« L'héritage économique que m'avait laissé Nasser était encore plus misérable que la situation politique qu'il m'avait léguée... Avec une stupidité indigne nous avions servilement imité le schéma de l'Union soviétique alors que nous faisaient défaut les ressources nécessaires, les capacités techniques et le capital... Notre socialisme commença à se teinter dans la pratique d'un marxisme doctrinaire ; toute entreprise libérale fut jugée comme l'émanation d'un capitalisme odieux et le secteur privé devint synonyme d'exploitation, de vol. De ce fait, l'effort individuel en arriva très vite au point mort et il en découla de la part de toute la population une terrible passivité dont je subis encore les conséquences à l'heure actuelle. »

Mais que faisait donc Sadate face à Nasser régnant sans partage ? « Ayant évité de me fâcher avec lui, écrit-il, et ayant été le seul des chefs de la révolution de 1952 auquel il ne s'en soit pas pris, on en a conclu que je devais être trop insignifiant ou extrêmement rusé. C'est là une conclusion naïve... »

Nasser l'Arabe méprise Sadate le fellah ; il le lui fait sentir, il l'humilie autant qu'il est possible. Il l'a surnommé Bikbashi-Sah, le colonel Beni-Oui-Oui. Parce qu'à tout ce qu'il dit, Anouar fait « Sah, oui, oui ». « J'aimerais bien qu'il dise autre chose, au moins pour une fois », ironise Nasser.

Dans l'entourage du Raïs, on raconte que la marque de Sadate au front, le « zebib », le raisin sec, n'est pas celle de tout bon musulman qui frappe le sol de la tête pendant la prière, mais que Nasser en est cause en lui touchant le front chaque fois qu'il ouvrait la bouche, pour lui dire de la fermer, de ne plus sortir de sottise.

Le Raïs affecte de se plaire dans la compagnie de la femme de Sadate (alors qu'il tient la sienne à l'écart). Il la plaint de s'être embarrassée d'un tel lourdaud.

Sadate encaisse sans broncher, « Sah, Sah », avec ce pouvoir de secret, de dissimulation d'un paysan. Il attend son heure ; il sait Nasser très malade, il évitera d'éveiller sa défiance et celle de son entourage, les Ali Sabri, les Heykal qui le jugent quantité négligeable et le laisseront s'emparer du pouvoir, le croyant incapable de le conserver.

Pour mieux comprendre le caractère d'Anouar el Sadate, j'ai été visiter ce village où il est né, auquel il reste profondément attaché, Mit Aboul Kum, dans le Delta. C'est un riche et beau village de 30 000 habitants dont le tiers de la population est copte. Presque autant d'églises que de mosquées, certaines très anciennes mais en ruine. Sadate apprendra à lire à l'école des coptes. Il l'a restaurée à ses frais, dépensant 250 000 livres égyptiennes, aux dires du prêtre qui lisse avec satisfaction sa longue barbe soyeuse et noire (1).

Sadate parle avec émotion de son enfance dans ce village tranquille des bords du Nil quand il partait avec des bandes de gosses, d'adolescents et de vieillards pour mener aux champs le bétail... Et de l'eau froide qu'à l'aube il fallait répartir pendant que le canal était plein. Tout ce qu'ignorera Nasser qui n'aimera pas son enfance, détestera son père et ne se souviendra pas de la maison où il est né. Comme il ignorera cette forme de nationalisme à l'égyptienne introvertie et non tournée vers l'extérieur, nullement conquérante — puisant sa force dans une longue histoire faite d'une aussi longue patience.

J'ai interrogé à Mit Aboul Kum et dans les villages voisins, riches, pauvres, fellahs et propriétaires. Tous étaient partisans de Sadate, tous étaient pour la paix avec Israël dont ils attendaient des miracles. Ils ne voulaient plus entendre parler de ce monde étranger, celui des « Arabes », qui ne leur avait apporté qu'ennuis, déchirements, guerres, où plus de cent mille de leurs fils étaient morts, ni de ce régime militaire nassérien, suspicieux dont Sadate eut l'habileté de modérer les appétits et la lourdeur bureaucratique dès qu'il fut arrivé au pouvoir et se fut débarrassé des « nassériens pro-soviétiques ».

C'était le jour des élections. Je ne sais si elles furent truquées, mais je puis affirmer que le résultat reflétait parfaitement l'état d'esprit de la population qui vota Sadate à 95 % bien qu'on eût cette fois le choix entre plusieurs partis et plusieurs candidats.

En Egypte, comme dans la plupart des pays du Tiers Monde, les élections n'ont pas le même sens qu'en Occident. Ce seraient plutôt des plébiscites. Et il n'y a qu'en France que les plébiscites échouent. Faut-il encore qu'ils soient très mal préparés.

On me signala des irrégularités dans les élections égyptiennes, mais elles ne furent pas systématiques comme au temps de Nasser. C'est ainsi que le leader de la gauche égyptienne, Khaled Mohieddine, ancien Officier libre, ne fut pas élu. Pourtant il se présentait dans son fief dont il était traditionnellement le seigneur. Sa famille et l'imposante clientèle qu'elle entretenait suffisaient par leurs votes à l'élire. On ne pouvait que voter pour lui par tradition, parce que les

---

(1) Sadate a fait don du montant de son Prix Nobel de la paix aux habitants de son village natal.

liens féodaux continuaient à l'emporter sur tout le reste et que personne ne se souciait de son appartenance politique. Le dépouillement fut interrompu sous un prétexte fallacieux. L'urne disparut puis revint. Ce n'était peut-être plus la même. Khaled Mohieddine fut mis en minorité, ce qui n'étonna personne, lui moins que tout autre. Il protesta ; on promit une enquête qui n'eut jamais lieu.

Dans tous ses discours, dans toutes ses proclamations, Sadate ne fait jamais d'allusions à l'arabisme alors qu'à toutes occasions il met l'accent sur la permanence de l'histoire égyptienne.

« Ayant résolu de façon unanime de panser les plaies (celles du nassérisme) et de se reprendre aussi vite que possible... la population voulait savoir où elle allait. Tel est le caractère du peuple égyptien, fort de ses racines culturelles qui remontent au cinquième millénaire avant J.-C. Il ne peut perdre le sentiment de son identité, quelque dures que soient les circonstances... »

Discours du 6 avril 1979. « L'Egypte ce géant, grand des sept mille ans de son histoire et de sa civilisation, fort de ses 40 millions d'habitants, rejette les propos des nains du nouveau pacte de Bagdad... »

17 avril 1979. « Les Arabes souffrent du complexe de la peur, de l'ignorance, du défaitisme. Ils n'ont pas compris l'Egypte... Nous refusons l'attitude négative des pays arabes. Leurs critiques ont atteint un degré d'impolitesse tel que nous n'allons plus perdre notre temps avec eux... »

A remarquer que l'Egypte est toujours dissociée des pays arabes et que Sadate retrouve le ton du nationalisme égyptien pré-nassérien, celui du parti Wafd.

Sadate le fellah est le contraire de Nasser l'Arabe, physiquement comme moralement. Sadate est petit, brun de peau, jovial, bon camarade, facile d'accueil, aimant se lier. Si on peut lui reprocher une certaine vanité, celle du paysan qui a réussi, s'en étonne encore, qui en est fier et heureux, s'il arbore volontiers des tenues rutilantes, il n'a rien de l'orgueil fou d'un Nasser et garde les pieds sur terre.

Il ne cache pas sa femme comme le Raïs qui voulait apparaître seul sur le devant de la scène, estimant que le rôle d'une épouse se limitait à torcher les gosses et remuer les casseroles. Surtout pas à se mêler de politique.

Gihan Sadate ne passe pas inaperçue : un teint de lait, une chevelure auburn qui lui vient de sa mère anglaise, de la beauté, du charme, une grande vitalité qui la fait se lever tous les matins à 5 heures pour s'occuper... de tout ce qui ne regarde pas la femme musulmane, estiment les intégristes : les affaires sociales, la santé, l'éducation et surtout la condition féminine.

A seize ans, elle épousait Anouar el Sadate, un petit officier sans le sou alors qu'elle était d'excellente famille. Elle avait fait son choix et rien ne put l'en faire démordre.

Elle déclare à Christine Clerc, envoyée spéciale du *Figaro Magazine* :

— On est toujours critiquée lorsqu'on agit. Mais j'essaie de ne pas choquer. Je porte toujours des robes à manches longues. Je suis une vraie musulmane. Mais pour moi la religion n'est pas de prier tout le temps ou de se couvrir le visage. C'est d'abord de faire son devoir. On a souvent essayé de me faire porter le voile. Je m'y suis toujours refusée. Khomeiny n'est pas l'Islam, c'est le fanatisme. Notre véritable Islam donne des droits aux femmes alors que lui les réduit au silence. Pauvres femmes d'Iran !

Grâce à l'influence de Gihan sur son époux, quarante-deux femmes ont été élues députés au Parlement égyptien. Elle fit promulguer une loi qui limitait les prérogatives masculines. Les Egyptiens n'ont plus le droit d'épouser une seconde femme sans l'accord de la première et, s'ils décident de l'abandonner, ils doivent lui laisser l'appartement conjugal. Excellente astuce pour empêcher une répudiation que l'Islam rend si facile. Il est en effet à peu près impossible de trouver à se loger au Caire et dans toutes les grandes villes d'Egypte.

Gihan décrit ainsi l'emploi du temps du président : « Il se lève à 8 heures et commence sa journée par une longue marche. Il a toujours adoré marcher mais c'est devenu pour lui un besoin après les deux ans et demi où il avait été enfermé dans une cellule exiguë. Le manque d'activité physique lui avait le plus manqué. Il n'avait pu que lire... et seulement tourner en rond comme un écureuil dans sa cage.

« A partir de 11 heures, dans les quatre ou cinq heures qui suivent, Anouar qui est d'un abord facile reçoit les membres du gouvernement et les visiteurs qui ont sollicité une audience. Jamais il ne prend de déjeuner. Une heure encore de promenade solitaire, puis il lit les rapports de ses différents services et la presse internationale.

« Ensuite il passe à table : dîner frugal le plus souvent composé de poisson. Avant d'aller se coucher il a l'habitude de voir un film léger qui le détend.

« Il passe beaucoup de temps seul — c'est dans ces moments de réflexion qu'il prend les décisions importantes. Il n'est pas homme à se perdre dans les détails, à surveiller comment on exécute ses ordres. »

Quand sa femme lui rapporte les accusations lancées contre lui par les radios arabes, il lui demande gentiment de ne pas perdre son temps à ces fariboles.

Première rencontre de Nasser et Sadate. Ils sont tous deux lieutenants. Nasser a déjà une très haute idée de sa personne.

« C'était un jeune homme très sérieux, écrit Sadate, qui ne prenait nulle part aux plaisanteries de ses camarades ; il me semblait qu'il n'aurait permis à personne de se montrer frivole à son égard ; il aurait considéré cela comme un affront à sa dignité. Aussi la plupart de mes camarades gardaient-ils leurs distances à son égard et s'abstenaient même de parler devant lui par crainte d'un malentendu... Me rendant compte d'emblée combien c'était un homme sérieux, j'eus envie de le mieux connaître. Mais il avait de toute évidence dressé une barrière infranchissable entre lui et les autres. Il faisait même preuve d'une telle réserve, de façon si manifeste, qu'à l'époque nos relations n'allèrent jamais plus loin qu'une estime mutuelle ; encore celle-ci restait-elle empreinte d'une certaine distance (1)... »

Sadate, c'est la vie, le mouvement, l'action directe. « Toujours agité, sans cesse proposant quelque action d'éclat : dynamitage de l'ambassade britannique, liquidation d'un traître. Il a établi ce qu'on appellerait aujourd'hui un organigramme de la conjuration, ramifié en cinq comités, dont l'un est spécialisé dans le terrorisme... Il n'y manque que l'organisation elle-même. Le bouillant Anouar dans sa fièvre d'action tente d'associer ses amis, Gamal en tête, à un groupe activiste..., etc. (2). »

Nasser répugne à ce genre d'action. Il est extrêmement prudent au point qu'en trois ans de complots il ne sera pas une seule fois soupçonné alors que Sadate connaîtra la prison à plusieurs reprises et que la plupart des officiers du groupe seront inquiétés.

Sadate ne cesse d'opposer sa notion d'amour des hommes à celle de défiance et même de haine qui suscite la personnalité déroutante, ombrageuse de Nasser. Il lui reproche surtout d'avoir peur.

« Par sa nature, Nasser avait tendance à soupçonner les autres. Il était trop préoccupé de sa propre *sécurité* pour avoir une vision claire de l'avenir ou pour prêter l'attention nécessaire au progrès de son peuple en tant que communauté d'êtres humains, pour se préoccuper de l'humanité de l'homme qui est le bien le plus précieux de toute la société. Ce qui est encore pis, c'est qu'en raison de son souci de *sécurité* et des doutes qui obsédaient son esprit, l'horizon du peuple égyptien n'a cessé de s'obscurcir. »

Sadate est sensible aux plaisirs de la vie ; sa femme est belle, intelligente, entreprenante.

Dans les périodes difficiles, quand il est chassé de l'armée, il ne craint pas de travailler de ses mains ; il devient docker, charge des parpaings dans des péniches, transporte des oranges, devient tailleur de pierre dans une carrière, gardant toute sa bonne humeur, sans avoir le sentiment de déchoir, comme l'aurait eu Nasser.

Fait-il allusion à lui quand il écrit :

« La plupart des gens sont fascinés par la réussite extérieure : leur position sociale, leur gain pécuniaire, le pouvoir ou, en un mot, leur image dans les yeux des autres. Si pour une raison ou pour une autre leur image extérieure se trouve altérée, ils en éprouvent un choc inévitable et peuvent même s'effondrer. Ces gens-là manquent de force morale, car ils ne sont jamais sincères avec eux-mêmes ni avec les autres. Pour eux la fin justifie les moyens.»

Sadate, c'est indéniable, appartient au peuple égyptien, il en a les défauts et les qualités, mais il se sent bien dans sa peau et dans

---

(1) Anouar el Sadate.
(2) Lacouture, *Nasser*.

son pays, au contraire de Nasser qui est d'ailleurs, et que ses rêves empêchent de dormir. Nasser a toujours un revolver sous son oreiller. Pour s'en défendre ?

Sadate ne redoute pas le contact direct de la foule comme son prédécesseur. Quand il se déplace, il n'est pas entouré d'une garde prétorienne. Pendant les élections de juin à Mit Aboul Kum, il se promenait sans être armé, sans gorilles, en père tranquille et roublard qui savait qu'il n'avait rien à redouter.

Sadate « le fellah » est d'une trempe plus solide que « l'Arabe » Nasser, moins brillant certes, ne promettant pas de folles aventures mais rassurant, hâbleur parfois, rarement menteur.

Est-il ainsi parce qu'il se confie à la Providence, qu'il est un authentique croyant, presque un dévot ? Mais, au contraire d'un Khomeiny, il sait qu'il faut donner à Allah ce qui est à Allah et au calife, au sultan, au Raïs, ce qui lui appartient.

Il tient bien en main l'université d'Al Azhar, restant sans illusions sur certains serviteurs de Dieu dont l'ascension de Khomeiny a réveillé les folles ambitions. D'un côté la carotte, les prébendes ; de l'autre le bâton.

Sadate a été Frère musulman ; ce fut lui qui les jugera, et il n'hésitera pas à les faire pendre quand ils voudront par le poignard et le pistolet établir le règne de Dieu sur cette terre. Mais il protestera contre les tortures dont un grand nombre seront victimes.

Car Nasser a eu peur des Frères, et la peur le rend fou et sanguinaire.

— Alors Sadate l'Africain ?
— N'exagérons pas, me dit M. Boutros Ghali, ministre d'Etat et secrétaire aux Affaires étrangères.

Boutros Ghali est un personnage sorti d'un roman de Durrell. Fin, cultivé, le geste élégant comme la mise, juriste de réputation internationale, il appartient à une très ancienne famille copte d'Alexandrie et sa femme qui s'appelle Cléa est juive, comme Justine. Il dirige les négociations avec les Israéliens car, dit-on, il fallait au moins un chrétien marié à une juive pour tenir tête à Moshé Dayan.

Il continue :
— Nous avons des liens profonds avec le monde arabe. La plus grande, la plus brillante des universités, celle qui pendant des siècles a maintenu la culture islamique et arabe, est Al Azhar au Caire. Le président Sadate est un musulman fervent. Parce que nous avons fait la paix avec Israël, les pays arabes, même modérés, nous ont exclus de leur communauté, certains du bout des lèvres. Cela ne durera pas quand ils verront que nous avons eu raison. Les Syriens n'ont toujours pas récupéré le Golan, nous avons le Sinaï. Mais pour que nous ayons raison, pour que les autres pays arabes se rallient au camp de la paix, Israël doit se résigner à faire d'importantes concessions surtout sur le problème palestinien. Nous voulons que soit créé un Etat autonome palestinien auquel nous mettrons le pied

à l'étrier pour qu'il traite puis cohabite avec Israël. Les Israéliens doivent être persuadés que nous sommes leur dernière chance de s'intégrer dans la communauté des Etats du Moyen-Orient. S'ils ne saisissent pas cette occasion, tout est perdu.

J'ai demandé :

— Et si Sadate était assassiné par un Palestinien ou par un Frère musulman ? Yasser Arafat n'a-t-il pas déclaré qu'il ne valait pas la balle qui bientôt le tuerait ?

Boutros Ghali sourit, hausse les épaules devant ce qu'il juge une rodomontade d'Arafat, et il n'en est pas à sa première. Cent cinquante mille Palestiniens vivent en Egypte ainsi que la plupart des familles des dirigeants de l'OLP dont celle d'Arafat lui-même. Quant aux Frères musulmans ou ceux qui leur ont succédé, ils sont bien tenus en main, Sadate les connaît pour les avoir longtemps pratiqués.

Soudain, le ministre devient grave :

— La disparition de Sadate serait une catastrophe pour l'Egypte mais sa politique est irréversible et elle se poursuivrait même sans lui, à condition que les Israéliens comprennent...

— Et que les Etats-Unis vous aident à faire la soudure. Il vous manque quinze milliards de dollars pour les années à venir, les pétro-dollars n'arrivant plus.

— Ils reviendront, m'affirme Boutros Ghali, si nous réussissons, si Israël comprend.

Et il cogne du poing sur la table.

Lutfy el Kholi cogne aussi du poing mais sur ma table car cette fois, nous sommes à Paris.

— Je considère Boutros Ghali, dit-il, comme le ministre adjoint des Affaires étrangères d'Israël, le second de Moshé Dayan.

Je lui fais remarquer que Dayan vient de démissionner parce qu'il voulait obtenir de son gouvernement d'importantes concessions en faveur des Palestiniens. Lutfy el Kholi n'est pas désarmé et ajoute :

— Begin devrait nommer Boutros Ghali à la place de Dayan. Il aurait au moins quelqu'un à sa botte. Boutros Ghali s'est mis au ban de la nation égyptienne et de la nation arabe. Quand il parle, ce sont les Israéliens sionistes qui le font par sa bouche. Cet homme est le contraire d'un patriote. Je ne dis pas cela parce qu'il est copte. Je suis moi-même marié à une chrétienne.

Lutfy el Kholi, journaliste et écrivain de talent, est un des plus typiques représentants de cette gauche égyptienne marxiste, qui se prétend non communiste mais consciemment ou non danse sur les violons de Moscou, même s'ils jouent en sourdine. Il est l'auteur d'une pièce à succès où il mélange Marx et le théâtre bourgeois. L'intrigue « bourgeoise » est bonne et fait avaler le reste. Il fut aussi l'auteur de « Procès 68 », un film dans lequel il se moquait de la bureaucratie nassérienne. Le film fut présenté une seule fois puis interdit. A sept reprises il connut les prisons du Raïs et fit partie de cette équipe de gauchistes racolés par Heykal sur l'ordre de son maître et qui, installée à la rédaction d'*Al Ahram*, le grand quotidien du Caire, s'efforça de fournir une justification doctrinale au socialisme façon arabe de Nasser. Ces bons marxistes oublièrent qu'ils avaient accusé ce même Nasser d'être « un fasciste, un nazi ; un valet de l'impérialisme américain, tortionnaire et traître ». Le jour où Moscou lui délivra un brevet de progressisme, il redevint instantanément « le courageux défenseur de la paix et de l'indépendance nationale ».

Lutfy el Kholi appartient toujours à *Al Ahram* qui lui verse son traitement et lui permet des voyages à Paris. Mais au Caire il en est réduit à fréquenter le « sun deck » du journal, ce cinquième étage où rien ne s'écrit, mais où la parole demeure libre. Malgré les mauvais traitements qu'il lui infligea ainsi qu'à ses amis, avec ce masochisme propre aux intellectuels pas seulement égyptiens, Lutfy continue à admirer et à vénérer « Nasser, phénomène historique comme Bonaparte en France, authentique homme de gauche ». Et à vomir Sadate dont il n'a jamais eu à se plaindre personnellement.

Lutfy el Kholi continue, martelant chaque phrase :

— Sadate n'a pas fait la paix avec Israël, il a conclu une alliance avec l'Amérique et Israël pour contrôler économiquement et politiquement le Proche-Orient. On peut imposer la guerre, pas la paix. Comment pourrait-on faire la paix en ayant contre soi tous les autres pays arabes, et surtout les Palestiniens ? L'Egypte peut solliciter des aides étrangères, qu'elles viennent de la Russie, des Etats-Unis, de l'Europe mais ces aides ne seront jamais qu'accessoires. Un expédient ! Demander du blé aux USA ! Jusqu'à quand ? L'Egypte ne doit compter que sur les pays arabes. Ils peuvent non seulement lui fournir comme les Américains tous les dollars dont elle a besoin pour acheter de la nourriture, mais ils sont en mesure de l'aider à sortir de ces expédients provisoires pour produire eux-mêmes cette nourriture. Avec les pétro-dollars, les pays arabes peuvent transformer le Soudan en un immense grenier, le plus riche du monde. Ni l'Irak, ni la Syrie du Croissant Fertile, ne manquent de terres arables. Hors des pays arabes il n'existe pour l'Egypte aucun véritable salut.

« Qu'offrent les Etats-Unis à Sadate pour avoir signé les accords de Camp David ? Au mieux, un prêt de 15 milliards de dollars, réparti sur dix ans. Alors que les pays arabes avaient donné à l'Egypte 17 milliards et demi de dollars en cinq ans, de 1973 à 1978, pas seulement pour acheter des armes mais mettre en œuvre de grands projets.

Lutfy el Kholi dans sa condamnation sans appel de la politique de Sadate semblait oublier que les riches pays du Golfe : l'Arabie, le Koweit et les émirats assortissaient eux aussi leur aide de conditions politiques, qu'ils refusaient la paix avec Israël et chargeaient l'Egypte d'encaisser les coups.

Il oubliait surtout que le peuple égyptien voulait la paix, à tout prix. Il est étrange comme les hommes de gauche se soucient peu de la volonté populaire quand elle ne va pas dans le sens qu'ils souhaitent.

A Karnak, à Louqsor j'ai eu le même guide que Moshé Dayan qui se promena en toute tranquillité dans les ruines et se fit même applaudir. Sur la plage de l'Hôtel Palestine, à Alexandrie, je me suis baigné à côté d'Israéliens hilares, touristes ou diplomates, qui buvaient du vin rosé et se sentaient comme chez eux. La discrétion, il est vrai, n'a jamais été leur fort.

Déjà l'armée israélienne fournissait à l'Egypte des pièces de chars soviétiques qu'elle avait capturés dans le Sinaï. On attendait au Caire une mission d'agronomes israéliens pour étudier la mise en valeur du désert. Et peut-être réparer les dégâts causés par le barrage d'Assouan.

Begin et Sadate s'embrassaient et se racontaient leurs souvenirs de terroristes quand l'un et l'autre étaient pourchassés par les Anglais et que le bourreau de Sa Gracieuse Majesté risquait de les pendre à la même corde. Le Raïs et ses rêves ont-ils été vraiment conjurés ? La balle qui tuera Sadate n'est-elle pas déjà fondue ? Et par qui ?

L'opposition à Sadate et à sa politique comprend trois courants : la gauche nassérienne et marxiste, le parti communiste et les Frères musulmans, disons plus justement les intégristes. Les Palestiniens forment un clan très particulier qui évite soigneusement de se mêler des affaires égyptiennes, pour ne pas recevoir de coups.

Les grands thèmes de la pensée nassérienne tenaient en cinq principes : l'ordre révolutionnaire intérieur, le socialisme arabe, l'Islam sous sa forme moderniste, l'indépendance nationale, le nationalisme arabe.

Tour à tour Nasser donnera plus ou moins d'importance à l'un ou l'autre de ces thèmes. Ainsi celui de l'indépendance nationale dirigera sa politique en 1953-1954 ; de 1958 à 1961, ce sera l'arabisme ; après l'échec de l'union avec la Syrie et l'alliance soviétique, de 1961 à 1967 le socialisme arabe dont l'application nécessitera un rigoureux contrôle de la population rétive à ce genre d'expérience. Ce sera la période désastreuse de l'ordre révolutionnaire intérieur.

Un clan de favoris : fonctionnaires, technocrates, journalistes, policiers, militaires, syndicalistes aux ordres, profitant du monolithisme politique, s'était arrogé tous les pouvoirs et toutes les sinécures.

Ecartés par Sadate, il est normal qu'ils regrettent le bon temps où ils étaient les maîtres du pays. Ils constituent aujourd'hui l'opposition nassérienne. Les plus agités comme Ali Sabri, le rival de Sadate et le chef de file des soviétophiles, sont en prison ou en résidence surveillée mais la grande majorité touche son salaire. N'ayant plus aucune activité, elle a tout loisir de comploter dans les cafés et les salons du Caire.

Les rejoignent un certain nombre de jeunes étudiants des universités du Caire et d'Aïn Chams qui se veulent les défenseurs d'un socialisme authentiquement égyptien et non marxiste. Faute de se trouver un leader, ils se réclament de l'ombre de Nasser. Tout cela est d'ailleurs assez confus.

La gauche égyptienne non communiste que Nasser a voulu tantôt séduire et tantôt éliminer, profitant de la libéralisation du régime s'est regroupée derrière une personnalité originale et sympathique, Khaleb Mohieddine. L'un des premiers Officiers libres, il n'a jamais caché ses sentiments marxistes. Il osa, car il ne manquait pas de courage, contredire Nasser publiquement. Il tenta même de ramener au pouvoir Néguib pour éliminer le Raïs qu'il prenait pour ce qu'il était vraiment, un dictateur plus national que socialiste.

Se différenciant de cette gauche par des options radicales, un attachement dévotieux à l'URSS, les partis communistes égyptiens vivent dans l'illégalité, traqués par la police. Ils ne cessèrent jamais de se déchirer entre eux, de s'épurer et leur champ d'action fut le plus souvent limité aux prisons et aux camps de concentration où ils étaient internés.

Les PC égyptiens, à l'origine, sont essentiellement composés d'intellectuels appartenant à des minorités chrétiennes ou juives et dont l'implantation dans les classes rurales et en milieu ouvrier est pratiquement inexistante. On y trouve des peintres de talent, des philosophes, des poètes comme Georges Hénein, sceptique et surréaliste, des libraires, un grand écrivain copte comme Salama Moussa, chacun communiant dans un marxisme à sa convenance.

Ils vivent presque tous à Alexandrie groupés en chapelle et on conçoit que les autres partis communistes qui ne les prennent pas au sérieux les tiennent à distance. Moscou daignera pourtant donner le sacre à Hosni el Orabi et à son « Parti des ouvriers d'Alexandrie » où les ouvriers manquent le plus.

Le PC égyptien a pratiquement disparu de la scène avec l'arrivée du Wafd au pouvoir ; il renaîtra de ses cendres pendant la guerre, grâce à trois juifs d'Alexandrie dont le plus fascinant est à coup sûr Henri Curiel.

Ce fils de richissime banquier terminera une existence agitée et secrète à Paris, en 1978, sous les balles de tueurs professionnels qui courent toujours. On l'avait nommément accusé de servir d'agent de liaison entre le KGB soviétique et les différents mouvements de subversion et groupements terroristes qui s'emploient à déstabiliser l'Europe. Ses maîtres, l'estimant brûlé, l'avaient-ils liquidé ? On accusa les Israéliens, les Services Spéciaux occidentaux, la CIA... on oublia le KGB.

Henri Curiel, en 1942, fonde le Mouvement égyptien de libération nationale (MELN), Hellal Schwartz l'Iskra (l'étincelle), Marcel Israël, Libération du peuple.

Le MELN l'emporte sur les autres mouvements grâce à Curiel et à son étonnante personnalité faite de douceur, de séduction et de dureté. C'est un « jésuite » de la foi communiste dont l'église se trouve à Moscou et le pape se nomme Staline.

Avec seulement un millier d'adhérents, il déclenche grèves et émeutes, entraînant la foule contre les troupes d'occupation britanniques.

Mais Moscou reconnaît l'Etat d'Israël. Curiel, communiste orthodoxe avant d'être juif, obéit aveuglément aux directives du Komintern, et se retrouve avec ses partisans dans des camps de déportation, tandis que l'Egypte s'engage dans une désastreuse campagne contre le jeune Etat sioniste.

Quand, en 1950, il est libéré, Henri Curiel est refoulé en Italie, tandis qu'apparaît au grand jour le Parti communiste égyptien qui noue des alliances tactiques avec les Frères musulmans et l'aile gauche du Wafd.

Le PCE reçoit directement l'aide de Moscou. Il profite des maladresses occidentales mais pâtit de ses incessantes scissions et de son opposition doctrinale avec l'Islam.

Le coup d'Etat des Officiers libres et l'anticommunisme de Nasser enverront dans les camps les différents dirigeants du PCE. Beaucoup connaîtront la torture et la mort.

Quand Nasser, après la nationalisation du canal de Suez, reçoit des armes des Tchèques, quand il demande aux Soviétiques de construire Assouan et qu'il passe franchement à l'Est, tous les groupements communistes et marxistes lui apporteront un appui inconditionnel.

En 1959, Nasser profite de l'occasion pour créer son parti unique « l'Union nationale » qui deviendra « l'Union socialiste arabe », et il demande aux communistes d'y adhérer. Ils refusent et, à peine ressortis des camps, se retrouvent en prison.

Après son échec en Syrie, pour maintenir son pouvoir, Nasser accorde toute son attention à l'instauration de « l'ordre révolutionnaire intérieur » : nationalisations, encadrement de la population, pullulement des polices et des contrôles pour lequel il a besoin de l'aide des communistes, orfèvres en la matière.

On discute ferme dans les prisons pour savoir si l'on doit accepter ou refuser sa collaboration au « tortionnaire ». Sur les « conseils » de Moscou, les communistes des différents groupes, en février 1965, proclament leur dissolution pour rejoindre « l'Union socialiste arabe ».

Nasser veut cantonner les communistes dans des rôles bien précis : la propagande, l'économie. Il groupe les éléments les plus dynamiques dans une organisation secrète qu'il contrôle personnellement, « l'avant-garde du parti socialiste ».

En 1967, après la défaite des Six Jours, les communistes jugeant la carte Nasser brûlée repassent dans la clandestinité.

Sadate estime à tort peut-être les dirigeants communistes sans véritable assise populaire. Il pense qu'ils ont été suffisamment compromis par Nasser pour présenter un véritable danger. Quand il accède au pouvoir, afin de rassurer l'URSS, il prendra dans son gouvernement deux ministres communistes. Mais comme Nasser avait choisi l'Est, Sadate opte pour l'Ouest. Il se débarrasse de ses communistes, mais ne les inquiète pas.

Par la suite, nassériens nostalgiques et intellectuels marxistes se retrouvent dans le Front national de Khaled Mohieddine à la fois opposant et ami personnel de Sadate.

Les communistes n'y participent pas ; ils y voient un piège du pouvoir. Désormais téléguidés par le PC libanais que contrôle étroitement Moscou, ils retrouvent dans la clandestinité une certaine cohésion. Le besoin s'en faisait sentir. N'étaient-ils pas divisés en sept fractions se réclamant de la même Eglise mais résolument hostiles les unes aux autres ? Les communistes avec seulement 5 000 militants, mais 100 000 sympathisants constituent une force non négligeable.

Que veut la gauche égyptienne ? Rien que de très rassurant. Un travail productif pour chaque citoyen, une habitation convenable, des routes, des transports en commun, la médecine gratuite, une plus juste répartition des impôts, la condamnation du fanatisme religieux et en même temps la reconnaissance du droit musulman comme une des sources principales de la législation, mais pas la seule. Pour sacrifier à Karl Marx et à son catéchisme, elle réclame la planification scientifique de l'économie, le contrôle des capitaux étrangers, la reconnaissance légitime des droits du peuple palestinien (sans pourtant remettre véritablement en question les accords de Camp David, trop populaires), la solidarité arabe, l'amitié avec l'URSS, pour rallier les communistes, et la fidélité aux thèses neutralistes de Bandoung pour faire plaisir aux nostalgiques de Nasser, première manière. Et parce qu'il faut parfois sacrifier au réalisme, l'amélioration des rapports avec les USA, seuls susceptibles de fournir du blé au peuple qui crève de faim.

Un fourre-tout, ce qu'on appellerait en France une plate-forme électorale.

Ce programme qui aurait dû satisfaire tout le monde, cette bannière en forme de « patchwork » faite de morceaux rapportés sous laquelle avaient pu s'engager nassériens, progressistes religieux, Wafdites, ne mordra au moment des élections ni sur les masses ouvrières ni sur la paysannerie. Et cela malgré le prestige indéniable de Khaled Mohieddine son chef de file à qui tout le monde ne veut que du bien, même Sadate. Le Front national n'est porté par aucun souffle populaire alors que Sadate et son parti « national démocrate » remporteront 9 % des voix, tant l'engouement pour la paix est grand.

La seule force qui pourrait constituer une menace sérieuse pour Sadate, en cas d'échec de sa politique étrangère et économique, reste encore les Frères musulmans nouvelle manière. Ce n'est plus un parti structuré avec des organisations paramilitaires et clandestines mais une série de petits mouvements en apparence sans cohésion qui ont probablement des armes et dont certains reçoivent des fonds de

Libye. En résumé un courant intégriste puissant disposant d'une presse, difficile à museler.

Ce courant s'appuie sur des sentiments profondément enracinés dans le peuple. Il a pour base l'Islam en plein renouveau dans le monde, qui a renoncé à être religion réformiste, tolérante pour redevenir une force conquérante, réactionnaire, fanatique. La révolution islamique de Khomeiny en Iran n'a pas manqué de susciter espérances et tentations sur les bords du Nil. L'Egypte, si elle n'est pas arabe comme le voulait Nasser, reste profondément musulmane. Elle l'est même plus qu'avant par suite de la faillite de tous les systèmes qu'on lui a proposés du « national » socialisme des débuts de Nasser au « socialisme scientifique » de la fin de son règne. Gauchistes marxisants, nassériens et même communistes l'ont si bien compris qu'ils n'ont pas hésité à proclamer leur adhésion « tactique » à la foi du Prophète. Dans les universités les garçons se laissent pousser la barbe et les filles portent le voile. Hier ils se réclamaient de Marcuse.

L'histoire des Frères musulmans et leur doctrine sont étroitement liées à la personnalité du fondateur du mouvement, un jeune instituteur fraîchement sorti de l'Ecole normale, Hassan el Banna. En 1928, il fondait à Ismaïlia le mouvement des « Al Ikhwân al muslimûn » et s'en proclamait le « Guide Suprême ».

« L'Islam, affirmait-il, est un ordre total qui embrasse tous les aspects de la vie. Il est donc à la fois Etat et patrie, gouvernement et nation ; il est morale, force de miséricorde et justice, il est culture intellectuelle et loi, ou science et judicature ; il est matière et fortune ou gain et richesse ; il est guerre sainte et apostolat ou armée et idée ; de même qu'il est foi sincère et culte. »

Doué d'un très grand talent oratoire, Hassan el Banna crée des cellules parmi les classes moyennes où il recrute le gros de sa clientèle. Il donne à ses fidèles pour objectif la lutte contre l'occidentalisation des mœurs et des institutions. C'est ainsi que les Frères vont se heurter au grand parti réformiste et laïque, qui suit la tradition parlementaire de l'Europe, le Wafd, ainsi qu'aux socialistes et aux communistes athées, ce qui lui vaudra un temps la bienveillance des autorités royales, Farouk régnant.

En même temps les Frères fondent des écoles, des cours du soir, des hôpitaux, des dispensaires. Ils promettent aux humbles le règne de la justice et de l'égalité, un nouvel Age d'or et réclament pour l'Egypte l'indépendance au nom d'un nationalisme qui se veut plus musulman qu'égyptien ou arabe.

Pendant la Seconde Guerre mondiale le « Guide Suprême » organise secrètement des groupes armés. Il prend contact avec des agents allemands et se lie avec les « Officiers libres », tout particulièrement avec Anouar el Sadate, l'un de ses dirigeants. Quand Sadate sera emprisonné, les Frères lui verseront 10 livres égyptiennes par mois, ce qui semblerait prouver qu'il fut membre de l'organisation.

Sadate nous fait du « Guide Suprême » ce portrait enthousiaste :

« J'éprouvai pour lui une admiration sans limites. Je fus frappé par l'organisation parfaite de cette confrérie et par le respect, je dirais davantage, par l'extraordinaire vénération que suscitait la personnalité de cet homme. Les Frères musulmans représentaient une puissance qu'on ne pouvait sous-estimer... Son organisation était politique et il cherchait à recruter des membres des Forces armées pour arriver à ses fins. »

Sadate recevra officiellement le « Guide Suprême » dans son régiment et s'alliera aux Frères pour préparer le renversement de la monarchie.

Après la guerre, les Frères musulmans par leurs innombrables réseaux et organismes charitables, grâce à leurs idées simples, leur détermination apparaissent comme le seul parti offrant une solution acceptable à un peuple désorienté, qui ne sait plus à qui se vouer. Ils comptent bientôt un million d'adeptes tandis que le Wafd tolérant, laïque et moderniste voit fondre ses effectifs pour avoir collaboré avec l'occupant britannique.

Organisés secrètement en formations paramilitaires, les Frères passent à l'action directe : assassinat du vice-président de la Cour d'appel, dynamitage de magasins juifs et, en septembre 1948, du quartier juif causant la mort de 20 personnes. En décembre, ils assassinent le chef de la police, le général Selim Zaki.

Les Frères s'engagent nombreux aux côtés des armées régulières qui vont combattre les sionistes en Palestine et ils tireront de cet engagement un grand prestige.

Ils envisagent un moment de marcher sur Le Caire, de proclamer une constitution « républicaine et théocratique » dont le président à vie sera « le Guide Suprême ».

Khomeiny, comme on voit, n'a rien inventé.

Le chef du gouvernement, Nukraïshi pacha, dissout l'organisation mais il est assassiné le 23 décembre. Deux mois plus tard, les agents du roi Farouk tuent Hassan el Banna tandis que les Frères partout pourchassés entrent dans la clandestinité.

Le successeur du « Guide » un magistrat, El Hudaïbî, n'aura ni les dons oratoires d'El Banna, ni son prestige, ni ses qualités d'organisateur.

En 1951, les Frères ont plus ou moins retrouvé une existence légale et ils participent à la guérilla contre les dernières bases britanniques du canal de Suez. En janvier 1952, ils sont en partie responsables, le « Samedi noir », de l'incendie du Caire qui commence par la mise à sac d'un cabaret où s'exhibent des danseuses du ventre et continue par les cinémas, les banques, les grands hôtels.

Désormais la course de vitesse est engagée entre les Officiers libres dont Nasser a pris la tête et les Frères musulmans qui comptent parmi les militaires de nombreux partisans.

Après le renversement du régime de Farouk la collaboration se poursuit vaille que vaille entre Frères et Officiers libres. Les Frères sont alors près de 2 millions, les Officiers libres à peine une centaine et ils n'ont aucune base populaire.

Nasser se refuse à prendre le Coran comme doctrine de gouvernement, et à prêter serment d'allégeance au « Guide ». Les Frères continuent à noyauter l'armée et la police, créant des troubles dans les universités ; ils se préparent à déclencher une nouvelle guerre sainte. Quand Nasser s'oppose à Néguib, c'est Néguib qu'ils soutiennent.

Nasser profite d'un attentat perpétré contre lui pour dissoudre la confrérie et se livrer à une terrible répression. Il poussera le raffinement jusqu'à faire juger les dirigeants du mouvement par un tribunal que préside Sadate dont tout le monde connaît les liens avec les Frères. Six d'entre eux seront pendus, des milliers d'autres jetés en prison et torturés. On les libérera en 1964, pour faire contrepoids à l'élargissement des communistes ; en 1966, ils retrouveront le chemin des prisons et quelques-uns celui du gibet. La répression ne cessera plus jusqu'à ce que l'organisation soit entièrement décapitée. Un « Congrès islamique » que préside Sadate, s'efforcera de rallier leur clientèle.

Quand Sadate arrive au pouvoir, il est bien accueilli par les milieux musulmans qui connaissent sa piété et qui veulent oublier la part qu'il a prise à la répression. On se souvient seulement qu'il a protesté contre les tortures dont les Frères ont été victimes. Quand il traite avec Israël, il devient l'ennemi, mais un ennemi que l'on continue à ménager. A la suite de quelles promesses, de quels accords secrets ?

Organisation officiellement dissoute, les Frères musulmans se présentent aujourd'hui comme un courant « intégriste », au sein de l'Islam égyptien. Ils disent avoir renoncé à imposer par les armes et le terrorisme un retour aux sources de l'Islam.

Il est indéniable qu'on assiste à un renouveau religieux. L'université d'Al Azhar n'a jamais compté autant d'élèves ; elle a essaimé dans toutes les provinces où ont été créées une dizaine de facultés coraniques. De nouvelles mosquées se construisent tous les jours et plus de 100 000 pèlerins, en une seule année, se sont rendus à La Mecque.

Les rues du Caire, devenue une grande capitale musulmane, résonnent cinq fois par jour des appels à la prière enregistrés sur mini-cassettes. Au moment des mariages, des enterrements, des haut-parleurs loués par les familles hurlent si fort les litanies qu'ils arrivent à dominer la cacophonie de la circulation.

Tous les vendredis, mille mosquées font leur plein de fidèles. Les prêches des « Sheiks » célèbres comme Ghazali sont diffusés par la radio, et les chauffeurs de taxi arrêtent leur véhicule pour l'écouter.

Ces « Sheiks » dénoncent les ingérences occidentales, le relâchement des mœurs, la mauvaise tenue de la femme musulmane, mais surtout l'impérialisme culturel et social de cet Occident maudit dont la société égyptienne doit se libérer.

Leur doctrine reste celle des Frères musulmans, la création d'un « Etat islamique total », sorte de paradis perdu, ce qui ne peut que séduire des masses misérables à 70 % analphabètes, qui n'ont comme soutien, comme ressources que la foi en Dieu.

L'Islam moderniste et tolérant du Sheik Abdouh, un sage réformateur pour qui l'Islam devait s'accommoder de son temps et faire appel à la raison, recule devant les conceptions étroites, archaïques de tous ceux qui se réclament ouvertement du « Guide Suprême ».

A l'Assemblée du peuple, des députés ont déposé un projet de loi réglementant les débits de boissons ; une commission a été créée pour étudier la révision de la juridiction en fonction du droit islamique.

Il suffit de se promener au Caire dans les quartiers populaires devant les étals qui débordent dans la rue, pour voir fleurir une étrange littérature qui a remplacé les récits compliqués des peines de cœur des chanteurs ou des stars à la mode. Les couvertures de ces brochures sont toujours grossièrement coloriées. Mais elles relatent « le massacre des Frères musulmans au bagne de Tura ». Un Nasser monstrueux, la bouche tordue par un rictus sadique, regarde torturer deux Frères enchaînés, le visage extatique. Ou ils racontent une vie très romancée de « Khomeiny, l'homme de la solution islamique ».

Ces publications sont toutes dédiées à l'imam révolutionnaire Ruollah Khomeiny et à l'imam martyr Hassan el Banna, fondateur des Frères musulmans.

A l'université du Caire, de Minia ou d'Helouan, plus de la moitié des étudiantes arborent la longue robe, le hedjab, 75 % à la Faculté de médecine d'Alexandrie. Pas toujours de bon cœur. Ces étudiantes sont soumises à la terreur que font régner sur les campus certains groupes de pression musulmans les « Gama'at islamiya ».

Et puis le hedjab s'achète à très bon marché dans des magasins que subventionnent les « intégristes » tandis que les robes européennes sont hors de prix. Les étudiants pauvres seraient même payés pour porter la barbe.

Services sociaux, systèmes d'entraide fonctionnent pour les étudiantes voilées et les étudiants barbus. A Alexandrie, ce sont des minibus qui prennent à leur domicile les étudiantes pour les conduire à l'Université afin que leur pudeur « musulmane » ne souffre pas de la promiscuité et des bousculades.

Des séances de révision des examens sont organisées par les intégristes. Comme elles ont lieu à la mosquée, le voile pour les filles devient obligatoire.

Incidents graves à l'université de Minia où les coptes sont 25 % (la moyenne nationale étant de 10 à 15 %). A la suite de l'arrestation de deux leaders étudiants, les intégristes ont organisé de violentes manifestations et pris en otage vingt-sept coptes.

Sadate a prononcé un violent réquisitoire contre « cette minorité rétrograde, traître à l'Egypte et à ses valeurs morales qui veut raviver le confessionnalisme ». La police s'est enfin décidée à libérer les coptes et à arrêter ces jeunes fanatiques.

La solitude, la peur des représailles, l'instinct grégaire jettent les étudiants dans les bras de ce nouvel Islam. Ils sont à l'image de toute l'Egypte où les notables prennent les décisions ; la masse résignée les suit sans comprendre.

Ce renouveau islamique tient à la situation misérable des « intellectuels » pendant et après leurs études. L'Etat est tenu à fournir un emploi à tout diplômé de l'Université... et le fait mais après une longue attente. Nommé professeur d'anglais à Assouan, l'ancien étudiant d'Alexandrie recevra vingt livres égyptiennes par mois (150 francs). Il peut refuser cet emploi, mais il lui faudra trouver seul un travail pénible, mal payé. S'il y arrive.

Les plus audacieux, les plus dégourdis se débrouillent. Comme cet ingénieur agronome qui, à Alexandrie, était devenu chauffeur de taxi, parlait français et anglais et se faisait, me disait-il, dix fois plus que s'il avait accepté la sinécure que lui offrait l'Etat-providence.

Une importante majorité de la population devant des perspectives d'avenir médiocres, devant l'inefficacité du système, sa corruption, devant l'inégalité des fortunes découlant de l'ouverture économique de Sadate se laisse récupérer par ces organisations « intégristes », ces nouveaux Frères musulmans.

C'est ainsi que des organisations clandestines comme « Tekfir wa Higra » Excommunication et Hégire ! créent en pleine ville des communautés où les jeunes vivent et se marient strictement selon les lois coraniques. Ils ont fini par enlever et assassiner le Sheik Dhababi, ministre des Biens religieux, ce qui déclencha enfin l'intervention d'une police qui ne s'était guère souciée des plaintes des familles dont les filles même mineures avaient rejoint ces communautés. Cette organisation et d'autres du même type disposent de sommes importantes puisqu'elles ont pu acheter des immeubles entiers.

La doctrine des « Tekfir wa Higra » se résume en quelques slogans : le monde est dominé par les Juifs et les Américains qui corrompent l'Egypte. Pour la régénérer il faut détruire la société actuelle, en assassinant ses dirigeants et en fondant des communautés.

Emprisonnés, les membres de cette secte prétendent n'avoir rien de commun avec les Frères musulmans.

L'un des chefs du mouvement intégriste est Omar Tlemsani qui a des prétentions à jouer au « Guide Suprême ». Il est directeur d'une revue *ad-Dawa* (l'Appel), qui tire à 80 000 exemplaires. Le président Sadate l'a nommément pris à partie après les incidents de Minia. C'est un vieillard corpulent au visage creusé de profondes rides, au collier de barbe blanche, ni idéologue, ni orateur, ni meneur d'hommes. Rien d'Hassan el Banna, le fondateur des Frères qui lorsqu'il parlait, disait-on, « saisissait le cœur de ses auditeurs entre ses mains et ne leur rendait qu'à la fin de son homélie » !

Comme on lui demandait où en était l'organisation des Frères musulmans dans les universités, il fit cette réponse :

« En tant qu'organisation légale, les Frères n'existent plus. Mais en ce qui concerne leur idéologie, j'ai le sentiment que tous les musulmans de la terre sont des Frères musulmans. En Egypte ouvriers, étudiants, paysans, employés, commerçants reviennent à la religion après avoir assisté à l'échec de toutes les théories et doctrines qui nous promettaient réformes, réorganisation de la société et prospérité. En vain ! L'Islam reconnaît toutes les libertés sociales dans les limites des règles religieuses, il n'interdit aucune opinion même si elle est contraire à l'Islam, à l'exception du prosélytisme chrétien. »

Quand on essaye de le pousser dans ses retranchements, de savoir ce qu'il pense du traité de paix avec Israël, il refuse de répondre à un étranger, estimant que cette affaire regarde seulement les Egyptiens et qu'ils doivent la traiter entre eux. Par contre il adhère complètement aux thèses de Khomeiny. Il pense comme lui que l'arabisme aboutit à une impasse, que les musulmans ne doivent pas se réunir dans le cadre d'une nation mais derrière une seule doctrine religieuse. « Tout musulman où qu'il se trouve sur la Terre est le concitoyen des autres musulmans. »

Les Frères musulmans, m'a-t-on affirmé, auraient reconstitué des cellules, empruntant aux communistes et aux organisations palestiniennes leurs méthodes de cloisonnement. Ils seraient près d'un millier... dont presque autant de policiers.

Les masses égyptiennes ne ressemblent pas à celles d'Occident. Apparemment, elles sont inorganisées, paisibles, amorphes, soumises au pouvoir, mais il suffit que le vent souffle un peu fort, qu'il vienne de La Mecque, pour qu'elles soient prises d'une violence cosmique, incontrôlable et emportent toutes les digues.

Une grave crise économique pourrait rapidement jeter les foules dans les rues du Caire (9 millions d'habitants dont une majorité de misérables), provoquer un nouveau Samedi noir. On l'a vu à propos de l'augmentation du pain. L'Egypte ne peut éviter cette crise que si elle est assistée par les Etats-Unis qui devront la prendre en charge. Et si Israël, en faisant d'importantes concessions aux Palestiniens, permet au président Sadate de prouver à la communauté islamique que sa politique était la bonne.

Ce ne sera pas encore suffisant. Il faudra trouver à ce grand peuple enfermé dans son étroite vallée du Nil un exutoire à sa surpopulation, de nouvelles ressources agricoles et énergétiques, une grande entreprise qui lui fera oublier les califes fatimides et le panarabisme du « Zaïm » Nasser. Une aventure africaine par exemple. Ce serait dans ce sens que pousseraient Américains et Israéliens.

Kadhafi est derrière tous les complots et répand ses dollars sur les mosquées d'Egypte. Pas seulement pour servir l'Islam mais pour sauver sa peau. Il en va de même au Soudan dont le régime est toujours menacé par les communistes et où Le Caire risque d'être amené à intervenir.

La balle qui tuera Sadate..., on la fond dans toutes les officines terroristes du Moyen-Orient. Le fameux Carlos entraîne des commandos à Tripoli ; les Frères aiguisent leurs poignards dans l'ombre des mosquées cairotes.

Mais Sadate croit à sa chance. Il croit avoir exorcisé l'ombre de Nasser et, ayant choisi la voie difficile de la paix et du réalisme, d'être inspiré par Dieu, celui « d'Abraham, d'Ismaël, d'Isaac, de Jacob, celui des tables de la Loi données à Moïse et du Coran révélé à Mahomet... » et en secret d'être protégé par les dieux à têtes de chacal et de faucon de l'antique Egypte.

## II

## SYRIE : LA SECTE
## DES « ÉTEIGNEURS DE LUMIÈRE »

*« Il n'y a point de pays au monde qui présente une pareille multiplicité de sectes jalouses ni un tel enchevêtrement de croyances agressives : même en pleine paix on respire une tension latente et comme une atmosphère de pogrom faite du souvenir de tous les massacres passés et de craintes pour l'avenir...*
*« ... Ce ne sont donc point des confessions qui luttent sur le plan spirituel mais de véritables communautés politiques, des « notions religieuses » pourrait-on dire, qui s'opposent sur le plan matériel, comme en Occident se heurtent les nationalités territoriales. »*

Jacques Weulersse,
*Le Pays des Alaouites,*
(Institut français de Damas).

En Egypte, un fils d'Ismaël, Nasser l'Arabe, voulut entraîner les descendants épuisés des pharaons dans une grande croisade contre Israël. Il avait pris ce prétexte pour imposer sa loi à ces autres Arabes, nés sur les bords de l'Euphrate qui, par tradition et par tempérament, semblables à l'onagre, l'âne sauvage, ne se reconnaissaient pas de maîtres, « leur main contre tous, la main de tous contre eux », écrit la Bible. Il échoua, laissant comme souvenir de son passage un barrage gigantesque au milieu des sables, un pays épuisé, réduit à mendier non plus des armes mais du blé. Le pouvoir revint à Anouar el Sadate, le fellah du Delta, qui chassa les démons venus de l'Euphrate pour ne se souvenir que du dieu de l'Egypte : le Nil qui naissait en Afrique.

En Syrie, d'autres fils d'Ismaël, dont la capitale Damas fut celle des califes omeyyades, devaient tomber sous la coupe d'une secte mystérieuse, au double visage, l'un caché, l'autre connu et de deux frères, l'un régnant à la lumière, Hafez, l'autre dans l'ombre, Rifaat el Assad.

Une poignée d'hommes méprisés pendant des siècles, les Alaouites, « les éteigneurs de lumière », sous couvert d'un parti « laïque », aux allures de société secrète, le Ba'th, avait conquis le pouvoir et refusait de le lâcher.

*
**

— Ils les pendront ce soir, m'avait-on dit à Damas ; ils le feront selon leur habitude entre 3 heures et 5 heures du matin, à l'ancien pont Victoria, à côté de l'Hôtel Sémiramis où se sont déjà déroulées d'autres exécutions. Ils laisseront les pendus se balancer jusqu'au lendemain pour que l'on sache qu'on ne plaisante pas avec l'ordre et la justice du président Hafez el Assad, l'Alaouite, le Nossaïri.

Quatorze terroristes furent effectivement pendus en cette nuit de juillet 1979, mais en secret, dans la cour de la prison, et leurs noms affichés à la porte. Hafez el Assad avait hésité devant les remous qu'aurait provoqués une exécution publique. Crainte d'un soulèvement général de la population ? A moins qu'il ne voulût éviter de mécontenter certains leaders islamiques, ses bailleurs de fonds, comme Kadhafi dont la visite était annoncée. Ce n'était pourtant pas dans ses habitudes de reculer, encore moins dans celles de son frère Rifaat, dont l'une des cinq résidences venait de sauter. Le bruit avait même couru qu'il avait été tué dans l'explosion. Lui disparu, on disait que le régime n'en avait plus pour longtemps.

Rifaat se trouvait à Paris où il avait conduit une de ses favorites qui devait subir une opération. La Syrie n'en avait pas encore fini avec celui qu'on avait surnommé « Shaïtan », le diable, avec ses hommes de main, ses troupes spéciales toutes alaouites et ses redoutables polices.

De tous les pays du Moyen-Orient, la Syrie était celui qui disposait des meilleurs atouts pour connaître la paix et la prospérité. Huit millions d'habitants répartis sur 185 000 km$^2$ ; des terres riches, facilement irrigables, comme dans la Djéziré, sur les bords de l'Euphrate, et un balcon sur la Méditerranée. Un climat varié, doux et humide sur la côte, continental sur le grand plateau central.

Elle était située au confluent de toutes les routes, de toutes les grandes civilisations de l'Orient, formant une sorte de pont entre l'Irak, la Jordanie, la Turquie, le Liban, et la Palestine devenue Israël.

Ses deux capitales, Damas aux deux cent cinquante mosquées, 1 million d'habitants, Alep avec ses 700 000 habitants et ses 20 kilomètres de souks admirables, étaient des villes animées, bruyantes, où l'on aimait le négoce, la palabre mêlant joyeusement Dieu, l'or et la politique.

Mais une malédiction pesait sur la Syrie. Exaltée, instable, elle était ingouvernable et se complaisait dans les transes, cherchant à communiquer sa fièvre à tous ceux qui se réclamaient de l'Islam ou de l'arabisme. Et en même temps, elle était truffée de minorités (1).

En janvier 1958, quand il eut signé l'accord qui réunissait dans une même République arabe unie, la Syrie et l'Egypte, le président syrien Choukri Kouatly chuchota à l'oreille de Nasser :

— Si vous saviez de quel fardeau vous m'avez délivré : vous m'avez libéré de l'honneur très ingrat d'être le chef de 5 millions d'hommes qui se considèrent tous comme des politiciens émérites. La moitié se réclament d'une vocation de leaders ; le quart se croient des prophètes ; 10 % au moins se prennent pour des dieux. Vous aurez affaire à des gens qui adorent et Dieu, et le feu, et le diable.

— Vous auriez pu me prévenir plus tôt, grogna Nasser.

Trois ans plus tard, l'Union éclatait ; Nasser y perdait son prestige de leader du monde arabe. Ce fut encore la Syrie qui l'entraîna dans une guerre avec Israël dont il ne voulait pas, qui lui valut, en six jours, de connaître l'une des plus cuisantes défaites de l'histoire militaire, qui consacra à tout jamais son déclin.

Il fallut Hafez el Assad et son machiavélisme ; il fallut Rifaat et ses méthodes très particulières pour venir à bout des Syriens, leur apprendre qu'ils n'étaient ni des dieux ni des prophètes. Il fallut surtout que les deux frères appartiennent à un autre univers que les riches et bavards bourgeois d'Alep ou de Damas, qu'ils soient secrets, taciturnes, qu'ils aient à prendre une terrible revanche, qu'ils soient étrangers à l'Islam, des « maudits » de la secte des fils du Diable, « éteigneurs de lumière ».

Le régime des Alaouites durait depuis neuf ans, un record en Syrie. Mais il venait d'encaisser un coup très dur.

Le 15 juin à Beyrouth, la radio des Phalanges chrétiennes révélait qu'à Alep, quelques jours plus tôt, un attentat avait coûté la vie à une trentaine d'élèves officiers. Clandestine, la radio « kataëb » n'est point soumise à la censure syrienne comme les journaux libanais, qui ne peuvent faire état des attentats, meurtres, sabotages, pain quotidien de toutes les villes de Syrie.

Damas ne pouvant plus se taire, le gouvernement syrien annonçait officiellement, le 16 juin, que l'attentat avait causé plus de cinquante morts, qu'il avait été perpétré par l'un des instructeurs

---

(1) « La conséquence la plus grave de l'organisation communautaire, c'est qu'entre confessions voisines règnent l'ignorance, la méfiance et la peur, tout un ensemble de sentiments à base à la fois d'envie et de haine, de crainte et de mépris et qui constitue ce qu'on peut appeler le " complexe minoritaire ".

« Celui-ci est difficile à définir, car la notion même de minorité est fuyante. Ainsi les musulmans sunnites qui ont la majorité dans l'ensemble de la Syrie, sont minoritaires en Pays Alaouite, pour redevenir majoritaires dans la ville même de Lattaquié. Et les Alaouites, minoritaires en Syrie, sont majoritaires dans la région pour redevenir minoritaires dans les villes. Ce qui domine en tout cas de part et d'autre dans les minorités comme dans les majorités — car celles-ci sont parfois socialement inférieures —, c'est la peur, une peur irréfléchie, irrésistible, toujours prête à se manifester par l'intolérance, les vexations et, le cas échéant, le massacre. » (Jacques Weulersse.)

de l'école militaire, le capitaine Ibrahim Youssef, lié aux Frères musulmans.

Son crime perpétré, il s'était enfui à l'étranger. Certains de ses complices avaient été arrêtés, dont un caporal-chef qui était actuellement interrogé. Quand on connaît les méthodes utilisées dans la très progressiste Syrie, on imagine fort bien ce que pouvait être cet interrogatoire et être assuré que les aveux suivraient, même si ce n'étaient pas les vrais coupables que l'on tenait sous clef.

Une véritable chasse à l'homme avait été déclenchée sur toute l'étendue du territoire. Il y eut des centaines d'arrestations dans les milieux religieux, dans l'opposition politique et même au sein du parti unique, le Ba'th, où tous n'étaient pas d'accord avec l'équipe au pouvoir. Les unités spéciales, appartenant à la garde prétorienne du régime, avaient été ramenées en catastrophe de la montagne libanaise. Les membres de ces « brigades de défense » sont faciles à reconnaître à leur armement et leur tenue léopard. Je les avais rencontrés dans la région de Zghorta, à l'est de Tripoli. Je les retrouvais à Damas, gardant la radio, la télévision, le mess des officiers, aux aguets, le doigt sur la détente de la kalachnikov. Les hommes avaient des têtes dures et burinées de montagnards. Ils étaient tous Alaouites.

Le capitaine Ibrahim Youssef aurait préparé son attentat de longue date. Il avait envoyé sa femme et ses enfants en Turquie où, deux mois plus tôt, des éléments fanatisés avaient massacré d'autres Alaouites toujours au nom de l'Islam.

Dans un régime aussi méfiant, aussi policier que celui de la Syrie, il est impensable que l'on ait pu confier de telles responsabilités, l'instruction des futurs soutiens du régime, à un militaire qui ne soit pas membre du parti. Et de la bonne tendance, car ces tendances sont multiples et confuses. Mais en Syrie, une seule a droit à la parole, celle de Hafez el Assad. Et c'est toujours par sa bouche qu'elle s'exprime.

On apprit les détails du massacre. Le capitaine avait réuni dans une salle de conférences une centaine d'élèves officiers de la promotion, qu'il avait en charge. Il avait fait l'appel cochant soigneusement chaque nom sur sa liste, avant de faire sortir les cadets de confession sunnite, ne gardant que les Alaouites, une soixantaine, et les chrétiens, une dizaine, plus quelques Druzes. Aucun n'appartenait à l'Islam orthodoxe.

A son signal, des civils en armes étaient apparus, venus de l'extérieur selon le communiqué officiel, mais jouissant certainement de complicités dans l'école où, selon d'autres sources, ils se seraient tenus cachés. Ils s'étaient livrés à une véritable boucherie, utilisant la mitraillette, la grenade et finissant le travail au couteau. Les cadets, surpris, désarmés, n'avaient pu résister.

La notion du secret est à ce point ancrée dans le régime et l'armée que, le lendemain de l'attentat, des touristes passant par Alep n'avaient rien remarqué. Les cadets, gants de coton blancs et larges épaulettes dorées à la russe, déambulaient comme de coutume sur la place de l'Horloge et devant la mosquée des Pistaches.

On accusa les Frères musulmans, passés à la solde de l'Egypte de Sadate, d'Israël et de la CIA, ces mêmes Frères que, sur les bords du Nil, on disait du complot de Kadhafi, des Palestiniens, des Syriens et des Soviétiques. Personne n'y avait cru. Les quatorze pendus de Damas n'avaient rien à voir avec le massacre d'Alep, mais ils avaient participé à d'autres attentats. Comme le capitaine Youssef, ils n'appartenaient pas à l'organisation secrète des Frères, décapitée en 1972-1973, mais à cette opposition religieuse intégriste, la même qu'en Egypte mais infiniment plus virulente et qui, depuis deux ans, par le terrorisme, s'efforçait de renverser le régime.

A 70 % la Syrie est musulmane et sunnite ; Damas se veut la capitale toujours vivante de l'Islam et de l'arabisme. C'est une des plus anciennes cités du monde, mentionnée dans les textes égyptiens de la 18ᵉ dynastie et dans le livre de la Genèse. On y conserve encore le souvenir du premier mur que les hommes ont bâti après le déluge et on peut visiter dans ses faubourgs, non loin de la rivière Barada, la grotte où Caïn aurait assassiné son frère. Elle n'a jamais oublié qu'elle fut la capitale glorieuse des califes omeyyades dont l'empire s'étendit de l'Indus aux Pyrénées. Aujourd'hui elle était gouvernée par un homme qui, officiellement, se réclamait d'un parti laïque, le Ba'th. Mais il appartenait aussi à une secte païenne de la montagne de tout temps méprisée, les Alaouites, constituant à peine 10 % de la population. Non content de faire sonner leurs bottes, les Alaouites accaparaient tous les pouvoirs et toutes les prébendes.

Comme en Iran, une opposition qui n'était pas toujours religieuse s'était rangée, faute de mieux, sous le drapeau vert de l'Islam. Elle réunissait, à côté de fanatiques religieux, des membres d'anciens partis dissous, mouvements de droite et d'extrême gauche, fonctionnaires, militaires épurés, communistes, syndicalistes. Et tous ceux qui en Syrie aiment que les choses changent, tous ceux qui se prennent pour des dieux ou des prophètes, qui se croient la vocation de leaders politiques et complotent comme en France on joue au tiercé. Ça faisait beaucoup de monde.

Damas, quand j'y retournai en juillet 1979, avait changé, en bien. Depuis que la guerre civile désole Beyrouth, elle avait hérité de ses fastes, profité de cette saignée pour recueillir les riches réfugiés et leur fortune. Damas vit à l'heure libanaise et de l'argent libanais. J'ai eu du mal à m'y reconnaître. Grands hôtels et résidences somptueuses se sont construits. On y respire la prospérité et non plus la vertueuse pénurie socialiste ; les vitrines des magasins sont bien garnies. Les taxis ne sont plus ces infâmes tacots transpirant une essence puante à faible degré d'octane. Mercedes et voitures américaines les ont remplacés. Mais plus une seule moto. Interdites.

Elles étaient utilisées par les terroristes dans leurs raids meurtriers.

De la terrasse de l'Hôtel Méridien, on me montra les bâtiments de la Foire-exposition qui s'édifiaient. « Voilà un endroit où je ne mettrai jamais les pieds, me dit un Damascène. Il y aura au moins un attentat par jour, malgré les " Brigades de défense " de Rifaat el Assad. Le pouvoir alaouite est débordé. Si cette situation devait durer, il ne resterait bientôt plus à Assad et à ses partisans qu'à rejoindre leur réduit montagneux. Mais, auparavant, ils sont capables de détruire Damas. Leurs garnisons tiennent toutes les hauteurs. Ils ont un vieux compte à régler avec la capitale des califes et avec les riches bourgeois qui y vivaient. Ceux-ci, pendant des siècles, traitèrent les Alaouites comme des chiens, et pour justifier leur comportement, racontèrent sur leur compte et celui de leur secte toutes sortes de calomnies. »

De l'interpénétration de deux phénomènes qui, en apparence, n'avaient rien de commun : le parti Ba'th et la secte des Alaouites que l'on appelle encore Nossaïri, devait naître le régime actuel de la Syrie. On doit lui reconnaître ce double mérite : ne ressembler à aucun autre, et durer, dans un pays où les complots, les putschs, les coups d'Etat, ne laissent jamais en place les gouvernements plus de quelques mois.

L'instabilité foncière de la Syrie et de ses habitants s'explique par sa très longue histoire. Elle ne cessa jamais d'être une terre de passage, ce qui lui donna ses contours imprécis. Elle a tant de fois changé de frontières ! Un véritable « melting-pot » de races, de religions, de sectes, de partis, de survivances vivaces d'un passé lointain se combinant à des influences récentes. S'y installèrent tour à tour les Cananéens, les Phéniciens, les Araméens, les Amorréens, les Hébreux que dominèrent les Sumériens, les Assyriens, les Hittites, les Egyptiens, les Perses achéménides, les Romains, les Parthes, les Byzantins, les Arabes, les Croisés, les Mongols, les Turcs, les Ottomans. De l'autorité vacillante de la Sublime Porte, la Syrie passa sous mandat français et pendant trois ans devint même province égyptienne de février 1958 à septembre 1961.

Peut-on vraiment dire que la Syrie est arabe ?

« Depuis sa conquête par les armées d'Omar, elle a vécu de la vie des Arabes et de l'Islam, de leur langue, de leur esprit et pendant de nombreux siècles, jusqu'à la conquête ottomane, elle a fait partie essentielle de leur empire : une si longue histoire ne pouvait que laisser une empreinte profonde sur les populations (1). »

Bien que composée d'une mosaïque d'ethnies parmi lesquelles se retrouvent, en petit nombre, les descendants des conquérants venus du Hedjaz, elle est surtout arabe de par sa volonté.

« La Syrie est et se veut arabe de langue, de culture, de sentiment et de comportement ; de race aussi, dans la mesure où les populations d'autre souche qui cohabitaient sur son territoire avant le VIIᵉ siècle ou qui sont venues s'y établir par la suite, numérique

---

(1) Edmond Robbath, *L'évolution politique de la Syrie sous mandat.*

ment faibles et géographiquement dispersées, ont été la plupart du temps assimilées à la majorité... Mais il est vrai que bien peu d'Arabes qu'on y rencontre sont de race pure (1). »

Son histoire est faite de courtes et brillantes apparitions sur la scène de l'histoire, dont les Syriens se complaisent à entretenir le souvenir nostalgique, et de longues éclipses qu'ils veulent oublier.

A Ugarit, près de Lattaquié, on découvrit le plus ancien alphabet du monde, composé de vingt-deux lettres et datant du xive siècle avant notre ère ; c'était au temps du royaume de Mari. Puis la Syrie fit partie de l'empire des pharaons, de la thalassocratie phénicienne. Satrapie des Perses achéménides, Alexandre s'en empare ; l'hellénisme s'implante. Pompée entre à Damas en 64 avant J.-C. La province romaine de Syrie connaît un grand essor. C'est l'époque de Balbeck, de Palmyre. La Syrie donnera même à Rome des empereurs dont Héliogabale qui était fou et Septime Sévère qui était rude, sage et grognon.

La reine nabatéenne de Palmyre, Zénobie, étendra sa domination de l'Euphrate à la Méditerranée et des déserts d'Arabie jusqu'à l'Asie mineure. Elle se proclamera reine de l'Orient et se retrouvera captive à Rome. Après avoir participé au triomphe d'Aurélien chargée de chaînes d'or elle finira ses jours dans une villa à Tibur.

Sur la route de Damas saint Paul découvre Dieu. Avec Constantin, la Syrie devient terre chrétienne d'où jaillissent églises et monastères.

Les Arabes apparaissent. En 636, après la bataille du Yarmouk, Damas ouvre ses portes aux hordes d'Omar. Les églises se transforment en mosquées et la Syrie omeyyade rayonne sur l'Orient méditerranéen. Les Syriens fournissent aux rudes cavaliers d'Allah administrateurs, savants, lettrés et artistes. Simple province sous les Abbassides, la Syrie passe sous le joug des Fatimides d'Egypte et devient turque avec les Seljdjoukides.

Les Croisés débarquent, créant le long de la côte de petites principautés hérissées de kraks, comme celui des Chevaliers près d'Homs. Viennent les mamelouks : ils durent deux siècles, les Mongols, les Turco-Mongols de Tamerlan et les Ottomans qui domineront la Syrie jusqu'en 1918. Elle est divisée en trois « vilayets » : Alep, Damas et Tripoli. Les pachas ne s'intéressent qu'au tribut qu'ils peuvent tirer des régions qu'ils administrent afin de conserver leur place et de se remplir les poches, se moquant bien du reste et laissant les petits chefs locaux en faire à leur tête. A condition qu'ils payent.

La Syrie sera entraînée dans le déclin de l'empire turc. Mais quand s'amorcera le réveil arabe, c'est de Syrie qu'il partira, sous l'influence des idées que véhiculent l'Occident et surtout la France présente à Lattaquié, à Alep, et Alexandrette.

Au milieux du xixe siècle se créent à Beyrouth, à Damas sociétés

---

(1) Claude Palazzoli, *La Syrie, le rêve et la rupture*, Ed. le Sycomore.

savantes et sociétés secrètes. On rêve d'un Islam s'accommodant d'une démocratie à l'européenne. Sous l'influence des minorités chrétiennes très agissantes, plus ouvertes, on cherche à définir un patriotisme qui ne soit pas seulement à base religieuse mais reposerait sur la langue et la culture.

Michel Aflak, fondateur du Ba'th, trente ans plus tard, reprendra ces mêmes idées.

« Toute nation, déclare-t-il, à une étape déterminée de sa vie, possède une force motrice essentielle... Si nous examinons le passé des Arabes, nous constatons que cette force motrice essentielle fut la religion au moment de l'apparition de l'Islam. En effet, la religion seule a été capable de révéler les forces latentes des Arabes, de réaliser leur unité... Aujourd'hui, au contraire, la force motrice première des Arabes dans cette étape de leur vie, c'est le nationalisme... Les Arabes étant comme mutilés dans leur liberté, leur souveraineté, et leur unité, ne peuvent donc comprendre que le langage du nationalisme... »

Le Ba'th conservera la tradition de ces sociétés secrètes, de ces clubs clandestins où se retrouvent civils et militaires et qui foisonnent avant la guerre de 1914. Ils ne s'entendent que sur un point : l'indépendance, mais sur le reste se déchirent. Les Turcs réagissent avec violence, déportent, massacrent et pendent. Trop tard. Engagés aux côtés de l'Allemagne, ils perdent la guerre et le colonel Lawrence botte à botte avec l'émir Fayçal entre en vainqueur à Damas.

On a fait aux Syriens des promesses ambiguës pour les engager dans la guerre aux côtés des Alliés contre les Turcs. Ils croyaient avoir mérité leur indépendance et se retrouvèrent sous mandat français. Ils s'en accommoderont mal quoique l'apport de la France soit loin d'être négatif ne serait-ce que par la généralisation de l'instruction publique. On apprend dans toutes les écoles de Syrie la révolution de 1789 et comment naquit la république. Au contact des Français, la bourgeoisie syrienne prendra ce goût des combinaisons parlementaires, des compromis façon radical-socialiste et des grands discours dont l'enflure masque les convoitises. Une administration infiniment moins corrompue que celle des Ottomans est mise en place, provoquant un démarrage économique. On trace des routes ; on crée quelques industries ; on recrute des minoritaires pour en faire une armée. Les Français divisent pour mieux régner. Comme si les Syriens en avaient besoin ! Malheureusement la France est atteinte d'un mal incurable qui lui vaudra de perdre son empire et de se faire détester : sa bureaucratie inefficace et arrogante, ses fonctionnaires souvent médiocres, susceptibles, vaniteux, avides de pouvoir et de considération, et qui ne connaissent que l'administration directe. Mandat pour eux n'a aucun sens. Ils veulent tout régenter, ils refusent de faire confiance aux cadres locaux, de s'en faire sinon des amis, au moins des complices.

Heurts et malentendus ne cessent plus. L'opposition syrienne est encouragée en sous-main par nos bons amis anglais qui rêvent de constituer pour leur clientèle hachémite cette grande Syrie du Croissant Fertile dont Fayçal d'Irak serait le roi.

En 1925, révolte sanglante du djebel druze. En 1930, sous la pression de Paris, une constitution est votée et une Assemblée élue. Cette constitution s'inspire de celle de la IIIᵉ République. Mais sur place le haut-commissaire n'en fait qu'à sa tête, dissout l'Assemblée à peine élue, tandis qu'officiers et administrateurs se livrent au jeu passionnant des minorités, détachant de la Syrie un « Territoire autonome alaouite » et un Etat druze.

Nouveaux désordres en 1936, quand la France cède à la Turquie le Sandjak d'Alexandrette qui fait historiquement partie de la Syrie.

Vaincue par l'Allemagne, ce qui vaut au régime hitlérien les sympathies de certains cercles nationalistes syriens, la France doit passer la main, après les combats fratricides entre vichystes et gaullistes. Libérée de toute présence étrangère, au moins officielle, la Syrie va se livrer avec frénésie aux jeux subtils et dangereux de la démocratie parlementaire, un régime qui ne convient guère à une nation aussi divisée.

Les notables truquent à plaisir le jeu politique, falsifient les élections, mettent les provinces en coupe réglée. On en revient à l'empire ottoman, sans les Ottomans. Scandales et pots-de-vin. Les Britanniques n'ont toujours pas renoncé à leur projet de Grande Syrie et leurs agents, pour le compte de leurs protégés irakiens ou jordaniens, achètent ministres et généraux.

On assiste à la naissance d'une nouvelle forme de pouvoir, celui du Verbe qui prend possession des places, des carrefours, des cafés, des salons et des mosquées. On y prêche la nation arabe, la guerre sainte contre Israël qui vient de naître ; on se grise de rêves. On puise dans l'histoire ancienne des exemples qu'on exalte mais qu'on se garde bien de suivre.

En pleine guerre de Palestine, le neveu du président du Conseil, Fouad Mardom, vend des armes aux Juifs.

La population rend ses dirigeants responsables de la défaite et l'armée, qui pourtant ne s'est guère illustrée en Palestine, prend le pouvoir. Premier putsch le 30 mars 1949. Le colonel Husni Zaïm, d'origine kurde, personnage pittoresque et truculent, que l'on dit être un agent français, s'appuyant sur les débris de l'armée, retour de guerre, prend Damas sans tirer un coup de feu. Kémaliste et laïque, il attaque l'Islam, interdit le fez, la culotte bouffante, les titres de bey et de pacha. Il nationalise les biens du clergé, promulgue un code civil, un code pénal, il normalise l'impôt, épure l'administration. Il en fait tant et si bien qu'il ne dure que cent jours. Un colonel de blindés Sami Hennaoui, agent britannique que manipule le capitaine Sterling (sic) de l'Intelligence Service, détrône « le tyran sanguinaire » et l'exécute en compagnie de son Premier ministre, Kurde comme lui. (14 août 1949.) Une sinistre boucherie !

Mais les Kurdes pratiquent la vendetta. Quand Hennaoui, partisan de la Grande Syrie hachémite et du Croissant Fertile, est à son tour renversé et s'enfuit au Liban, il sera exécuté par des Kurdes du clan de Zaïm qui l'ont suivi à la trace.

Le colonel Chichakly qui le remplace est kurde lui aussi, ce qui montre l'importance qu'ont pris les ethnies minoritaires dans cette armée que boude la riche bourgeoisie damascène et sunnite.

Habilement, Chichakly remet le pouvoir aux civils mais gouverne par hommes de paille interposés. Il lance un parti, « le Mouvement de libération arabe », qui lui permet, après avoir fait voter une constitution de type présidentiel, de se faire élire président. Mais déjà deux partis lui contestent le pouvoir, les communistes soumis à la dictature d'un autocrate stalinien Khaled Bagdache, et le Ba'th. Ils s'unissent contre lui dans un Front national.

Chichakly est renversé par un simple capitaine, Mustafa Hamdoun. Ne voulant pas verser le sang, il abdique et prend le chemin du Brésil où il trouvera un Druze pour l'assassiner. Encore une vendetta entre minoritaires.

A partir de février 1954, la Syrie connaîtra, dans la plus extrême confusion, une série de complots, de changements de régime, de luttes entre clans, police, services secrets, dont il est impossible de rendre compte dans le détail.

Le Ba'th avec une poignée de militants prendra le pouvoir pour le remettre à Nasser. Ce sera l'union avec l'Egypte, puis la rupture, trois ans plus tard, la mainmise des militaires sur le parti et des Alaouites du clan Assad.

Les musulmans sunnites, de rite orthodoxe, constituent 70 % de la population. Le reste est composé de minorités ethniques :

— Les Kurdes — 300 000 — de religion sunnite, de tempérament belliqueux vivent dans les djebels du nord. « Leurs villages portent des noms turcs, ils parlent arabe, chantent en kurde et s'habillent en Bédouins. » Ils servent souvent dans l'armée où ils prennent du grade mais conservent leur esprit de clan.

— Les Arméniens — 130 000 — réchappés des massacres de Turquie ont conservé leur langue, leurs traditions. Ils sont artisans, petits commerçants et s'efforcent, comme au Liban, de se tenir à l'écart des conflits intérieurs.

Citons encore les Turkmènes sunnites, les Assyriens chrétiens, les Grecs orthodoxes, catholiques, latins, melkites, maronites, jacobites... et les Juifs dont la grande majorité s'est enfuie en Israël. N'en restent que 4 500, exerçant des métiers misérables. Leur statut n'est guère enviable.

Et de minorités religieuses :

— Les Alaouites ou Nossaïris, plus de 700 000, sont la plus importante. Officiellement ils se disent musulmans, et proches des chiites. Mais l'Islam ne les reconnaît pas comme gens du Livre, il ne leur accorde même pas le statut des chrétiens et des juifs à qui l'on permet de pratiquer leur religion pourvu qu'ils paient l'impôt de capitation. Ce sont des païens qui ne méritent que d'être passés au fil de l'épée.

Les Alaouites, secte mystérieuse initiatique, ne laissent apparaître au grand jour qu'un aspect rassurant. On vénère le Prophète, mais en secret on se livre à d'étranges pratiques qui n'ont rien à voir avec l'Islam et le monothéïsme. Ils sont proches des Ismaéliens, autre secte dont on ne connaît, comme pour les Alaouites, que l'aspect extérieur et rassurant, depuis qu'ils ont cessé de pratiquer l'assassinat comme mode de gouvernement. Les Ismaéliens sont en Syrie un peu plus de 50 000.

Enfin viennent les Druzes, 180 000 environ, officiellement musulmans dont seuls quelques grands initiés connaissent la vraie foi, le peuple étant maintenu dans une salutaire ignorance.

Au sein du Ba'th, Ismaéliens, Druzes et Alaouites se livreront une lutte sauvage pour le pouvoir. Les Alaouites en sortiront vainqueurs et maîtres de la Syrie.

*
**

Le Pays Alaouite, 6 000 km², est constitué par une bande littorale s'étendant le long de la Méditerranée sur 130 kilomètres, s'appuyant sur une chaîne de montagnes, le djebel Ansaryé que l'on appelle encore la montagne nossaïrie. Il touche au Liban, dans la région de Tripoli et, au nord, il déborde Lattaquié de 20 kilomètres. Pour comprendre le caractère alaouite et le régime actuel de la Syrie, il faut en chercher la clef dans la montagne, derrière Lattaquié, Tartous, et Banyas, en bordure des ruines des grandes forteresses franques. Ce ne sont que crêtes effilées, qui finissent dans la mer, vallées profondes, villages perchés, refuges inviolables qui ont résisté à toutes les occupations. On rencontre des paysans moustachus aux belles têtes, à la peau tannée par le soleil, comme on en trouve en Provence ou en Auvergne. Hospitaliers, ils vous reçoivent comme des princes dans leurs gourbis mais une fois le premier mouvement de défiance surmonté. On y voit de grandes et belles filles, robustes, au regard insolent. Bien que leur religion leur reconnaisse pas d'âme, elles n'en semblent pas affectées. Pêchers, mûriers, orangers, térébinthes et pistachiers poussent sur les pentes. Dans le Haut-Djebel, des hêtres et des sapins ; la vigne en treille donne une eau-de-vie âpre qui brûle le gosier. Partout, des « ziaras », simples cubes de maçonnerie passés à la chaux, des arbres sacrés entourés d'une murette de pierres sèches. Lièvres et lapins de garenne abondent. Un tabou interdit aux Alaouites d'en consommer la chair. Le soir, dans les maisons basses, on égrène interminablement des généalogies, car les liens de famille restent étroits, même aujourd'hui.

Les communautés alaouites connurent pendant des siècles la misère et l'oppression. Elles furent en butte au mépris et aux exactions des bons musulmans, jusqu'à l'arrivée des Français qui, jouant des minorités contre l'arabisme patronné par les Anglais, créeront l'Etat indépendant des Alaouites. Il disparaîtra avec le mandat.

Il y a encore trente ans, un propriétaire qui vivait à Damas de ses fermages, expliquait très sérieusement que ses tenanciers alaouites n'étaient vraiment heureux que lorsqu'il les battait, signe de l'intérêt qu'il leur portait. Il conseillait d'être bon avec leurs filles, qu'on achetait comme bétail. Après dix ou quinze ans de bons et loyaux services gratuits — et elles servaient souvent dans le lit du maître car elles étaient belles —, on pouvait leur permettre de se marier avec des hommes de leur secte. Ainsi elles feraient des enfants qui, à leur tour, seraient de bons serviteurs.

Zaki Arsouzi, Alaouite et l'un des fondateurs du Ba'th avec Aflak et Bitar, racontait que dans sa jeunesse vers 1930, on voyait encore de pleins camions de fillettes alaouites entassées comme du bétail, âgées de sept à neuf ans, arrachées à leurs familles endettées, qu'on expédiait en ville pour y être vendues 500 livres pièce (environ 500 francs).

Dès lors, on comprend la détermination du régime et comment s'est formée l'étonnante personnalité d'Hafez el Assad qui devint soldat pour sortir de sa condition, et se fit ba'thiste pour échapper à l'Islam.

Les Alaouites ont en commun avec d'autres sectes, officiellement musulmanes mais qui ne le sont pas, une pratique d'où découlera l'un des traits principaux de leur caractère, ce que Gobineau appelle « le ketman ». Il autorise les initiés à dissimuler leurs véritables croyances pour échapper à la persécution ou à la curiosité malsaine des imbéciles. « Le ketman » déborda vite le cadre religieux pour devenir un trait de caractère. Hafez el Assad, pendant toute sa carrière, n'a cessé de le pratiquer, ce qui lui a valu la réputation d'être le chef d'Etat le plus mystérieux, le plus tortueux du monde.

Plus que toutes les autres sectes mystérieuses de l'Orient, plus que les Druzes et même que les Ismaéliens, les anciens « Assassins » mangeurs de haschisch et sectateurs du Vieux de la Montagne, les Alaouites ont su conserver jusqu'à nos jours le secret de leurs croyances.

Il est inutile de faire parler l'un d'eux à ce sujet, même s'il a été élevé par les jésuites de Beyrouth, même s'il est devenu chrétien ou se dit athée.

Alaouite est la transcription française de l'arabe Alaouiyin, fidèles d'Ali, gendre du Prophète. Les Arabes emploient plus souvent le terme Nossaïri, que les Alaouites n'aiment guère. Selon Renan, il viendrait de « Nazrani », chrétien, auxquels les rattachent un certain nombre de pratiques comme la communion. Il semblerait plutôt que la secte ait pris le nom d'un de ses grands maîtres et théologien, Ibn Nossaïr. On les appelle encore Ansaryés, déformation de Nossaïri, qui a donné son nom à la montagne qu'ils habitent.

Nombreux en Syrie, ils sont dispersés dans tout le Moyen-

Orient, en Turquie, en Iraq, en Perse, où Gobineau les rencontra. Sont-ils les mêmes que ceux de Syrie ? S'ils ne sont pas frères, ils sont parents très proches, et leur fond de croyances est commun.

Gobineau les décrit ainsi : « Musulmans d'extérieur, comme tous les autres dissidents, ils professent plus qu'eux, et tout autant que les juifs et les chrétiens, la haine et le mépris de l'Islam (1)... »

A la différence des musulmans, ils ne reconnaissent pas d'autre impureté pour l'homme, même incroyant, que l'impureté morale provenant, non de ses opinions, mais de ses fautes. Ils n'en voient pas dans la nature. Ni le chien ni le porc ne sont impurs à leurs yeux. De même ils boivent du vin ; ils en blâment l'abus mais non pas l'usage... Les femmes ne sont pas astreintes à la réclusion et peuvent se montrer aux étrangers sans violer aucun précepte. Ils n'admettent pas le divorce. Dans la pratique, les Nossaïris s'efforcent de passer pour des musulmans, qu'ils appellent « les gens de la religion légale », mais ils s'en défient. Eux-mêmes se désignent comme « gens du progrès » s'ils ne sont que de petits initiés, arrêtés au seuil de la Vérité, et « gens de la religion vraie » s'ils ont gravi les ultimes degrés de la connaissance.

Les musulmans les ont baptisés « les éteigneurs de lumière ». Ils les accusent, dans leurs assemblées nocturnes, où hommes et femmes se réunissent, d'éteindre les lumières et de s'accoupler au hasard, le père avec la fille, la mère avec le fils, les frères et les sœurs entre eux. Pure calomnie en contradiction avec l'ensemble des opinions nossaïries (2).

Gobineau cite le propos de ce « Nossaïri » qui, parlant d'Allah, avait devant lui employé l'expression « le maître du monde ». Comme il s'en étonnait, son hôte attendit que tous les musulmans présents aient quitté la pièce pour hausser les épaules et lui avouer : « C'est pour ces ânes que je parle ainsi. On sait bien qu'il n'y a pas de Dieu (sous-entendu comme ils le comprennent) et qu'Allah est une sottise. »

Pour les « Nossaïris » de Gobineau, Dieu existait « avant les temps », seul, dans un état de parfaite immobilité, de totale sérénité, état auquel il retournera quand le monde aura pris fin.

Les fidèles se réunissent dans des assemblées et au cours d'une cérémonie qui rappelle étrangement l'office catholique, ils rompent le pain, le partagent pour communier avec ce dieu dont ils sont eux-mêmes issus. Ils doivent pratiquer la charité car venir en aide aux autres, c'est encore s'aimer soi-même, en dieu. Le vol, le mensonge, l'adultère, sont considérés comme des sacrilèges mais seulement entre membres de la secte.

Parcelles de la divinité, dieux déchus, les hommes s'efforcent de

---

(1) Gobineau, *Trois ans en Asie.*
(2) En Iran, en 1947, j'entendis proférer cette même calomnie à l'encontre des Kurdes yézydys, appelés communément les adorateurs du diable. On me précisa même qu'ils tenaient ces réunions tous les trois ans, dans une grotte proche de Kermanchah, et que tout était permis quand on éteignait les lumières.

se garder de la concupiscence. Afin d'empêcher que leur chute ne soit irrémédiable, pour s'élever de leur condition dégradée jusqu'à la connaissance suprême, ils s'adonneront à de bonnes actions, au cours d'un certain nombre d'existences, jusqu'à ce que l'humanité tout entière soit enfin restaurée dans son authentique condition divine.

A la fin des temps, quand les derniers hommes, les plus récalcitrants, se seront amendés, qu'ils se seront enfin lavés de toutes leurs souillures, qu'ils ne seront plus que l'étincelle divine débarrassée de sa gangue mortelle, tout ce qui n'est que forme et apparence disparaîtra. Alors l'éternité lumineuse règnera seule sur le monde (1).

Les communautés nossaïries seraient dirigées par un certain nombre de sages, de patriarches, de Sheiks, chargés de veiller sur la pureté de la foi. Ils seraient détenteurs des Livres saints, une vingtaine, écrits en kurde mais que personne n'a jamais vus.

Selon un ouvrage plus récent (Jacques Weulersse, *Le Pays des Alaouites*, 1940. Institut français de Damas), la doctrine alaouite, secte chiite extrémiste et initiatique, prendrait sa source dans l'Islam, pour s'en dégager rapidement dans le fond, tout en gardant un certain conformisme extérieur.

C'est l'application généralisée de la théorie du « sens caché ».

Les Alaouites syriens croient en une Trinité dont les « masques » sont Ali, gendre du prophète, Salman, un de ses compagnons, et Mahomet, mais qui en réalité sont la Lune, le Soleil et le Ciel.

Pour le reste, ils suivent la doctrine des Nossaïris persans, ils croient que le divin pénètre toute chose, que les âmes sont une parcelle de Dieu, emprisonnées dans un corps dont ils pourront se libérer par l'initiation et les bonnes actions.

Par contre, franchement misogynes, ils estiment que les femmes sont des créatures si alourdies par la matière qu'elles n'ont même plus d'âme. Viennent après elles les animaux et les objets inanimés dont les plus vils sont des démons à leur ultime stade de déchéance.

Les Alaouites ont toujours vécu en marge du monde civilisé, conservant précieusement « la conscience obscure des secrets que possèdent les initiés, la conscience claire d'appartenir à une minorité opprimée et haïe, mais élue et qui en vérité est le sel de la terre ».

On les accuse de meurtre, vol, mensonge, fornication et

---

(1) Gobineau conclut ainsi : « Pour ma part je n'hésite pas à penser que cette doctrine a de grands points communs avec le bouddhisme. Tout semble prouver qu'elle existe en Perse depuis le temps des rois arsacides et qu'elle y avait été apportée par des missionnaires venus de l'Inde. Elle devait y être fortement établie lors de l'avènement des Sassanides au III<sup>e</sup> siècle de l'ère chrétienne.

« Elle a eu l'influence la plus directe et la plus marquée sur l'école d'Alexandrie et ensuite sur la formation des premières sectes chrétiennes orientales.

« Elle a donné et emprunté au gnosticisme et au manichéisme... »
Comme on voit nous sommes très loin de l'Islam.

pédérastie... On raconte encore qu'ils se livrent à la prostitution, que la communauté des femmes y est de règle, qu'ils adorent le chien... et d'après les Ismaéliens, le sexe de la femme... Un culte difficilement conciliable avec cette misogynie qu'on leur reproche !

Les Damascènes ont repris à leur compte toutes ces calomnies. Ils expliquent ainsi les mauvaises mœurs de Rifaat el Assad qui n'aurait pas moins de cinq concubines, installées dans cinq somptueuses résidences, fortement gardées et dont il ne fait pas bon s'approcher, ainsi que les orgies dont il serait coutumier. Ce genre de distraction n'étant pas gratuite, ce serait pour se faire de l'argent qu'il contrôlerait tant de rackets.

Mais son frère Hafez el Assad a fait don de tous ses biens au pays et il vit modestement dans une petite maison du centre ville, en compagnie d'une seule épouse, qui lui a donné quatre enfants. Il lui serait fidèle « comme un bon chrétien ». Encore une fois, il a fait « ketman », disent ses ennemis. Hafez et Rifaat ne sont que les deux aspects d'un même personnage, docteur Jekyll Hafez, et Rifaat, l'horrible Mr. Hyde. Mais ils sont liés entre eux comme les deux doigts de la main.

Les Alaouites sont-ils fils de l'Inde et de Bouddha, viennent-ils d'une secte chiite extrémiste fondée en Irak, à Bassorah au IXᵉ siècle par cet Ibn Nossaïr qui se disait représentant sur terre de l'Imam caché ? Les docteurs de la loi musulmane sont formels : ce sont des païens.

« Contre cette religion maudite, contre ces sectateurs du sens caché, plus infidèles que les juifs et les chrétiens, plus infidèles encore que bien des idolâtres et qui ont fait plus de mal à la religion de Mahomet que les infidèles belligérants francs, turcs et autres, la guerre sainte est légitime et agréable à Dieu (1).

Qu'un païen fût à la tête de la Syrie, « cœur palpitant de l'Islam », fit tant enrager le colonel Kadhafi qu'il fomenta à Homs des émeutes religieuses. Il voulait obtenir que le chef de l'Etat syrien soit obligatoirement musulman et sunnite et que cette clause soit incluse dans la Constitution.

Hafez el Assad se rendit avec lui à la mosquée, fit la prière, estimant que Damas valait bien une messe, puis il accepta que l'on inscrive dans la Constitution que le chef de l'Etat devait être musulman. Sans préciser plus. Les Alaouites ne se disaient-ils pas musulmans chiites ? Puis, il renvoya Kadhafi chez lui et au nom du socialisme arabe et du Ba'th il fit tirer à Homs sur tous ceux qui, au nom d'Allah, réclamaient sa destitution.

Les Alaouites comme les Ismaéliens, comme les Druzes, entretiendront de bons rapports avec les Croisés et des relations encore plus étroites avec les grands ordres militaires et religieux comme les Templiers et les Hospitaliers.

_____

(1) Ibn Taimiyych, 1317.

Saint Louis rechercha l'alliance du Vieux de la Montagne, le Grand Maître des Assassins.

On a souvent raconté que les Alaouites, dont beaucoup ont les yeux clairs et les cheveux blonds, descendraient des Croisés. Bien avant les Croisés, ces caractères physiques étaient le propre de la majorité d'entre eux.

On a dit aussi que ce type ethnique était plus fréquent autour de l'emplacement des anciennes citadelles franques. Mais ce sont des populations sunnites qui vivent sur ces sites.

Il paraît difficile d'affirmer que dans les veines d'Hafez el Assad ou de Rifaat coule le sang de Renaud de Châtillon ou de quelque autre grand reître d'Occident, bien qu'ils en aient parfois le comportement, et le cynisme.

Hafez n'a nullement le faciès syrien qui serait plutôt sémite. Par l'allure, le comportement, les traits, il rappelle ce descendant de Croisés, le maréchal Leclerc de Hauteclocque. Un hasard à la grande loterie des chromosomes ou un rencontre heureuse entre un preux chevalier et un belle Alaouite ?

Quand l'Islam sunnite triomphera des Francs on fera payer cher cette « collaboration » aux Ismaéliens, aux Alaouites, et aux Druzes. Ils se réfugieront dans des djebels auxquels ils donneront leur nom.

Pour les Alaouites, moins bien organisés que les « Assassins » et qui n'ont pas leurs citadelles et leurs réseaux « terroristes », ce ne sont qu'incessantes persécutions. On les oblige à se convertir ce qu'ils font du bout des lèvres. Et même à construire des mosquées dans chaque village.

Un siècle plus tard ils les avaient transformées en étables ou écuries et avec ostentation les faisaient visiter aux voyageurs de passage. Furieux de leur obstination, le sultan du Caire décide de les passer tous au fil de l'épée. Mais les émirs de Tripoli font valoir que ces peuples travaillent pour les musulmans, et qu'il serait plus rentable de les conserver, comme bêtes de somme.

Au XVIII<sup>e</sup> siècle, les Alaouites, comme les Maronites, se sont rendus pratiquement indépendants, interdisant aux Turcs l'entrée de leurs défilés. Ils payent l'impôt quand ça leur chante et ce n'est pas souvent. Ils assassinent les musulmans qui les crucifient ou les pendent quand ils peuvent mettre la main dessus. Alaouites et Ismaéliens, frères de la même montagne, très proches les uns des autres, poussés par les Turcs en viennent à se combattre au lieu de faire front contre l'ennemi commun. Ce règlement de comptes entre Ismaéliens et Alaouites se poursuivra jusqu'à nos jours, au sein du Ba'th.

Pendant la guerre de 1914-1918, tous ces montagnards s'entendent pour repousser les troupes ottomanes. Ils se déclarent indépendants.

Les Français du général Gouraud pacifient la région et créent le « Territoire autonome des Alaouites », ainsi que celui des Druzes, opposant, pour mieux régner, la montagne des minorités aux villes sunnites. On néglige les Ismaéliens trop peu nombreux. L'opération se soldera par un échec. Ni les Alaouites ni les Druzes n'étaient mûrs pour se saisir de l'occasion. Les territoires autonomes étaient trop petits, trop pauvres pour vivre seuls, hors du contexte syrien.

Un siècle après Gobineau, en 1940, le géographe Jacques Weulersse découvre « une société minoritaire, vivant en vase clos, dans le cadre de la secte ». Le petit peuple des paysans, qui n'a pas accès aux grands secrets, concentre son culte sur les « ziaras », et les arbres sacrés. Ils sont dédiés à Khader, le Sauveur, l'Intercesseur, à Jésus, à Jonas, à Skandar, Alexandre ou à des Sheiks. « Par-delà toutes les théologies, la religion populaire des Alaouites, écrit Weulersse, rejoint les plus vieux cultes sémitiques avec leur dévotion impersonnelle et sans visage à la Présence Divine qui réside sur les hauts lieux après des sources ou sous les arbres verts... Chaque ziara avec son Khader est en fait un petit Baal. »

Devant la ziara est placé un plateau de vannerie, une jarre où brûlent quelques grains d'encens ; autour le bois sacré où l'on enterre les morts et où se donnent les fêtes.

Ces fêtes célèbrent aussi bien les grandes dates de l'Islam chiite (l'Achoura, mort d'Hussein à Kerbala), de la chrétienté, la Noël, l'Epiphanie, la Sainte-Barbe, que du paganisme, « la fête des Fleurs, la fête de Temmouz, pour la résurrection d'Adonis ». Les femmes en robes multicolores, ornées de monnaies, dansent au rythme des tambours et des flûtes de musiciens ambulants. Les assistants marquent la cadence en claquant des mains.

Les danses se prolongent tard dans la nuit autour de bûchers allumés en plein air. De là vient peut-être la légende des « éteigneurs de lumière ».

Les initiations, toujours secrètes, sont réservées aux notables et aux Sheiks. « Directeur de conscience des initiés, le Sheik est, aux yeux des fellahs, l'intercesseur souverain auprès des puissances de l'autre monde... La puissance morale et sociale des Sheiks alaouites est donc considérable (1). »

Dans un immeuble proche des Champs-Elysées, en cette fin d'année 1979, je retrouvais Salah Bitar, fondateur avec Michel Aflak du parti Ba'th.

Michel Aflak était le prophète, l'idéologue du mouvement, Salah Bitar, le politique. Plusieurs fois ministre et président du Conseil, Salah Bitar avait connu la prison, puis l'exil. Costume bleu sombre, élocution posée d'un homme politique français qui aurait eu de hautes responsabilités. On se prenait à chercher, au revers de son veston, la rosette de la Légion d'honneur.

« Politiquement le régime en Syrie est fini, me dit-il, militairement tout dépend des Alaouites. Pour que les frères Assad quittent le pouvoir sans causer trop de dégâts, sans provoquer une sécession

---

(1) Jacques Weulersse.

dans le pays en constituant un Etat alaouite indépendant, il faudrait qu'interviennent les responsables de la secte. Alors lui et son frère ne pourraient que s'incliner. »

Quels sont donc ces responsables ? Les grands initiés, les Sheiks, gardiens vénérables des ziaras et des forêts sacrées dont on disait pourtant « que liés au passé ils ne représentaient plus grand-chose ». Etaient-ils restés les arbitres des partis et des clans ? Comme nous étions loin de Paris !

*
**

Première composante du pouvoir des frères Assad, la secte alaouite, cette solidarité qui unit entre eux ses membres, les rapports plus ou moins secrets qu'ils entretiennent, la revanche qu'ils ont à prendre contre leurs oppresseurs traditionnels, les bourgeois musulmans des villes.

Deuxième composante, le parti à l'abri duquel ils vont pouvoir s'organiser et agir. Ce sera le Ba'th.

On pourrait dire du Ba'th qu'il constitue également une secte. Il en a les initiations et le goût du secret.

« Le clair-obscur a toujours plu au parti Ba'th. Un goût assez pervers pour le secret le distingue. Et les intrigues des coteries et des factions lui ont composé très tôt une existence riche, tourmentée et mystérieuse (1). »

Toute réunion du Ba'th ressemble à un complot même si on y discute de futilités. Nous étions arrivés à Palmyre, un soir d'hiver, à l'Hôtel de la reine Zénobie. Farouches, mystérieux, parlant à voix basse et nous jetant des regards défiants, les membres de la cellule locale du Ba'th y tenaient leur assemblée, serrés autour du poêle à essence dont ils ne nous laissèrent pas approcher. On nous relégua au fond de la salle où l'on nous servit, de mauvais gré, une infâme ratatouille tandis que des militaires à moustaches encore plus sombres et plus farouches venaient rejoindre les civils. Ils apportaient des bouteilles de vodka auxquelles nous aurions volontiers goûté. Mais on nous expédia dans nos chambres. Réveillé par le froid, je me levai au milieu de la nuit. Les Ba'thistes dansaient lourdement la « bedké », la bourrée syrienne, en claquant des mains, toujours aussi sombres.

Déjà en 1974 le Ba'th ne jouait plus aucun rôle politique et le clan alaouite des frères Assad détenait tous les pouvoirs. Mais on continuait à célébrer les rites du parti défunt.

A l'origine du « Hizb al Ba'th al Arabi » le Parti de la Résurrection arabe, deux jeunes professeurs d'école secondaire formés à Paris, à la Sorbonne : Salah Bitar, d'origine sunnite appartenant à la bourgeoisie damascène, Michel Aflak, chrétien grec orthodoxe dont les parents sont commerçants dans le quartier Al Midane, à Damas. Le premier est un scientifique, le second un

---

(1) Claude Palazzoli, *La Syrie, le rêve et la rupture*, Ed. le Sycomore.

littéraire, un poète. Ils rassemblent autour d'eux un certain nombre
d'étudiants dont beaucoup appartenaient à la clientèle d'un
professeur de philosophie alaouite, Zaki Arsouzi, sorti lui aussi de la
Sorbonne et qui, déçu, s'était retiré de la politique. Il avait
cependant marqué sa clientèle par son messianisme et son goût très
alaouite du secret.

Michel Aflak, quand il vivait à Paris, aurait été influencé par les
doctrines personnalistes d'Emmanuel Mounier, il s'en défend
aujourd'hui, et Salah Bitar, par celles de Maurras et de la droite
nationaliste française ; il ne semble plus s'en souvenir (1).

Ce fut en lisant Tolstoï qu'ils trouvèrent le nom de Ba'th,
« Résurrection ». Ils tinrent leur première réunion en 1947 dans un
café de Damas...

Selon leur doctrine, les Arabes constituent une seule nation dans
le cadre d'un seul Etat, qui s'étend des montagnes du Taurus et du
golfe de Bassorah jusqu'à l'Ethiopie et par-delà le Sahara jusqu'à
l'Atlantique en bordant la Méditerranée. Les premiers Ba'thistes se
voulaient « panarabes », laïques et non marxistes. Ils combattaient
pour la libération nationale, l'unité arabe, la nation arabe.
Akram Haurani, fils de féodaux de la ville de Hama, révolté contre
les siens, devenu instituteur et socialiste, apportera à ce petit cercle
d'intellectuels une organisation plus rigide et une stratégie de
l'action.

Le Ba'th ajoutera alors à ses étiquettes celle de socialiste.
Haurani appartient au milieu rural. Longtemps, il hésita entre
l'extrême droite (Parti populaire syrien) et la gauche communisante,
mais il entretiendra toujours des rapports étroits avec les jeunes
militaires aux côtés desquels il s'était battu en Palestine. Ce sera
Haurani qui introduira les militaires au sein du Ba'th, pour lui
donner « du muscle », contre l'avis de Salah Bitar qui se défie d'eux,
qui a une horreur maladive de l'uniforme. Quant à Michel Aflak, il
s'en tire par une pirouette dialectique. Témoin cette déclaration :

« Les révolutions d'Irak et de Syrie ont été conçues par les
forces populaires dont l'armée n'a été que le docile instrument. » Le
Ba'th, quoi qu'on en ait dit, restera toujours un parti minoritaire. En
avril 1963, Salah Bitar au cours d'une discussion avec Nasser
qu'exaspèrent les prétentions de la délégation syrienne, se fait
apostropher en ces termes méprisants :

— Mais enfin Bitar, au nom de qui parlez-vous ? De vos cinq
mille militants ?

— Oui, Monsieur le Président, répond Bitar, ravi. Son parti ne
comptait alors que quatre cents militants actifs.

---

(1) Michel Aflak déclarera à Eric Rouleau du *Monde* qui lui demandait si un
philosophe ou un auteur occidental avait eu quelque influence sur l'orientation de sa
pensée : « Aucun. J'ai beaucoup lu dans ma jeunesse mais nul n'a nourri le sentiment
que j'avais d'être un Arabe dans toutes les dimensions du mot. » Réponse pour le
moins surprenante, en contradiction avec tout ce qu'il avait écrit et déclaré
précédemment.

Le Ba'th, avant de devenir une annexe des casernes syriennes, sera un parti confidentiel d'intellectuels anticommunistes. Michel Aflak justifiera les massacres des communistes irakiens, « réaction normale des nouvelles autorités contre ces éléments d'extrême gauche, qui s'en sont pris au Ba'th, les armes à la main ». Pour lui, « les partis communistes arabes sont les alliés naturels des impérialistes et des réactionnaires ; ce sont les adversaires acharnés des mouvements progressistes arabes ». On ne peut être plus net.

Le Ba'th se dit socialiste, comme tout le monde, ce qui ne l'engage guère, mais il reste lié à la petite bourgeoisie urbaine d'où il est issu. Aflak cherchera toujours à la ménager et Bitar s'opposera aux nationalisations et à l'élimination du secteur privé.

Parti révolutionnaire, le Ba'th l'est avant tout par son organisation en petites cellules clandestines. Laïque et nationaliste il deviendra rapidement un centre d'attraction pour les minoritaires, les chrétiens, les Druzes, les Ismaéliens et surtout les Alaouites. Ils sont attirés par une doctrine panarabe certes mais qui cesse de les marquer d'un statut infamant parce qu'ils ne sont pas musulmans sunnites. Elle leur ouvre enfin les portes de la Nation arabe.

Ces minoritaires sont liés à l'armée, directement ou par leurs familles. Les Français ont en effet truffé l'armée syrienne de Druzes, d'Alaouites, de Kurdes, de Tcherkesses. Sous le couvert du Ba'th, ces clans militaires s'empareront du pouvoir, camouflant souvent leurs convoitises très précises par une surenchère démagogique et gauchiste. Pour analyser l'évolution du Ba'th, on peut suivre deux méthodes : le considérer comme un parti à l'occidentale, genre PSU, dont il a le caractère confidentiel mais où s'opposent divers courants et options idéologiques. Ou plus lucidement comme un simple camouflage à l'abri duquel s'affrontent, pour le pouvoir, de jeunes officiers décidés, aux dents longues, venant de la montagne, appartenant à des minorités ethniques et religieuses longtemps opprimées par une bourgeoisie sunnite qu'ils détestent.

Ces affrontements souvent sanglants dureront jusqu'à ce que l'emporte le clan le plus fort, le plus décidé, le « gang » des Alaouites et des frères Assad comme disent ses adversaires.

— Il n'y a plus de Ba'th en Syrie ni en Irak, m'affirmait Salah Bitar désenchanté. Il n'en reste qu'une étiquette, un appareil de propagande, une phraséologie vidée de tout sens derrière lesquels s'abritent de simples dictatures militaires.

Les déchirements du Ba'th, avant qu'il ne devienne cette annexe des casernes alaouites, sont innombrables et sanglants. Disparitions, tortures, assassinats sont monnaie courante.

Nous ne nous intéresserons ici qu'au Ba'th syrien, laissant de côté le Ba'th irakien, devenu comme son homologue syrien instrument de pouvoir d'une minorité religieuse, ici sunnite dans un pays chiite. Avec son cortège de pendus, de fusillés, de cadavres étripés sur les places publiques, il nous laisse une pénible impression de gâchis et d'horreur. Le Ba'th syrien n'a rien à lui envier en certaines occasions.

Sami el Joundi, ancien ambassadeur de Syrie à Paris entre 1964 et 1968, fut un membre important du Ba'th, tendance ismaélienne. Il avait pour frère le colonel Abdel Kerim el Joundi, chef du 2ᵉ Bureau et rival du général Salah Jedid, Alaouite, allié d'Hafez el Assad. Salah Jedid s'étant déclaré « socialiste radical », le colonel Joundi devint « marxiste authentique » et milita pour un « pouvoir ouvrier » dans un pays où le prolétariat urbain était inexistant. Cette surenchère démagogique ne trompa personne. On la prit pour ce qu'elle était : une célébration du Verbe-roi.

Salah Jedid aidé d'Hafez el Assad mit fin à la carrière du bouillant colonel en le « suicidant » et rappela son frère à Damas pour consultation. Ignorant les derniers rebondissements de la lutte entre Ismaéliens et Alaouites, Sami el Joundi débarqua dans la capitale syrienne. De l'aéroport, il fut conduit directement dans un cul-de-basse-fosse et soumis à d'abominables tortures, qu'il me raconta en détail, pris parfois d'un rire hystérique quand l'horreur dépassait les bornes. On ne se faisait pas de cadeaux entre gens de la montagne !

Le général de Gaulle qui avait la fibre monarchiste aimait bien ce descendant du « Vieux de la montagne », dont Saint Louis voulut se faire un allié et un ami. Mis au courant de ce qu'il était advenu de l'ancien ambassadeur, pour lui sauver la vie, il exigea, selon la tradition diplomatique, qu'il vînt lui-même présenter à Paris son successeur.

Il fallut un mois pour retaper Sami el Joundi et le rendre présentable. Il vint à Paris... et ne retourna plus en Syrie.

Sorti des geôles damascènes, revenu de tout, surtout du Ba'th, Sami el Joundi m'en fit un portrait peu flatteur. Il m'affirma que le Ba'th, quoi qu'en racontaient ses fondateurs, s'était surtout inspiré du nazisme allemand et du fascisme italien, « que ce n'était pas Tolstoï qui l'avait soutenu sur les fonts baptismaux mais Fichte, avec son *Discours sur la nation allemande* (1). Ses jeunes affidés lisaient surtout Nietzsche, Gobineau, Hitler, rarement Marx, seulement pour le critiquer.

Allié aux communistes, le Ba'th participe pour la première fois au pouvoir en 1954, grâce au coup d'Etat militaire qui met fin au régime « parlementaire » de Chichakly. Sous l'influence des communistes, la Syrie se rapproche de l'URSS et, selon un processus bien connu, la Tchécoslovaquie commence ses livraisons d'armes.

Ce serait, assure-t-on, par peur des communistes que le Ba'th se jettera dans les bras de Nasser et proclamera la République arabe unie.

Pas uniquement. « A l'intérieur, plus que jamais, les passions alimentées à l'étranger se donnent libre cours, les désordres se multiplient, les factions en viennent aux mains ; l'anarchie gagne et

---

(1) J. Lartéguy, *L'or du Diable*, Presses de la Cité, 1974.

l'ordre public ne peut plus être maintenu. Face aux périls qui l'assaillent de toutes parts, un vent de panique souffle sur le pays. La Syrie aux abois cherche une issue et ne la trouve que dans la fuite en avant — mal préparée, brusquée mais empoignante comme un mythe et gonflée d'espoirs, l'union avec l'Egypte (1). »

Salah Bitar m'avouera un jour à Beyrouth :

« Ce fut le mariage de la carpe et du lapin. J'admirais Nasser, nationaliste sincère mais je ne pouvais supporter son côté gaullien, son autoritarisme, son éducation militaire. En vérité il n'avait confiance que dans les militaires et je n'en étais pas un. »

Les Ba'thistes naïvement avaient cru que Nasser serait leur instrument, qu'il les aiderait à réaliser leurs rêves panarabes. Il présentait toutes les garanties. En politique étrangère, il appartenait à cette « troisième force » des non-alignés de Bandoung : il se disait socialiste, ce qui faisait bien, et jouissait dans tout le monde arabe, depuis la nationalisation du canal de Suez, d'un immense prestige. Venant de découvrir le panarabisme, il n'avait pas encore de doctrine très précise sur le sujet. Le Ba'th, qui en avait fait son cheval de bataille, la fournirait. A Damas, on ne prenait pas très au sérieux ce parti unique qu'exigeait Nasser, « l'Union nationale arabe ». On pensait que dans la province nord de la RAU, ce serait le Ba'th (2).

Les officiers syriens voyaient d'un bon œil l'union avec un pays vivant lui-même sous un régime militaire. Espéraient-ils, dans la chaude fraternité des popotes, mettre fin à leurs épuisants affrontements, à cette cascade de coups d'Etat dont le peuple commençait à se lasser malgré son goût pour le désordre et les complots.

Bref, la mariée était belle ; elle possédait toutes les qualités. L'amour et la raison y trouvaient leur compte. L'union ne durera que du 22 février 1958 au 28 septembre 1961 et le divorce, loin de se conclure à l'amiable, dressera pour de longues années les deux pays l'un contre l'autre. Aujourd'hui encore, ils en gardent de la rancœur.

Nasser n'a que faire du Ba'th et de ses intellectuels. « Des bavards prétentieux », dit-il à leur propos. Il veut aligner la Syrie sur l'Egypte et il commence par écarter du pouvoir tous les dirigeants ba'thistes. Les ministres syriens qu'il a conservés, en se gardant bien de leur donner le moindre pouvoir, démissionnent. Le parti passe dans la clandestinité qui convient mieux à son teint et l'autorise à se réclamer d'effectifs qu'il n'a pas. Le colonel syrien Sarraj, sorte de Fouché oriental, au nom de Nasser, impose un régime de terreur. Il a sous ses ordres 12 000 agents doublés d'autant de policiers égyptiens, coiffés eux-mêmes par des spécialistes allemands, anciens des SS et de la Gestapo, comme Georges Fisher. Un cadeau de noces du Raïs à ceux qui se sont donnés à lui !

---

(1) Claude Palazzoli, *La Syrie, le rêve et la rupture.*
(2) Déclaration de Michel Aflak, le 25 février 1958, au journal beyrouthin *L'Orient, le Jour* : « Nous serons officiellement dissous mais nous serons présents dans le nouveau parti unifié, l'Union nationale. Né de la fusion des deux pays, ce mouvement ne pourra être animé par d'autres principes que ceux du Ba'th. »

Nasser, non content par sa maladresse de se mettre à dos le Ba'th, dressera contre lui les éléments les plus dynamiques de l'armée syrienne. Il envoie en Haute-Egypte bon nombre de jeunes officiers activistes, espérant que le climat les calmera. Officiellement, ils y tiennent garnison, en réalité, ils sont en résidence forcée et étroitement surveillés.

Le colonel Mustapha Hamdoun, l'homme de confiance d'Akram Haurani, le père « socialiste » du Ba'th, que Nasser a confiné dans un ministère de la Justice, quatre mois après la création de la RAU prend contact avec eux. Il leur propose de ressusciter le Ba'th dissous et de rendre à la Syrie son indépendance. Dans ce but est créé un « Comité militaire » copié sur l'organisation nassérienne des Officiers libres. Le colonel alaouite Mohamed Omrane en prend la tête et recrute parmi ses amis qui appartiennent tous aux minorités ethniques ou religieuses des montagnes. Il ne peut compter sur les officiers damascènes sunnites, gagnés à Nasser, trop bavards, ou qui refusent de se commettre avec des « fils de domestiques ».

Nous trouverons dans ce Comité, à côté du colonel Omrane d'autres Alaouites comme Salah Jedid et Hafez el Assad, des Druzes comme Haman Ubaïd et Selim Hatoum, des Ismaéliens comme Abdel Kerim el Joundi. Tous se sentent mal à l'aise, noyés dans cette république arabe qui rassemble 35 millions d'hommes. Ils ne peuvent espérer y jouer un rôle. Non seulement, ils sont syriens mais appartiennent à des ethnies, dont Nasser, qui opprime les coptes, cherchera un jour ou l'autre à se débarrasser pour disposer d'une armée entièrement à sa botte. Déjà on les traite en prisonniers.

Par le biais du Comité, ces officiers prendront le contrôle du Ba'th et, se parant de ses plumes, s'empareront du pouvoir.

Après s'être déchirés entre eux, dans une confuse mêlée, un vainqueur sortira, Hafez el Assad, le plus effacé, le plus discret, l'homme aux longs silences, celui auquel on n'accordait aucune chance.

Hafez el Assad est né à Kardaha près de Lattaquié d'une famille de petits notables qui appartenaient à la sous-tribu des « kalbié », des chiens.

On trouve la signature du père d'Hafez ainsi que celle de cinq autres Alaouites au bas d'un document enregistré au Quai d'Orsay sous le numéro 3547 et adressé à Léon Blum alors président du Conseil. Ces notables s'y élevaient contre la disparition qui venait d'être décidée de l'Etat alaouite. « Le peuple alaouite, écrivent-ils, diffère par ses croyances religieuses, ses habitudes et son histoire du peuple musulman sunnite. Il refuse d'être annexé à la Syrie parce que l'Islam qui y est religion d'Etat traite les Alaouites comme des infidèles. »

La famille Assad portait jadis le nom peu reluisant de « Wach », les fauves. Un évêque latin de Lattaquié les baptisa « Assad », les lions. Il tenait à reconnaître ainsi leur courage, quand, au péril de leur vie, ils avaient protégé des chrétiens alors pourchassés et persécutés. La famille d'Assad entretiendra toujours d'excellentes relations avec les communautés chrétiennes. Quand les jésuites installeront une école à Kardaha, tout naturellement le jeune Hafez en prendra le chemin. Fut-il baptisé comme on me l'a affirmé ? Quelle importance pour un Alaouite à qui sa religion conseille la soumission apparente à un culte étranger, Islam ou christianisme si l'on peut en tirer profit ! Et quel meilleur profit que d'apprendre à lire et à écrire pour un gamin ambitieux ? Hafez el Assad est-il resté un vrai Alaouite ? On le voit mal pratiquant ce culte compliqué, chargé d'ésotérisme dont seuls quelques vieux de la montagne connaissent encore les rites mais dont ils ont oublié le sens. Il conservera en revanche cette solidarité d'opprimés qui le liera toujours aux siens, les seuls auxquels cet homme méfiant fera confiance.

Aidé par les Pères jésuites pour lesquels il gardera toujours une secrète amitié, le jeune Hafez poursuit ses études secondaires à Lattaquié. Aujourd'hui, il ignore le français ou feint de l'ignorer. Mais il l'aurait fort bien parlé et même écrit. Encore le ketman ? Malgré son air impassible, il souffre de la condition des siens, des humiliations qu'ils ont subies. Comme il est d'un caractère implacable et orgueilleux, il saura les faire payer à ces riches bourgeois en les prenant à leur propre piège, ce Verbe dont ils abusent et dont lui, le Taciturne, se défie.

Après l'indépendance, les nouveaux dirigeants de la Syrie, comme jadis les sunnites après le départ des Croisés, s'étaient acharnés sur les minorités ethniques accusées de collaboration avec la France. Ils avaient détruit leur organisation tribale, inquiétant et emprisonnant les Sheiks alaouites, pendant à Damas sur une place publique Soleimane Mourched, un des leaders de la communauté qui se faisait appeler « Ar Rab », le maître de la montagne.

Désemparés, les jeunes Alaouites comme Hafez, âgé alors de dix-sept ans, cherchent une protection en adhérant au seul parti laïque et non confessionnel existant, le Ba'th.

Akram Haurani, le leader socialiste qui a rejoint Aflak et Bitar, n'est pas un intellectuel comme eux mais un homme pratique, qui a les pieds sur terre et une vision réaliste des problèmes politiques. Il a compris que la clef du pouvoir, en Syrie, était l'armée. Il poussa ces lycéens, en fin d'études, à s'y engager et, fort de leurs diplômes, à entrer dans les Ecoles militaires. Ce que feront Hafez el Assad et un certain nombre de ses camarades, tous minoritaires. Cette armée, héritée de la France, est déjà à base de sous-officiers et d'officiers subalternes venus des campagnes pauvres ou de la montagne. Ils sont druzes, ismaéliens, chrétiens, surtout alaouites.

Les Alaouites s'aident et se soutiennent entre eux comme jadis les Corses dans l'infanterie coloniale. Ils constituent au sein de certaines unités une véritable maffia.

Assad entre en 1951 à l'Ecole militaire de Homs et en sort quatre ans plus tard lieutenant-pilote. Il ne volera pas très longtemps mais, sur les instructions du parti, il se fera verser dans les services secrets de l'aviation, où il commence un patient travail de noyautage. Le service secret est une maladie typiquement syrienne. Chaque arme a le sien. On comptera à Damas une dizaine de ces 2ᵉ Bureaux agissant souvent les uns contre les autres.

Jusqu'à l'union avec l'Egypte, Assad mène une carrière terne de « barbouze » camouflé en bureaucrate. On ne commence à le connaître que lorsqu'il adhère au Comité militaire du colonel Omrane, plus par solidarité avec ses coreligionnaires que par conviction.

Après le coup d'Etat de septembre 1961 qui marque la fin de la République arabe unie, les officiers du Comité, qui pouvaient s'attendre à plus de reconnaissance, sont tous limogés et mutés dans des fonctions civiles. A juste titre, le nouveau pouvoir s'en défie. Après l'épuration à laquelle s'était livré Nasser, il ne restait dans l'armée syrienne que 126 officiers du Ba'th. On en licencie encore 65. Ils ne sont plus que 61. C'est peu pour s'emparer d'un pays. Ils y réussiront cependant. Les militaires syriens, qui ont provoqué la rupture avec l'Egypte, ont rendu le pouvoir aux civils et c'est à nouveau la démocratie parlementaire avec ses tares habituelles. Mais Nasser ne se résigne pas à son échec et à sa perte de face. Ses partisans et ses agents s'agitent.

Les coups d'Etat se succèdent ; on se mutine à Alep, à Homs tandis que députés et ministres se réunissent pour tenir d'interminables palabres. Ils tapent dans la caisse mais le Verbe a retrouvé toute sa puissance.

Le régime s'est à ce point affaibli et déconsidéré qu'il s'effondre, sous les coups du Comité militaire du colonel Omrane et des 61 officiers ba'thistes qui pour l'occasion se sont alliés aux nassériens et aux « progressistes ».

Le Ba'th se retrouve au pouvoir. Malgré ses faibles effectifs, il détient dans le nouveau gouvernement neuf portefeuilles sur vingt. Mais déjà il est prisonnier de l'armée.

Sous la conduite de Michel Aflak et de Salah Bitar, ses leaders historiques, il gouverne vaille que vaille de 1963 à 1966. Les militaires s'impatientent, font de la surenchère, et s'allient à l'aile gauche du parti. On fait du socialisme à tous crins, on nationalise en dépit du bon sens, si bien que le régime, pour ne pas s'aliéner toute la population, doit faire marche arrière. Retour de Salah Bitar, écarté du pouvoir. Aflak continue à prophétiser dans le désert.

Le Comité militaire tire les ficelles mais n'apparaît pas. Il fait place nette en se débarrassant d'alliés devenus gênants comme les nassériens. On assiste à quelques belles chasses à l'homme dans les grandes villes de Syrie. Rien qu'à Damas avec les armes saisies, on pouvait équiper une division d'infanterie. Nasser n'avait ménagé ni les efforts ni l'argent.

Appuyés par les Palestiniens, les nassériens réagissent. Les combats de rues feront plus d'un millier de morts. Ils sont suivis d'une terrible répression. A côté des militaires ba'thistes, des milices populaires ont fait leur apparition. Le régime, sous couvert de luttes contre le capitalisme, s'en prend non seulement aux banquiers, aux grands féodaux mais aux petits commerçants, aux artisans en majorité sunnites et hostiles au Ba'th laïque. Les souks ferment ; les prédicateurs, dans les mosquées, appellent à la guerre sainte. On tire au canon sur les quartiers insurgés.

Le gouvernement débordé est obligé de rapporter la plupart des mesures qu'il a prises. Il promet de respecter la propriété privée qu'il avait remise en question. Mais l'agitation calmée, il reprend son offensive. Des tribunaux d'exception sont institués pour juger tous ceux qui tenteraient d'entraver la marche du pays vers le socialisme. Mais quel socialisme ?

A l'intérieur du parti, les officiers appartenant à des minorités comme les Alaouites mais aussi les Ismaéliens se sont emparés de tous les leviers du pouvoir après avoir éliminé les sunnites, proches de la petite bourgeoisie. Le socialisme n'a été qu'un prétexte à un règlement de compte à l'intérieur des casernes.

Le général Amin el Hafez, nommé président, promulgue une constitution d'inspiration soviétique, avec un présidium de cinq membres. Assad n'en est pas. Mais l'on voit apparaître un autre Alaouite, le général Salah Jedid.

En 1963, quand il réintègre l'armée, Assad est toujours major. Il passe immédiatement lieutenant-colonel. Un an plus tard, il est nommé général de division sans s'attarder dans les grades intermédiaires. Omrane et Salah Jedid en font autant. Les étoiles pleuvent.

Toujours aussi discret, toujours aussi secret, Assad se tient dans les coulisses. On commence dans l'armée et le parti à s'intéresser à cet homme brun, de haute taille, au regard perçant, qui n'apparaît que rarement en public et toujours sanglé dans un uniforme strict, Hafez el Assad joue les puritains, les Saint-Just. Il adopte toujours les solutions les plus radicales, les plus « gauchistes ». Son physique, sa gravité, ses lourds silences conviennent au rôle qu'il se donne. Il suit fidèlement son compatriote et ami Salah Jedid... attendant le moment de l'étrangler.

Naïvement, les politiques du Ba'th, Aflak et Bitar, cautionnent ce Comité militaire aux mains de trois généraux alaouites. Ils lui fournissent cette couverture idéologique qui lui fait défaut.

Le général Assad continue son irrésistible ascension. Le 8 mars 1963, il est nommé ou se nomme commandant en chef de l'aviation. L'année suivante, Salah Jedid pourra, grâce à son appui, éliminer le chef de l'Etat Amin el Hafez, un sunnite qui, après avoir joué les « durs », passe maintenant pour le chef de file des modérés. On lui reproche, entre autre, son style de « Sheik bédouin ». Les « putschistes » l'ont pris de vitesse alors qu'il se préparait à épurer l'armée de tous les éléments qui s'opposaient à lui dont le Comité et sa clientèle.

On se liquide au canon et à la mitrailleuse entre militaires du même parti. Devant la résidence de l'ancien président, des moto-pompes viendront laver les trottoirs souillés du sang de sa garde.

Un communiqué publié par les vainqueurs donne le ton :

« Les forces de la réaction et de l'arriération ont tenté de parvenir au cœur de la révolution pour la faire dévier de sa voie irrévocable et la conduire au gouffre de l'autocratie et aux procédés de compromission et d'abandon. »

Des civils, un trio de jeunes médecins qui se disent « socialistes scientifiques mais non marxistes », servent de couverture au tout-puissant Comité militaire. Ce sont les docteurs Nouredine Atassi, Zuayyen et Ibrahim Makhos.

Bien qu'il se soit lancé dans de grands travaux comme la construction de routes et de barrages, qu'il ait nationalisé l'oléoduc de l'Irak-Petroleum, le nouveau régime est vite aux prises avec des difficultés économiques insurmontables, vient s'y ajouter l'hostilité de la population.

Ne voyant pas d'issue, il choisit la guerre.

La Syrie favorise et même provoque l'action des feddayins palestiniens dont les commandos lancent, à partir de la Syrie, des raids meurtriers contre Israël. Quand l'aviation israélienne répond par des bombardements, on court se plaindre à l'ONU et on refait alliance avec l'Egypte. Cette alliance aboutira à la guerre des Six Jours. Nasser y sera entraîné malgré lui, trompé par les diaboliques services secrets syriens. Ils font état sur leurs frontières de concentrations de troupes israéliennes qui n'existent pas. C'est le retrait des casques bleus du Sinaï, le blocus du détroit de Tiran et la défaite.

L'armée syrienne, dans ce conflit, se conduira d'étrange façon. Sans vraiment résister, elle abandonnera le Golan, une position dominante, facile à tenir, bien fortifiée, au-dessus de la plaine de Galilée et de ses riches kibboutzim. Ni les blindés ni les unités de choc ne seront engagés mais resteront cantonnés à Damas pour défendre le régime contre « les masses » qui n'attendent qu'une occasion de se rebeller. Si bien que les Israéliens, s'ils s'en étaient donné la peine et n'avaient pas craint de complications internationales, pouvaient après la chute de Kuneitra qui ne fut pas défendue, dévaler sur la capitale syrienne. Quant à la précieuse aviation d'Assad, elle avait été prudemment remisée... en Irak.

« Le général Jedid et ses amis ont réussi cette étonnante performance de brouiller leur pays, non seulement avec toutes les capitales occidentales mais encore avec la plupart des Etats arabes. L'Egypte elle-même ne leur pardonne pas de l'avoir entraînée, par leur imprudence, vers la catastrophe (1). »

A l'intérieur, le régime ne se maintient que par la terreur que font régner policiers et « bataillons de travailleurs », sortes de gardes rouges. On épure à tour de bras et le Ba'th et l'armée.

Impassible, Assad assiste à cette déconfiture de l'équipe Atassi-Jedid. Il garde la tête froide quand les autres la perdent. Il sait ce qu'il veut. Pour lui, le pouvoir, pour les siens, la revanche, la sécurité, la prospérité.

Devenu ministre de la Défense, toujours prudent, il conserve le

_____

(1) C. Palazzoli, *La Syrie, le rêve et la rupture.*

commandement en chef de l'aviation. Par sa détermination, son sang-froid, et parce qu'il dispose de bombardiers et de chasseurs qu'il a évité de risquer contre les Israéliens, il déjouera un certain nombre de putschs.

Le colonel druze Selim Hatoum, installé dans son fief de Soueida, avait invité ses amis à un grand banquet. Le colonel était membre du Comité militaire ; il avait participé à tous les complots du groupe et on n'avait aucune raison de se défier de lui. Tous les dirigeants de la Syrie, Salah Jedid en tête, se rendirent à cette fête. A l'exception d'Assad. Prudence ? Avait-il été prévenu ? Etait-il de mèche ? A la fin du festin particulièrement somptueux, le Druze, en s'excusant, fit arrêter ses hôtes. La Syrie n'avait plus de gouvernement.

Assad selon son habitude attendit de voir comment les choses tournaient, et voyant qu'Hatoum avait manqué son affaire, que les villes ne se soulevaient pas, il intervint.

Ses avions bombardent et mitraillent Soueida à tort et à travers sans se soucier de savoir qui se trouve en dessous. Pense-t-il que Dieu reconnaîtra les siens ? Le gouvernement sort miraculeusement indemne de cette équipée, tandis que le colonel Selim Hatoum gagne la Jordanie, où le complot avait été tramé.

Grèves, manifestations, tentatives de coups d'Etat, se succèdent. Assad, patiemment, grignote le pouvoir. Ministre de la Défense, il nomme à tous les postes-clefs de l'armée des hommes à lui, mutant ceux qui lui sont opposés dans des garnisons lointaines. Tous les moyens lui sont bons pour se concilier le corps des officiers : prêts à la construction facilités, pour l'achat de fermes, de terrains, octroi de villas de fonction, licences d'importation de voitures, surtout des Mercedes, visas de sortie pour se rendre à l'étranger, devises pour envoyer les enfants y faire leurs études. Entre les deux Alaouites Salah Jedid, Assad et le pouvoir ne se dressent plus que deux hommes appartenant à la même famille : Khaled el Joundi, maître des milices populaires et des syndicats, et le colonel Abdel Kerim el Joundi, chef du 2ᵉ Bureau et de la Sûreté. Tous deux se disent « marxistes authentiques ».

Si l'on s'en tient à la phraséologie occidentale, disons qu'ils constituent l'aile extrémiste du Ba'th militaire, si l'on s'en tient à la réalité ethnique, ce sont des Ismaéliens, agissant pour le compte de leur clan et qui jouent la carte gauchiste parce que c'est la seule qu'il leur reste face aux Alaouites.

Les Ismaéliens réclament la guerre à outrance contre Israël, bien que la Syrie en soit incapable. Ce serait un suicide de s'en prendre sans l'appui des autres pays arabes à l'armée israélienne triomphante.

Simple opération de politique intérieure dont l'arme demeure exclusivement le Verbe. On impute la défaite syrienne, et ce n'est pas faux, aux hésitations de Salah Jedid qui a perdu le Golan pour garder Damas et à la prudence d'Assad qui n'a pas engagé son aviation.

Accusations dont les Alaouites n'ont que faire. Ils ont l'armée avec eux. Elle seule compte, et elle leur est reconnaissante.

Ils l'ont ménagée en ne l'engageant pas comme ils l'auraient dû contre Israël. Ayant infiniment moins souffert que l'armée égyptienne, elle a conservé la plus grande partie de son potentiel.

Sa puissance intacte lui permet d'être l'arbitre de la situation. Elle tient à conserver avantages et prébendes qu'elle doit au ministre de la Défense et qu'un autre régime, comme celui des « marxistes » ismaéliens, pourrait lui reprendre.

Ce n'est déjà plus Salah Jedid qui est maître du jeu, mais Assad.

Avec l'appui du chef d'état-major, le général Mustapha Tlass, une de ses créatures, il se livre à une démonstration de sa force par un « putsch blanc ». Ses troupes occupent l'immeuble de la radio, le siège des syndicats et des principaux journaux. Puis elles retournent dans leurs casernes.

Salah Jedid encaisse la leçon, mais il ne peut se séparer de son encombrant second sans avoir réglé le compte des Ismaéliens. La solidarité tribale l'emporte sur l'ambition.

L'opération qui permettra à Assad et à Jedid d'en finir avec le colonel Abdel Kerim el Joundi qui sera « suicidé » et Khaled el Joundi le syndicaliste qui disparaîtra, dans son genre, peut être considérée comme un chef-d'œuvre de ruse et de machiavélisme. On utilisera tous les moyens : les services d'une belle espionne palestinienne, mais peut-être israélienne, qui sera assassinée et le corps dissous dans l'acide, les bons offices d'un tueur à gages, agent double ou triple, surtout la calomnie. Tout se terminera comme il se doit à Beyrouth dans une sombre affaire d'enlèvements où les « Mokhabarats », les barbouzes syriennes, s'entrefusilleront.

Assad n'avait plus qu'à éliminer son vieux complice et ami Salah Jedid.

Jedid contrôle encore le Parti, pas grand-chose, les formations paramilitaires palestiniennes de la Saïka, c'est plus sérieux. Et une brigade blindée. Dans ce genre de démocratie, les baïonnettes remplacent les bulletins de vote.

En septembre 1970, quand le roi Hussein entreprend de liquider la résistance palestinienne en Jordanie, Salah Jedid, prisonnier de sa clientèle, ne peut faire autrement qu'envoyer ses blindés afin de soutenir Arafat. Assad refuse de faire intervenir son aviation, et les blindés, sans parapluie aérien, subissent de lourdes pertes : 103 chars sont détruits sur 200 engagés. Ce qu'il en reste doit faire demi-tour. Les débris des bandes palestiniennes refluent au Liban dans le plus grand désordre avec armes et bagages, pour le malheur de ce pays.

En octobre 1970, devant le Congrès panarabe du Ba'th, Assad est mis en accusation. Jedid lui reproche d'avoir trahi la cause palestinienne. Assad a beau jeu de répondre. Il voulait ainsi éviter la création en Jordanie d'un Etat palestinien par une bande d'irresponsables qui s'étaient mis à dos le monde entier par leurs détournements d'avion. Israël serait intervenu avec l'appui des Américains, la bénédiction de l'Occident, les Russes auraient laissé faire et la Syrie aurait été précipitée dans un conflit où elle avait tout à perdre.

La défense est habile. Assad sait qu'il a le peuple avec lui, ce peuple qui ne veut plus entendre parler de guerre. Il n'ignore pas que les Soviétiques sont hostiles à une reprise des hostilités avec Israël. De ce côté-là, il s'était assuré qu'il avait les mains libres.

On l'accusera encore d'être partisan d'une politique de droite. C'est le servir. Les Syriens sont hostiles à la création de « conseils du peuple » que propose Jedid, et qui aboutiraient à la création d'une démocratie populaire.

Enfin, et c'est l'essentiel, Salah Jedid ne dispose plus de baïonnettes. Il a perdu sa brigade blindée dans les sables de Jordanie. L'armée, dans sa majorité, est derrière Assad.

Jedid réclame en vain la démission du ministre de la Défense et le limogeage du général Tlass, le chef d'état-major.

Le 13 novembre, après la fin du Congrès, Assad fait occuper tous les bâtiments publics, arrêter Jedid et ses partisans. Un modèle de putsch efficace, discret qui n'entraîne ni couvre-feu ni fermeture des frontières. Aucune proclamation, « du beau travail », reconnaissent les spécialistes.

Les communistes suivent à la lettre les instructions de Moscou et n'interviennent pas. Le secrétaire général du parti, Khaled Bagdache, est connu pour sa servilité.

Hafez el Assad gardera quelques mois Salah Jedid en prison. Il agit sans haine, par raison. Deux Alaouites au pouvoir, c'était trop. Il ne tenait pas à ce que ses coreligionnaires qu'il ne connaissait que trop bien, qui lui ressemblaient, puissent miser sur deux tableaux.

Désormais ils n'ont plus le choix ; ils ne peuvent que le suivre.

L'affaire étant réglée avec la secte, il s'occupe du reste de la Syrie.

Malgré l'opposition des musulmans sunnites, des communistes, d'une fraction du Ba'th, fort du soutien populaire et de l'armée, par référendum, il fait approuver une Constitution qui donne au président de la république tous les pouvoirs, pendant sept ans. Puis il se présente aux élections. Candidat unique, il obtient 98,86 % des suffrages. Personne ne se risque à voir de trop près ce qui s'est trafiqué dans les urnes. Mais il est certain, à l'époque, que le peuple est derrière Assad.

Le général-président convoque aussitôt les principaux chefs militaires auxquels il tient ce discours :

« Mettez-vous bien dans le crâne qu'il n'y a plus désormais en Syrie de solution de rechange. Il y a seulement le chef de l'Etat, puis les autres. » Et les autres sont en prison.

Le Ba'th, mis au pas, décerne à Assad le titre de « camarade dirigeant ». Adieu la direction collective, les longues palabres, les discussions de comités, les congrès d'organisations de masse où ne sont absentes que les masses. On continue certes à pratiquer les rites mais uniquement pour la galerie. Ils appartiennent à une époque révolue mais permettent au régime de garder son étiquette socialiste arabe et de rassurer les incurables jobards d'une certaine presse. L'essentiel se fait ailleurs.

Assad cumule dès lors les titres de président, de commandant en chef de l'armée, de commandant en chef de l'aviation. Il nomme ministre de l'Intérieur Ali Zaza, chef des services de renseignements militaires, et à la tête du ministère de la Défense, un homme de paille, un ancien étudiant Mouthib Chenan, qui n'a jamais porté l'uniforme. Limogeages au sein de l'armée, pour la nième fois.

« Quatre mille officiers parmi lesquels des cadres de valeur passent leur journée à jouer aux cartes dans les cafés de Damas quand ils ne sont pas en prison ou dispersés aux quatre coins du monde arabe, à la recherche d'un emploi (1). » On engage à tour de bras des officiers de réserve sympathisants. Beaucoup sont d'anciens instituteurs alaouites et chrétiens qui vont refaire une nouvelle carrière dans un corps jouissant de considérables avantages.

Rifaat, le frère d'Assad, ne sortira de l'ombre qu'après 1971 avec les galons de lieutenant. On l'avait connu simple policier, puis caporal. Il se retrouve officier puis agrégé d'histoire sans jamais avoir fait aucune école. Il se présenta un jour au concours entouré de ses gardes du corps, armés jusqu'aux oreilles. Le jury préféra le recevoir sans l'interroger plus avant sur ses connaissances. Pourtant, il était calé en « histoire immédiate ».

Quand Hafez tente et réussit son coup d'Etat contre Jedid, ce sera Rifaat, à la tête de ses bandes, qui occupera les locaux de la direction régionale du Ba'th, les syndicats, l'université. Il encerclera le bâtiment où se tiendra le congrès du parti, ce qui incitera ses participants à se montrer coopératifs.

Rifaat n'a pas la tête de l'emploi. Rien de ce personnage sinistre aux mœurs dépravées, cette incarnation du Diable qu'on nous présente.

Il est agréable, charmeur, désinvolte même s'il a la gâchette facile. Il aime le luxe, les bons alcools, les jolies filles et ne le cache pas. On raconte qu'avec les jeunes officiers de son entourage, il organise des « safaris » d'un type assez spécial. Dans les boîtes de nuit de Damas qui en seront bientôt réduites à fermer leurs portes, ils raflent les entraîneuses et les danseuses que l'on conduit dans l'une des nombreuses résidences du « capitaine » Rifaat, où s'organisent de joyeuses sarabandes. Dans les caves croupissent de mauvais sujets qui n'ont rien compris à la nouvelle voie alaouite vers le socialisme. Pour varier les plaisirs, Rifaat et ses amis leur rendent visite, la coupe de champagne à la main. Les hurlements de douleur se mêlent aux flonflons de la fête. Sade serait aux anges.

---

(1) Claude Palazzoli.

Mais je n'ai trouvé personne qui ait assisté à ce genre de fêtes comme invité, prisonnier ou simple témoin. Il est vrai que pour éviter aux bons Damascènes de se montrer trop curieux, et ils le sont par nature, il leur est interdit de s'approcher de trop près des résidences de Monsieur frère. Les gardes tirent sans sommation.

Comme l'on sait, le régime syrien est progressiste, la torture qu'on y pratique est une torture « de gauche » donc modérément répréhensible. Il est de surcroît allié des Russes ; il a approuvé l'invasion de l'Afghanistan. Pourtant même *le Monde* ne peut faire autrement que s'étonner de l'étrange comportement du colonel Rifaat, dans notre beau pays de France.

La dépêche vaut d'être citée. Elle est du 17 février 1980.

*Bordeaux. — L'arrivée à Bordeaux, le mercredi 13 février, du colonel Rifaat el Assad, frère du président syrien Hafez el Assad, pour une consultation médicale auprès d'un grand spécialiste, n'est pas passée inaperçue. Débarquant d'un appareil de sa compagnie le colonel Rifaat el Assad, était notamment entouré de vingt-neuf gardes du corps armés et d'une vingtaine de membres de la police syrienne.*

*Monsieur el Assad occupe, avec sa suite, la totalité du deuxième étage de l'Hôtel Frantel, dans le nouveau quartier bordelais de Mériadec, où la densité de policiers au mètre carré est impressionnante. Aux gardes syriens s'ajoutent cinquante policiers français membres du groupement d'intervention de la police nationale (GIPN) et des renseignements généraux. Les uns, en tenue, montent la garde devant les portes ; les autres, en civil, se tiennent dans le hall et déconseillent fortement aux importuns de prendre l'ascenseur pour visiter le deuxième étage, où ils se heurteraient, de toute façon, aux gardes du corps du frère du président syrien. Seul le personnel de service est admis à franchir le barrage.*

*« Il y en a même jusque sur le toit, précise un policier. Les clients de l'hôtel se sentent en sécurité », ajoute, avec humour, un réceptionniste.*

Impassible, lointain, le président Hafez el Assad feint d'ignorer la terreur qu'inspire Rifaat.

Jouant lui-même la vertu, le désintéressement, il refuse qu'on lui rebatte les oreilles avec les fredaines « du petit frère ». Il faut bien que jeunesse se passe.

Malgré les apparences, les deux frères sont très unis : ils ne font rien l'un sans l'autre. Assad gouverne la Syrie et garde les mains propres. Rifaat les salit, dispense les prébendes et s'occupe tout particulièrement des Alaouites.

Civils ou militaires, ceux-ci sont comblés. A eux les licences d'importation, les attributions de devises, les marchés de l'Etat et les grades et les fonctions.

Ils font main basse sur le pays. Bien sûr ils payent le prix et se font parfois assassiner.

La guerre de 1973 contre Israël dont la Syrie ne s'est pas trop mal tirée, renforça l'emprise d'Assad sur l'armée. D'autant qu'il eut la prudence de ne pas engager ses troupes spéciales qui sont restées intactes. Pour ne pas demeurer à la botte de la Russie, son fournisseur d'armes exclusif, fournitures hélas assorties de conseils impératifs, le président Assad renoue avec les Etats-Unis et accueille Nixon à Damas. Malgré l'opposition de Moscou, il libère l'économie et ouvre son pays à l'Occident. Il musèle les Palestiniens en les mobilisant dans la Saïka, qui devient une annexe de l'armée syrienne. Ceux qui ne comprennent pas les subtilités de sa politique, il les pend ou laisse son frère s'en occuper, ce qui ne vaut pas mieux. Mais il rompra avec Sadate quand celui-ci ira à Jérusalem. Il lui reproche, non pas un accord qu'il juge inévitable, mais d'avoir fait cavalier seul, alors qu'en s'entendant, on pouvait, pense-t-il, obtenir plus, et d'Israël et des Américains. Toujours le réalisme !

S'opposant à Sadate, il renouera avec la résistance palestinienne, mais il refusera de participer à cette « mauvaise aventure libyenne », le Front du refus. En 1975, il soutiendra ces mêmes Palestiniens dans la première phase de la guerre du Liban. Mais quand les chrétiens libanais se trouveront dans une position difficile, malgré le diktat de Moscou qui veut leur disparition, il intervient en leur faveur. L'armée syrienne, 30 000 hommes déguisés en Force arabe de dissuasion, entre au Liban. Hafez el Assad le Syrien ne voulait pas un Etat palestinien, qui aurait immanquablement déclenché une intervention israélienne et Assad l'Alaouite, qu'une minorité proche de la sienne, les maronites, avec laquelle il serait peut-être un jour amené à s'allier, disparaisse face à un Islam partout conquérant. En revanche, quand les chrétiens iront trop loin malgré ses avertissements et voudront en finir avec les Palestiniens, il n'hésitera pas à les punir, bombardant sauvagement le quartier d'Achrafieh à Beyrouth. Ce qui ne l'empêchera pas dans le même temps de rester au mieux avec l'ancien président chrétien Frangié, réfugié comme un loup dans sa montagne de Zghorta.

Les liens entre Alaouites et chrétiens sont plus étroits qu'on ne l'imagine. Pierre Gemayel, le fondateur des Phalanges, me fera d'Assad un éloge surprenant. Il se montrera « douloureusement étonné qu'un ami comme lui » se soit livré à ce bombardement.

Tony Frangié, fils du président Frangié, qui sera plus tard assassiné, était le meilleur ami de Rifaat. Et ne serait-ce pas Rifaat qui, pour le venger, organisa récemment l'attentat qui coûta la vie à la petite-fille de Bechir Gemayel En même temps il servait les intérêts de son frère. A l'un les basses besognes, à l'autre la haute politique.

Que veulent les Syriens : annexer le Liban ? Ils en ont toujours rêvé. Il serait plus juste de se demander que veut Hafez el Assad aux prises avec une opposition de plus en plus virulente ?

Peut-être a-t-il pensé à l'annexion, ce qui lui aurait donné un immense prestige aux yeux des Syriens des villes. Mais ils refusent.

Ses projets seraient différents aujourd'hui. Il envisagerait si le reste de la Syrie devait lui échapper une sorte de fédération de la montagne syrienne et libanaise, un état multi-confessionnel. Mais il n'est pas prêt à lâcher sa proie. Et il sait que les Soviétiques aux prises comme lui avec l'Islam le soutiendront.

Le pouvoir des frères Assad est encore solidement établi, m'affirma cet officier supérieur alaouite qui avait préféré prendre sa retraite à Paris. C'est dire combien il était en mauvais termes avec le régime actuel !

Selon lui, Hafez et Rifaat, « Dr Jekyll et Mr Hyde », tiennent solidement l'armée par leurs réseaux de renseignements dont font obligatoirement parti tous les membres du Ba'th militaire. Il y aurait des « Mokhabarats » partout, si bien que lorsque trois officiers se réunissent, on peut être sûr qu'au moins l'un d'eux appartient à un réseau.

La moitié de cette armée est composée d'Alaouites qui détiennent tous les postes-clefs ; les Brigades Spéciales sont-elles entièrement alaouites et recrutées dans la région, le clan, la tribu à laquelle appartiennent les Assad.

A l'exception des membres de ces Brigades qui leur sont totalement acquis, les autres Alaouites ne sont pas aussi dévoués aux deux frères qu'on pourrait l'imaginer. On trouve parmi eux d'anciens partisans d'Omrane, de Salah Jedid et tous ceux qui estiment dangereuse la tournure prise par le pouvoir.

Aucun pourtant ne prendra aujourd'hui le risque de provoquer une scission au sein des Alaouites.

Ils savent qu'ils n'ont aucune pitié à attendre de la majorité sunnite et de l'opposition qui, dans leur lutte contre le régime, se sont placées sur le plan confessionnel. Chrétiens et Druzes commencent à penser comme eux.

Le massacre des jeunes cadets à Alep, par son côté sélectif — on n'a tué que des Alaouites, des Druzes et des chrétiens —, loin d'affaiblir le régime d'Assad n'a fait que le renforcer. Tout comme les attentats quotidiens qui visent presque toujours des minoritaires.

Les Alaouites ont compris que s'ils lâchaient Assad, s'ils se divisaient, ils étaient perdus, voués au massacre.

Un soulèvement de la population sunnite, appuyée par une partie de l'armée, celle qui n'est pas alaouite, aboutirait aujourd'hui à la plus sanglante, la plus impitoyable des guerres civiles. Les affrontements au Liban apparaîtraient comme des jeux d'enfants. Au mieux, ces affrontements déboucheraient sur une partition du pays, d'un côté la Syrie, de l'autre un Etat alaouite retranché derrière ses montagnes.

Dans son ensemble, le peuple syrien rejette le régime mais, à moins de se perdre, il ne peut espérer le renverser par la force.

Il n'existerait qu'une façon de résoudre ce problème : faire appel aux chefs militaires alaouites qui auraient pris, m'a-t-on affirmé, la place des anciens chefs religieux.

Seuls, ils peuvent exiger le départ des frères Assad. A condition d'obtenir de l'opposition que soient garantis les personnes et les biens des Alaouites. Et que l'on n'assistera pas, après leur départ, à un gigantesque règlement de comptes, une sorte de Saint-Barthélemy.

Chaque jour, la haine creuse le fossé entre les différentes communautés, rendant cette solution de plus en plus improbable.

L'opposition, qui brandit le drapeau sunnite, raconte à qui veut l'entendre qu'elle peut faire aussi bien que Khomeiny, ses ayatollahs et ses mollahs, assimilant Assad au Shah et son armée à celle de l'ancien souverain iranien.

Une mauvaise analyse de la situation. Les sunnites syriens n'ont pas l'organisation structurée des chiites iraniens. Ils n'ont pas de clergé. Assad n'est pas le Shah. Il est d'une autre trempe. Dur, courageux, en parfaite santé, lucide et cynique, il ne se laissera pas comme lui jeter dehors. Le souvenir de toutes les humiliations qu'il a subies, lui et les siens, lui fera toujours préférer le combat et, au besoin, la guerre civile plutôt que de capituler face à un Islam qu'il a toujours détesté, par sa double appartenance à une secte de réprouvés et à un Ba'th laïque.

En cas de crise grave, il sait qu'il peut compter sur les siens. Ils préféreront combattre jusqu'à la mort plutôt que redevenir des parias. Et s'il juge ce combat impossible, il pourra toujours s'enfermer dans son réduit du djebel Ansaryé, où tout est prêt pour l'accueillir.

Par ses soins, l'ancien État indépendant alaouite tel que le créa en 1924 le général Weygand, renaît de ses cendres pour devenir une puissante forteresse avec un port bien équipé, Lattaquié. Il dispose d'une armée de 30 000 hommes, les Brigades de défense de Rifaat, dotée d'un armement moderne, disposant d'arsenaux, de fortifications. Et même d'une université !

Les trois routes qui relient ce réduit au reste de la Syrie, celle de Homs, au sud, de Hama, au centre, d'Alep au nord, sont les seuls axes de pénétration possible. Elles sont faciles à interdire. Quant aux Alaouites, qui, ces dernières années, ont bien profité du régime, ils savent qu'ils sont condamnés à suivre jusqu'au bout Rifaat et Hafez, leur diable et leur bon Dieu. S'ils ne restent pas maîtres de la Syrie, ils pourront toujours échapper au massacre en se retranchant sur leurs crêtes et en gardant une ouverture sur la mer. Si la vague islamique déferle, ils s'allieront aux autres minorités en danger comme eux : les maronites du Liban, les Druzes, les Ismaéliens, tous ceux qui eurent à souffrir dans leur histoire de l'Islam pour avoir voulu rester différents, garder leurs dieux, leurs coutumes et leurs secrets.

Hafez el Assad pourrait aussi trouver des appuis en Irak où des minoritaires sont au pouvoir, se réclamant comme lui du Ba'th. Ce sont des sunnites cette fois perdus au milieu des chiites, mais qui s'affirment laïques et socialistes. Et au besoin en Israël, État minoritaire. Mais c'est là un sujet tabou.

Assistera-t-on dans le Moyen-Orient à un éclatement des États comme la Syrie, le Liban, la Jordanie, l'Irak, l'Iran ? Verra-t-on apparaître un Etat alaouite, un Etat maronite, un Etat kurde, un Etat palestinien, un Etat sunnite en pays chiite, un Etat chiite en pays sunnite ?

Hafez el Assad, m'a-t-on raconté, passe de longues heures, immobile et concentré, à regarder une carte du Moyen-Orient. Dans son dos, il sent la présence muette des deux Grands, la Russie et l'Amérique, dont il ne sait s'ils vont l'aider ou le poignarder, tandis que dans le soir monte le chant d'un muezzin qui semble le narguer.

# III

# LIBAN : ON ASSASSINE
# MÊME LES CHEVAUX

« *On ne civilisera pas l'Asie suivant les méthodes de l'Occident. L'Asie, d'abord il y en a trop, et puis elle est trop vieille. On ne corrige pas une femme qui a eu beaucoup d'amants, et l'Asie s'est montrée insatiable de flirts depuis des siècles. Elle ne suivra jamais l'école du dimanche, pas plus qu'elle n'apprendra à voter, sauf avec des épées pour bulletins.* »

Rudyard Kipling

Pour nous Français, il est toujours difficile de parler sereinement du Liban. Nous y apportons la même passion que pour nos affaires intérieures. La guerre civile particulièrement atroce dont ce petit pays fut victime nous laissa déconcertés comme si on nous avait trompés, comme si les Libanais de tous bords, de toutes les confessions avaient surpris notre amitié, en se conduisant... mal. Les musulmans avaient fait « Damour » mais les chrétiens « la Quarantaine ». Chaque fois il y avait eu des centaines de morts, des femmes, des enfants égorgés, des cadavres mutilés. Comme je m'en indignais, je m'attirai cette réplique d'un ami chrétien :

— N'est-ce pas vous, Français, qui nous avez donné l'exemple ? En 1941, gaullistes de Catroux et vichystes de Dentz se sont affrontés sous les plis d'un même drapeau. J'étais témoin, et je vous assure qu'ils ne se sont pas fait de cadeaux. Ma femme qui est française et de Nîmes, à la Libération, assista à des scènes répugnantes : exécutions sommaires, pauvres filles tondues, violées puis conduites au poteau par ceux qui s'en étaient servis. L'occupant, l'Allemand, avait filé. Vous étiez entre Français. Notre occupant, le Palestinien, lui est resté et s'ingénie à dresser les deux communautés l'une contre l'autre. Ce sont les Palestiniens qui se sont très mal conduits à Damour et ensuite ils ont laissé accuser les musulmans libanais. A Damour, les chrétiens étaient désarmés, ce n'était pas le cas de la population de la Quarantaine.

« En France, vous avez eu la chance d'avoir de Gaulle qui savait ce qu'il voulait, il disposait d'une bonne armée qui était venue d'Afrique. Nous n'avons même pas eu Pétain. Le brave général Chahab qui aurait pu tenir ce rôle était mort, nous laissant son pâle reflet, Sarkis qui, pour prendre la moindre décision, se demande :

« — Qu'est-ce qu'aurait fait le Général à ma place ?

« Quant à notre chef d'état-major, le général Boustani, qui connaissait son métier, il s'était enfui en Syrie, après avoir écopé de sept ans de prison pour une méchante affaire de pots-de-vin à propos de fusées Crotales que vous nous aviez refilées. Alors que nous n'en avions pas l'usage. »

Les Libanais connaissent mieux notre histoire que nous la leur. A trop vouloir nous ressembler, ils nous égarent, comparant des situations apparemment semblables mais fondamentalement différentes. Au Liban, nous sommes en Orient et les Libanais font tout pour le faire oublier.

Pour la majorité des Français, les Libanais qu'ils connaissent sont des chrétiens. D'eux, nous tenions cette image de Beyrouth, ville cosmopolite et provinciale, où l'on joue à être New York en étant seulement Nice ou Marseille.

Les buildings de verre et d'acier comme sur la côte d'Azur, sont plantés au bord d'une mer qui le soir, prend des teintes violettes, avant que n'apparaisse l'étoile du berger, tandis que tinte — lointaine — la cloche d'un couvent ou d'une église.

Le chant du muezzin, à Beyrouth, on l'entend rarement ou seulement dans les quartiers musulmans que l'on ne fréquente guère.

Avant d'être arabes, et ils le sont par la langue et l'écriture, les Libanais chrétiens se veulent comme nous des Méditerranéens. Des Phéniciens, précisent-ils.

A Beyrouth on ne parle pas arabe, on y mélange toutes les langues, le français, l'anglais et l'arabe pour aboutir à une sorte de « pidgin » auquel il faut s'habituer. Il est assaisonné de cet accent chantant des « Echelles du Levant », une façon inimitable de dire chee...rrie..., accompagné de grandes démonstrations d'amitié qui, même superficielles, réjouissent le cœur. On était bien, on était chez soi à Beyrouth dans cette ambiance chaleureuse. Et c'était si commode ! Pour se tenir au courant de ce qui se tramait dans cette partie du monde, il était inutile de se perdre dans les moiteurs du Golfe, les déserts d'Arabie, dans l'Irak hostile, la Syrie refermée sur elle-même. Tous les dirigeants, tous les porte-parole de ces pays venaient à Beyrouth pour y intriguer, jouer, trouver des filles faciles, des banques accueillantes et des alcools de qualité. Pour s'entre-tuer parfois. Les Palestiniens s'étaient installés avec leurs états-majors et leurs bureaux de propagande et tous les services secrets y entretenaient des antennes. Les Beyrouthins adorent expliquer la marche du monde par des conflits CIA, KGB, Intelligence Service et SDECE. Si on devait les croire, il n'était pas d'hommes politiques ou de gribouilleurs qui n'émargeaient à leur caisse. Beyrouth était une ville si vivante, si attachante qu'on en oubliait le reste du pays. La richesse y était gênante, elle éclaboussait, rendant la misère encore plus insupportable. Mais les Libanais arrivaient à vous convaincre que le miracle durerait, ce savant dosage entre chrétiens et musulmans, entre riches et pauvres. Cela s'appelait le Pacte national mis sur pied le 10 novembre 1943. Il accordait la présidence de la République à un maronite, la présidence du Conseil à un sunnite, celle de la Chambre à un chiite, les ministres étant choisis dans les différentes communautés au prorata de leur importance (1).

Mais en 1943, le Liban ne comptait qu'un million d'habitants. 530 000 chrétiens dont 300 000 maronites, 100 000 grecs orthodoxes, 60 000 grecs catholiques, 50 000 arméniens. Et 400 000 musulmans dont 210 000 sunnites, 190 000 chiites et 70 000 Druzes.

En 1974, il avait 2 500 000 habitants ; les chrétiens étaient en minorité, les sunnites et les chiites constituant, autant qu'on puisse l'estimer, 60 % de la population. Auxquels il fallait ajouter 400 000 Palestiniens en majorité musulmans.

Le Liban de Bechara el Khoury et Riad Solh, fondateurs de la République, n'existait plus. Le Pacte national ne rimait plus à rien. 300 000 armes traînaient dans Beyrouth qui ne demandaient qu'à s'employer.

Le Liban était devenu un baril de poudre.

Edouard Saab, rédacteur en chef de *L'Orient Le Jour,* répétait à tous ses collègues qui défilaient dans son bureau d'Hamra : « Le Liban n'existe pas assez pour faire face à tous les plans qu'on a fait pour le détruire. »

Ton Saab, disaient mes amis, à qui je répétais ses propos, n'est qu'un oiseau de mauvais augure. D'abord il est d'origine syrienne et les Syriens aiment prêcher le malheur. C'est connu. Nous autres Libanais, nous sommes très malins et nous savons toujours nous arranger entre nous.

Ils oubliaient qu'ils n'étaient plus entre Libanais depuis que quatre cent mille réfugiés palestiniens, en quête d'une terre, et disponibles pour toutes les aventures, étaient venus s'installer chez eux avec armes et bagages — beaucoup d'armes, peu de bagages.

Les Palestiniens étaient aux portes de Beyrouth et dans Beyrouth même.

Edouard Saab disait encore d'eux :

« Ils sont sollicités par tous les courants idéologiques qui se

---

(1) Bien que l'actuelle tradition libanaise considère le Pacte national signé le 10 novembre 1943 comme la Charte communautaire du pays, c'est en réalité un siècle plus tôt, le 8 juin 1840, que maronites, Grecs, druzes et musulmans du Liban ont scellé leur alliance et associé leur destin.

Ils s'étaient réunis pour repousser le corps expéditionnaire de Mehemet Ali appelé à la rescousse par l'émir Bechir Chehab.

disputent le pays et ils s'estiment forcément concernés par les conflits politiques qui animent le monde arabe. Voilà qu'à la faveur de l'anarchie régnant dans un pays régi par des féodalités politico-confessionnelles, ils vont abuser de cette hospitalité pour tirer le meilleur profit de l'instabilité du pouvoir due à des structures étatiques, on ne peut plus fragiles. »

Saab rêvait de traverser le Yémen à bourricot, pour faire comme Albert Londres qui avait beaucoup utilisé ce moyen de transport. Il voulait oublier quelques mois les trafics, les mensonges, les complots et les combines de toute une classe politique qui courait à sa perte et y entraînait le pays.

Deux ans plus tard, c'était un dimanche de mai, Edouard Saab sortait de son journal. Le quarante-sixième cessez-le-feu venait d'être proclamé. Profitant de l'accalmie, il voulut gagner le secteur chrétien où vivait une partie de sa famille. Un franc-tireur l'eut au bout de sa ligne de mire, il appuya sur la détente et le tua, ignorant certainement qui il était. Une cible, rien d'autre. Par qui était-il payé ? Kadhafi, les Russes, les Américains, les Syriens, à moins que ce ne soit par Israël ou les Irakiens ?

On assassine toujours Cassandre.

Comme la vie était douce à Beyrouth en 1974 avant la guerre civile.

Le Liban, c'était la Suisse de l'Orient. On s'efforçait de le croire et d'en persuader les autres. N'y pratiquait-on pas, comme sur les bords du lac Léman, le secret bancaire ? Il y avait plus de banques qu'à Genève, une centaine au moins et tous les jours il s'en ouvrait de nouvelles. Claquant des dents de convoitise devant tout cet or arabe entreposé ou en transit à Beyrouth, les hommes d'affaires accouraient de partout. Chacun avait dans ses cartons des projets mirifiques et coûteux. Mais vite ils s'apercevaient à leurs dépens qu'on ne pouvait rien faire, rien obtenir sans passer par un Libanais qui seul savait quelle ficelle tirer, quel intermédiaire arroser.

L'argent affluait. On oubliait que cette société libanaise n'était qu'une couche brillante de vernis cachant des structures archaïques, féodales. Et d'intolérables injustices. Le fossé séparant les différentes classes sociales ne cessait de s'approfondir. Les riches devenaient plus riches, les déshérités plus pauvres. La misère s'étalait à côté du luxe le plus criard. Peu d'administration, pas de gouvernement, une armée dont on avait soigneusement rogné les griffes, des clans qui s'affrontaient parfois les armes à la main.

La vie était surtout douce, agréable pour cette riche bourgeoisie occidentalisée gentiment snob. Elle se montrait accueillante à tous, d'où qu'ils viennent, du souk, du désert ou de la montagne, d'Afrique ou d'Amérique du Sud, pourvu qu'ils possèdent la clef magique qui ouvrait toutes les portes. Elle était d'or. Encore fallait-il qu'on sache s'en servir.

La « société » beyrouthine se composait d'un lot de jolies femmes qui changeaient parfois de partenaires en s'alourdissant de nouveaux bijoux, de politiciens professionnels, députés, ministres ou anciens ministres, d'hommes d'église à la barbe parfumée, de banquiers, d'avocats arrivés, d'entremetteurs de haute volée qui pouvaient vous arranger n'importe quelle entrevue, d'agents aussi mais qui ne se commettaient pas dans des besognes subalternes et enfin de quelques honorables maquerelles qui portaient des noms époustouflants.

Leur cour se composait de ces nouveaux riches qui avaient fait fortune dans le Golfe ou en Afrique. Comment ? Personne ne s'en inquiétait si on savait leurs comptes en banque bien garnis.

Les « impétrants » se précipitaient pour allumer les cigares de leurs protecteurs, leur faisaient des cadeaux, épongeaient leurs dettes de jeu, arrangeaient leurs affaires d'amour. En récompense, leurs noms apparaissaient dans ces chroniques mondaines des journaux beyrouthins où se cote l'ascension sociale des individus. Ils étaient enfin admis et, à condition de savoir se tenir correctement, se montrer généreux, fastueux même d'avoir le pourboire facile, ils allaient pouvoir voler de leurs propres ailes.

A leur tour, ils donnaient des réceptions, se jetant sur la célébrité ou la demi-célébrité de passage pour être le premier à l'inviter et la montrer. Ils étaient partout, ravis, prenant des airs excédés de devoir sortir tous les soirs. Alors mon cher, que l'on est si bien chez soi à lire un bon livre.

Au Liban, paraître... est le souci constant ! même si les moyens manquent. Les robes ne viennent pas toujours des grands couturiers mais elles sont parfaitement imitées par des cousettes arméniennes. On ne peut que s'y tromper. Il en va ainsi des bijoux. Cartier et Van Cleef s'appellent en réalité Agopian. C'est faux, mais ça brille et étincelle. Du théâtre de boulevard donné par une troupe de province qui rit de ses pirouettes quand elle les rate. On y a conservé le goût de la fête que nous avons perdu dans notre morose Europe. C'est Alexandrie avant Nasser, le Paris de la III$^e$ République. C'est désuet et charmant.

On trouvait de l'excellent caviar de contrebande qui par avion venait d'Erivan, en Arménie soviétique, et coûtait quatre fois moins cher qu'à Paris. Tous bénissaient cette ligne directe qui permettait d'étaler son faste à des prix raisonnables. Mais on ne s'inquiétait pas de savoir pourquoi les Soviétiques autorisaient cette contrebande et entretenaient à grands frais une ligne hautement déficitaire.

— S'il plaît aux Russes de perdre de l'argent, disaient les Beyrouthins en haussant les épaules.

Pourtant il était difficile d'ignorer que par cette même ligne arrivaient agents, armes, instructeurs pour les Palestiniens et pour le parti communiste libanais qui renaissait de ses cendres. Le bon parti bien sûr car il y en avait deux ou trois autres qui avaient leur Mecque à Pékin et révéraient Trotsky plutôt que Lénine.

Viktor, correspondant de l'Agence Tass, était de toutes les fêtes, avec Jeanne d'Arc, sa charmante et discrète épouse. Le père de Jeanne d'Arc, historien russe renommé, portait une telle admiration à notre sainte nationale qu'il lui avait donné son nom en guise de prénom.

Viktor était d'un commerce agréable s'il n'avait eu ce travers des « spécialistes ». Il voulait que tous les journalistes pratiquent le même genre d'activité que lui et il s'obstinait à croire que le très professionnel représentant de la NBC, la grande chaîne de télévision américaine, était un membre important de la CIA.

Ses hôtes, qu'on ne pouvait guère soupçonner de sympathies communistes, ravis, vous murmuraient à l'oreille :

— Viktor, vous savez, est colonel du KGB. Le FBI l'a pris la main dans le sac à Washington alors qu'il achetait je ne sais trop qui pour savoir je ne sais trop quoi. On lui a donné 24 heures pour boucler ses bagages et filer. Comment je l'ai appris ? Mais par l'attaché commercial adjoint de l'ambassade des Etats-Unis. Vous n'avez qu'à demander à Viktor, il vous confirmera...

— Qu'il est colonel ?

— Mais non, que l'attaché commercial adjoint est le chef d'antenne de la CIA.

Comme je m'inquiétais de ce que faisait au Liban ce « James Bond » de l'Est, qui entretenait tous les matins sa forme sur la plage et tenait admirablement la vodka, on m'avait répondu :

— La même chose que l'Américain ; il prépare le grand chamboulement. Il est en contact très étroit avec les groupes extrémistes palestiniens de Georges Habache et de Nayeff Hawatmeh. S'ils vous intéressent choisissez de voir l'un ou l'autre car ils sont fâchés. Un différend idéologique qu'ils ont essayé de régler à coups de grenades. Ça ne m'étonnerait pas que l'Américain et le Russe y soient pour quelque chose.

J'ai donc vu Nayeff Hawatmeh et je n'ai pas vu Habache.

Les Libanais ne croyaient pas à la guerre civile quand elle s'organisait sous leur nez. Ils étaient confiants en leur bonne étoile, persuadés qu'ils pourraient toujours s'arranger. Des hommes d'affaires, pourtant subtils, au courant de toutes les crises politiques qui se préparaient au Moyen-Orient et en Afrique, toujours prêts à en tirer profit, s'accordaient pour m'affirmer :

— On ne touchera pas au Liban parce que tous les régimes du Moyen-Orient qu'ils jouent la carte russe ou américaine en ont besoin, comme l'Europe, Russie comprise, a besoin de la Suisse, comme en Extrême-Orient, Taïwan, Pékin, Hanoi et Tokyo ont besoin de Hong Kong.

Cet optimisme, ce goût de l'instant, ce comportement désinvolte à l'égard de l'argent, pour l'acquérir comme pour le dépenser, cette façon d'en jouir avec impudence m'ont fasciné et souvent révolté. Je resterai toujours le fils des paysans pauvres de Lozère qui avaient peur de gâcher, qui gardaient les boîtes vides, ramassaient les bouts de ficelles et ne pouvaient se résoudre à jeter le pain. Difficile d'échapper à une telle hérédité ! Mais comment font ces Libanais nés eux aussi dans un gourbi du Kesrouan pour l'oublier aussi vite ?

Ces bijoux qui ruissellent sur les belles et les moins belles, trop lourds, trop voyants ne sont point, comme on pourrait le croire en ces temps difficiles, des assurances sur l'avenir. Ils ne sont que l'étalage d'une vanité triomphante, heureuse sans complexes, le signe de la chance et qu'on est béni par Dieu.

Le Christ et Allah ne sont que des divinités de référence pour s'opposer et parfois s'étriper. Le seul dieu du Liban c'est le Grand Baal des anciens Phéniciens, la divinité du profit dont l'épouse incestueuse est Astarté, déesse du sexe et de la convoitise. On venait de découvrir à Byblos une admirable statue de la déesse. Elle avait les yeux larges et étoilés des belles Libanaises mais les hanches étroites et le corps androgyne d'Isis la grande déesse égyptienne. Elle vint à Byblos rechercher la dépouille d'Osiris qui s'y était échouée et qu'elle ramena sur les bords du Nil où il retrouva vie.

Voitures américaines étincelantes qui jouent du klaxon pour se frayer un passage, pour rien, pour le plaisir de faire du bruit, pour que l'on se retourne sur leurs chromes étincelants. Rolls-Royce, parure suprême des hommes qui n'osent porter autant de bijoux que les femmes, mais ne négligent ni les colliers ni les gourmettes d'or, où pendent des croix et des médailles à la marque du Christ, ce dieu fait homme, qui prêchait la non-violence et le renoncement aux richesses, ce pouilleux, ce Juif qu'ils n'auraient pas reçu chez eux et pour lequel ils vont mourir très courageusement, autant que pour Baal.

Portiers nubiens en costume d'apparat, boissons sophistiquées ; le whisky est toujours du Chivas parce qu'il est le plus cher.

On téléphone sans cesse même devant ses invités partout, à tout bout de champ, à tout hasard, toujours au bout du monde pour connaître quel temps on a à Megève... il neige, chee...rrie..., à Los Angeles, à Paris pour savoir comment est la nouvelle collection de Saint-Laurent et si Iris a retrouvé Georges, s'ils ont une chambre commune au Plaza Athénée. Pauvre Elias !!... Au Plaza on connaît tout le monde, et personne n'ignorera son infortune. Besoin maladif de paraître, peur de ne pas exister ?

Fumée odorante des cigares, briquet d'or des jolies femmes et d'autres qui l'ont été. Elles le font claquer à chaque cigarette qu'elles ne cessent pas d'allumer et d'éteindre. Café turc et cognac, café « blanc » qui est une tisane. Les cartes sortent en fin de soirée et les tables s'organisent. On a joué toute la journée à la Bourse, on a joué sur le pétrole, le ciment, les armes, parfois la drogue ; on a acheté l'un, détroussé l'autre et on continue à flamber devant le tapis vert, chez soi quand ce n'est pas au Casino.

Par ennui ? Jamais. Le jeu fait partie de la vie libanaise, il accélère la marche de l'argent, ce sang épais trop gonflé de pétrodollars qui court dans les veines du pays.

Le jeu c'est le sacrifice à Baal, la monnaie de singe que l'on brûle devant sa statue. Mais Baal est plus exigeant que les génies chinois et cela les Libanais l'ont oublié. Baal réclame à ses fidèles du sang. Il faudra lui en donner. Il se gorgera du sang de soixante-dix mille morts. Quel beau sacrifice ! Il n'en eut jamais de pareil au cours de sa très longue existence.

Partout au Liban règne la concussion, mais elle est moins choquante qu'ailleurs. Les fonctionnaires sont très mal payés, leur salaire étant calculé en fonction des « pourboires », des bakchiches qu'ils pourront se faire dans leur charge.

Ils se font acheter sans faire de manières, sans complexes. On ne peut trahir un Etat qui n'existe pas. Le bakchich rémunère à son prix un échange de bons services, ces services ont des cours variables selon la personne, ses besoins et son importance sociale. Tant pour le douanier, tant pour le directeur de ministère, tant pour le ministre. Un Libanais sait toujours, à tout moment, combien vaut celui auquel il aura recours ! Pour pratiquer le jeu passionnant des affaires, il est préférable de passer par lui afin de ne pas commettre d'impair. Il est aussi grave de trop donner que pas assez.

Sous ses aspects ouverts, accueillants, le Liban dissimule soigneusement un certain nombre de secrets qui sous d'autres cieux n'en sont point. Par exemple, le rapport exact qui existe entre les communautés chrétienne et musulmane — on se refuse obstinément à tout recensement — ou encore le revenu par tête d'habitant et comment il est réparti.

En 1974, il était encore convenu d'affirmer que les deux communautés restaient à égalité quand c'était faux, les chrétiens étaient minoritaires, à peine 40 %, et le revenu... « suffisant pour tous », ce qui était encore plus faux.

La véritable unité, au Liban, n'est pas le couple mais la famille de six personnes. C'est à partir d'elle que des organismes privés ou internationaux s'efforcèrent d'établir l'échelle des revenus. La livre libanaise valait en 1974 2 francs. Elle a un peu baissé.

9 % des familles libanaises avaient un revenu annuel égal ou supérieur à 24 000 LL, 11 % un revenu qui oscillait entre 20 000 et 7 000 LL. Pour 80 % il était inférieur à 5 670 LL.

Si l'on compte seulement le loyer, la nourriture, l'eau, l'électricité, sans qu'entrent en compte l'habillement, les frais de scolarité, de santé, ces seules dépenses atteignent la somme minimum de 10 480 LL par an. Donc, sur 2 500 000 Libanais, deux millions ne pouvaient pas vivre. Alors ?

— Alors, vous répliquait-on, ces chiffres vous prouvent que les Libanais sont très malins puisqu'ils se débrouillent quand même. N'oubliez jamais que l'Etat n'ayant qu'une existence factice, les chiffres et les indications qui vous seront fournis par ses fonctionnaires n'auront qu'une valeur théorique. L'Etat est une banque éternellement en faillite qui publie sans cesse de faux bilans.

Je m'obstinai ; je voulus savoir à quelle communauté appartenaient les riches et les pauvres. Les plus pauvres étaient les musulmans chiites, la majorité d'entre eux n'avait qu'un revenu de 1 500 LL par an. Les riches, à quelques exceptions près, étaient des chrétiens. Ce qui n'empêchait pas que l'on rencontrait nombre de chrétiens qui étaient pauvres, mais jamais autant que les chiites. Et ils avaient au moins l'espérance, un jour, de devenir riches, grâce à l'éducation qu'ils recevaient dans des écoles religieuses. Au Liban elles sont d'un excellent niveau. Ils y apprenaient au moins deux langues étrangères qui leur donnaient toutes les chances de mieux s'en sortir que leurs compatriotes musulmans trop liés à l'étude exclusive de la langue arabe. Les chrétiens, autre avantage, étaient plus solidaires entre eux. Bien qu'ils appartiennent à différentes sectes : maronites, grecs catholiques ou orthodoxes. Ces différences ne jouaient pas comme entre sunnites et chiites, beaucoup plus divisés, parfois même opposés.

« La crainte de l'arabisme pousse les chrétiens pauvres à s'intégrer à la communauté, donc à se soumettre aux riches qui les dirigent. Cette solidarité n'existe pas chez les musulmans. Les plus pauvres d'entre eux favorables à un niveau de vie plus élevé et à un système économique libéral ressentent une communauté d'intérêts avec les chrétiens nantis et, dès lors, font cause commune avec eux (1). »

Une crise grave se préparait, mais il était absurde de vouloir l'expliquer par les règles classiques de la lutte des classes.

On se tuerait, mais ce serait au nom de Dieu. Ni Marx ni Lénine n'auraient rien à y voir bien qu'on ne manquât pas de les invoquer.

Hamra, ce sont les Champs-Elysées et le faubourg Saint-Honoré de Beyrouth. Boutiques étincelantes aux enseignes les plus prestigieuses de Paris, de Londres, de Rome. Entassement de radios, de télévisions, de chaînes stéréo, de caméras « made in Japan ». Tout se paye au prix « free tax » car déjà la plupart des marchandises entrent en contrebande. Hamra est une provocation à la misère. Mais comme les Libanais on arrive très vite à ne plus s'en soucier.

En quittant l'AFP, installée dans l'immeuble Najar, après être passé par *L'Orient Le Jour,* puis chez Antoine prendre les journaux français qui arrivaient plus vite qu'à Grasse (Alpes-Maritimes), j'allais m'installer à la terrasse d'un café. Je le choisissais au hasard et je restais de longs moments à regarder passer la foule bigarrée où le Kurde en haillons et babouches, dont le pantalon tombait presque sur les chausses, la Palestinienne à la robe brodée, côtoyaient l'élégante qui sortait de chez Lanvin ou Saint-Laurent. Le play-boy, la chemise largement ouverte sur un torse poilu et bronzé, bousculait l'activiste palestinien qui, l'air sombre et mystérieux, semblait transporter une bombe pour faire sauter le local d'un mouvement rival.

Un Libanais n'aurait jamais agi avec ma désinvolture. A Hamra, on se situait politiquement, socialement, confessionnellement par le choix de son café. On y avait ses habitudes ; on y donnait ses rendez-vous. Si l'on était au courant de la géographie des bistrots, il était facile de situer son interlocuteur : phalangiste ou partisan de Frangié, de Joumblatt, de Chamoun. Et quel était le secteur où

---

(1) Pierre Vallaud, *Le Liban au bout du fusil,* éd. Hachette.

s'exerçait son activité : le Golfe, l'Afrique, l'Amérique, l'Europe, l'Arabie Saoudite...

Etonnant comme les conversations avec les Libanais pouvaient être futiles, en cette avant-guerre, avec quel art ils s'appliquaient à éviter tous les propos qui risquaient de troubler leur quiétude, les obligeraient à regarder en face les nuées d'orage qui montaient à l'horizon : Israël, la rivalité russo-américaine, les Palestiniens. On se battait pourtant sur leurs frontières et dans leur ciel.

Pendant la guerre du Kippour, de la vallée de la Bekaa, au pied du mont Hermon, j'assistais à des affrontements entre fusées SAM syriennes, Mirages et Phantoms israéliens qui allaient bouleverser les techniques de la guerre moderne. Les fusées l'emportaient souvent sur l'homme. Pendant trois jours, le Liban se sentit arabe, tant qu'on espéra dans la victoire des « frères » syriens et égyptiens.

Le quatrième on s'inquiéta. Le seul aérodrome encore ouvert dans cette partie du monde était celui de Khaldé, à Beyrouth, les seules raffineries qui fonctionnaient celles de Tripoli et de Saïda, que les Israéliens pouvaient détruire à leur guise.

Avec un soulagement coupable, on assista chez les chrétiens au retournement de la fortune des armes. Israël était une nouvelle fois vainqueur, mais de justesse. Arabe, on pouvait en être fier, chrétien, se sentir rassuré. L'existence sur les frontières du Liban d'un état « confessionnel » puissant et non musulman comme Israël paraissait une garantie de paix et d'équilibre. Le Liban a toujours eu de la chance, me disait-on. La Syrie est en partie détruite, l'Egypte est guérie de Nasser ; Israël s'est fait rabattre le caquet, mais reste assez fort pour mater les Palestiniens et leur donner de quoi s'occuper. De beaux jours nous attendent.

Beyrouth, vous dira-t-on, n'est pas le Liban, seulement un décor, une vitrine. Le véritable Liban vous le trouverez ailleurs, à Saïda, à Tyr, dans la Bekaa pour les sunnites et les chiites, dans le Chouf pour les Druzes, dans le Kesrouan et le mont Liban pour les chrétiens. C'est vrai et c'est faux.

Beyrouth est la capitale tentaculaire d'un tout petit pays, pas plus grand que deux départements français mais où tout se fait et se défait, c'est Nice, sa portion de Côte d'Azur et d'Alpes de Provence, c'est Monaco, qui aurait annexé Valberg et Andon.

Le passé du Liban est inscrit parmi les ruines blondes de Tyr, de Baalbeck, et à Byblos, la petite cité vieille de sept mille ans qui se veut la plus ancienne du monde.

Nous étions dans un restaurant à « mezzés » sur le port de Byblos aux proportions minuscules où n'entraient que quelques barques de pêcheurs. On nous avait servi avec l'arak, des kébbé, du taboulé, du bourghoul et de la chawarma, fines bandelettes de mouton grillé, pendant que cuisaient loups, pageots et rougets.

La mer, enchâssée dans les remparts ocres, était de saphir. Au loin une voile passait, une voile latine comme au temps des Croisés, comme au temps de Raymond de Saint-Gilles qui avait construit murailles, sur d'autres plus anciennes, qui existaient déjà quand les lourdes barques des pharaons venaient se fournir en bois précieux, résines et aromates pour embaumer les momies.

Je ne sais qui récita ces vers de Georges Chéhadé.

*Le Temps est innocent des choses...*

*Tout passe comme si j'étais l'oiseau immobile...*

Ce cher Georges, je l'avais quitté la veille, elfe gai et sautillant, silhouette presque transparente, penché sur la table du « Black-Jack » au casino du Liban. Les cartes, ses chères ennemies, en quelques passes, venaient de lui coûter ses droits d'auteur d'une année. Il accordait au jeu une valeur mystique ; il croyait à tous les clins d'œil que fait le destin aux flambeurs.

Me prenant par le bras, il me conduisit sur la terrasse loin du cliquetis des roulettes et du bruissement des jetons sur les palettes des croupiers et il me montra le paysage qu'éclairait la lune, le ciel de velours noir piqué d'étoiles.

L'air était tiède. Odeur de jasmin, de sel et de goudron. Dans une longue robe blanche que la brise lui plaquait au corps en un savant drapé, une jeune femme se tenait immobile comme une « Coré » grecque !

— On va nous voler tout cela, me dit-il.

J'attribuai son pessimisme à la culotte qu'il venait de prendre. Il était prophète et les dieux l'habitaient.

Plus tard, j'appris que pendant les combats, il avait refusé de quitter Beyrouth, bien qu'il fût malade. Entre deux fusillades, assis sur un pan de mur, au milieu des plâtras, il inventait pour les jeunes chrétiens qui montaient la garde de merveilleuses histoires, qu'il oubliait bien sûr d'écrire. Il les avait inventées pour eux ; elles leur appartenaient. Il n'allait pas leur reprendre pour les vendre à des étrangers, en les publiant.

J'imaginais la réplique de son compère, l'antiquaire Afsar, le Sancho Pança de ce sautillant Don Quichotte.

— Tu dis ça, Georges, parce que tu es trop paresseux pour te mettre au travail.

Le fameux miracle libanais dont on m'avait tant rebattu les oreilles n'était qu'une illusion. Le pacte confessionnel ne jouait plus, depuis que les musulmans de gré ou de force étaient entrés dans la mouvance palestinienne.

Trop d'armes traînaient dans ce pays et les armes, j'en ai fait l'expérience, on s'en sert toujours. Les mieux armés étaient les plus misérables, ces Palestiniens entassés dans les camps. Ils estimaient qu'ils ne pourraient reconquérir la Palestine qu'en débarrassant le monde arabe de ses régimes corrompus. Ils voulaient transformer le Liban en une base solide, inexpugnable, à partir de laquelle ils pourraient propager leur révolution dans tout le Moyen-Orient et même en Occident, car la modestie n'a jamais été leur fort. L'armée libanaise et ses services de renseignements aux façons expéditives auraient pu s'opposer à leurs plans. Ils avaient été démantelés par les chrétiens eux-mêmes dont ils étaient le plus solide rempart, par ces apprentis sorciers : le président Frangié et ses alliés habituels Chamoun et Gemayel.

Les Palestiniens avaient échoué en Jordanie à cause du roi Hussein, de sa détermination, à cause surtout de la solidité de son armée. Au Liban, Arafat et les siens n'avaient plus rien en face d'eux, aucun homme politique d'envergure, aucun soldat véritable.

Tony Frangié, le fils du président de la République, un soir m'avait proposé de l'accompagner pour assister à l'entraînement de ses milices, dans la montagne, du côté d'Ehden. Il venait, dit-il, de recevoir un nouveau modèle de bazooka, un engin extraordinaire qui perçait tous les blindages et que les Palestiniens eux-mêmes n'avaient pas encore dans leurs arsenaux.

Je m'inquiétai de savoir comment il se l'était procuré. Il fit un geste de la main. Quelle importance ?

J'insistai :

— Vous croyez donc à la guerre ?

— Mais non, fit-il étonné. Il faut avoir des armes ; c'est tout. Nous autres maronites de Zghorta, depuis les Ottomans, nous avons toujours eu des armes.

Ainsi on se préparait à la guerre civile sans y croire. C'était le Liban.

Tony Frangié était alors l'ami de Bechir Gemayel, autre jeune loup maronite, qui le ferait assassiner.

Quand je revins cinq ans plus tard, le Liban n'existait plus si l'on veut s'en tenir à l'idée habituelle que l'on se fait d'un Etat, d'une nation ou d'un pays. Une armée étrangère l'occupait. Beyrouth, la capitale, était coupée en deux. Les réfugiés palestiniens faisaient la loi dans la moitié sud du pays ; plus bas c'était Israël. Ailleurs, c'étaient des milices se réclamant de différentes confessions religieuses, ou de partis politiques qui n'étaient que des clans féodaux quand ce n'étaient pas des bandes de gangsters. Plus de tribunaux, plus de police, ni de douane, ni de fisc. Partout le règne du racket qui faisait regretter aux Libanais, pourtant mauvais contribuables, les temps heureux des percepteurs. Un embryon de force nationale s'efforçait de renaître de ses cendres, mais on hésitait encore à armer les soldats de peur qu'ils ne s'entre-tuent comme ils venaient de le faire pendant trois ans. Miracle, la monnaie libanaise, la livre, avait conservé son pouvoir d'achat. Si le Liban existait encore, c'était par elle, uniquement. Baal, dieu de l'or, ne pouvait faire moins.

Je n'ai pas la prétention de décrire ici toutes les péripéties d'une guerre sauvage, cruelle, impitoyable, désordonnée. Je me bornerai à en relater les principaux épisodes pour essayer de comprendre, si cela est possible, à la suite de quelles aberrations criminelles le Liban a cessé d'exister.

Officiellement, elle débuta le 13 avril 1975. Dans les semaines qui avaient précédé, un certain nombre d'incidents avaient dressé les deux communautés l'une contre l'autre. Toujours les Palestiniens y étaient mêlés.

A Kfer Chouba les forces de sécurité avaient ouvert le feu sur des réfugiés chiites du Sud-Liban qui, poussés par des meneurs palestiniens, manifestaient contre l'indifférence du gouvernement. Il est vrai qu'il ne se souciait guère de leur sort. A Saïda, des pêcheurs avaient protesté contre la création d'une société « Protéïne » dont Chamoun était président. Savamment, les Palestiniens avaient monté les pêcheurs crédules, tous musulmans, contre les chrétiens qu'ils accusaient de vouloir s'arroger le monopole de la pêche en haute mer. Les forces de sécurité étaient encore intervenues faisant des blessés et des morts dont Marouf Saad, député nassérien, ennemi personnel de ce même Chamoun, à qui on attribua le meurtre.

Tout le Liban prend parti, les chrétiens pour l'armée, les musulmans et les Palestiniens contre. Déjà le clivage est accompli.

Le 13 avril 1975, il est 10 h 30 du matin à Aïn Remmaneh quartier populaire chrétien de la banlieue sud-est de Beyrouth. Pierre Gemayel, entouré de ses partisans, assiste à la consécration d'une nouvelle église. Une jeep passe, des coups de feu éclatent. On ramasse quatre morts dont deux Phalangistes. Tout le quartier entre en ébullition. On a cru reconnaître dans la jeep des Palestiniens. Les armes sortent des caches, des barrages se dressent. Les sections « kataëb » sont mises en état d'alerte.

Dans l'après-midi, un autobus traverse Aïn Remmaneh. Il ramène au camp de Tell el Zaatar des Palestiniens qui ont participé à un défilé militaire à Sabra. L'autobus reçoit une roquette de plein fouet : 27 morts. Rien que des vieillards, des femmes et des enfants, affirment les Palestiniens ; rien que des hommes armés, jurent les Phalangistes. C'était une embuscade, disent les premiers, une provocation délibérée, selon les autres. L'autobus n'avait qu'à ne pas emprunter ce trajet vu l'état d'excitation dans lequel se trouvait la population chrétienne à la suite de l'attentat du matin. Ce trajet était le plus court, prétendent les Palestiniens.

La guerre civile, si l'on s'en tient à cette date, commença dans la confusion et le mensonge. Ni les auteurs de l'attentat du matin ni le tireur de bazooka du soir ne furent jamais formellement identifiés.

On se bat pendant trois jours entre miliciens phalangistes et feddayins palestiniens. Ces combats furieux et désordonnés font plus de 200 morts. Les partis de gauche, groupés autour du chef druze Kamal Joumblatt, prix Lénine de la paix, réclament la dissolution des Phalanges et apportent leur soutien aux Palestiniens.

Tout le Liban s'embrase de la montagne à la mer, de Tyr à Tripoli. Le 16 avril Mahmoud Riad, président de la Ligue arabe, obtient un cessez-le-feu. Le 15 mai, le président du Conseil, Rachid Sohl, un musulman sunnite, démissionne.

Le 20 mai les combats reprennent. On met en place un gouvernement militaire qui ne tient pas, puis comme d'habitude on fait appel à Rachid Karamé.

Les combats redoublent le 24 juin dans les quartiers périphériques, à la Quarantaine, un vaste terrain vague où se sont entassés les réfugiés de toutes origines et à Achrafieh, le bastion chrétien.

Enlèvements et mutilations, des deux côtés ; viols et déjà des pillages. Ballet des médiateurs. On voit beaucoup un certain Khaddam, ministre des Affaires étrangères de Syrie.

Des musulmans libanais ont rejoint les rangs des Palestiniens. Les chrétiens se retrouvent entre eux, à l'exception des communistes et des membres du PPS, parti d'extrême-droite pro-syrien, qui sont passés dans l'autre camp. Les Arméniens restent sur la réserve. L'histoire leur a appris à être prudents.

« Pendant ces deux mois, les responsables « irresponsables » des deux camps, tout de même effrayés par le bilan du carnage, semblent prêts à tout. La droite musulmane se dit favorable au programme de réformes présenté par la gauche qui, d'une manière assez modérée, demande la laïcité de l'Etat, un programme social pour les jeunes, la réorganisation de l'armée. Frangié est le premier à déclarer soudain que la Constitution n'est pas une vérité révélée, Gemayel s'affirme d'accord pour une laïcisation de l'Etat. Karamé, lui, annonce toute une série de lois sociales. Est-il encore temps de sauver le Liban ?

Les notables semblent encore vouloir le croire. Mais il était trop tard (1). »

Le 26 août, on se bat à Zahlé, dans la Bekaa, habitants de la ville chrétiens contre musulmans des campagnes ; à Tripoli où les partisans musulmans de Rachid Karamé, président du Conseil, s'affrontent avec les chrétiens de Zghorta, fidèles de Frangié, président de la République. Les combats reprennent à Beyrouth où les souks s'effondrent sous les coups de canon. Car les adversaires alignent déjà de l'artillerie lourde et même des 155. D'où sortent-ils ?

Nouvelle mission du Syrien Khaddam qu'accompagne le chef d'état-major de l'armée, le général Chehabi. Nouveau cessez-le-feu, tandis que se poursuivent coups de main et enlèvements.

L'armée, à deux ou trois reprises, s'interpose entre les combattants ; le plus souvent elle ne fait rien. Réduite à 12 000 hommes, elle est commandée par des officiers chrétiens dont les troupes sont druzes ou musulmanes.

Or le leader des Druzes, Kamal Joumblatt, a pris le parti des Palestiniens et les musulmans, souvent contre leur gré, au nom du mythe de la solidarité islamique, n'ont pu que suivre.

Les combats reprennent le 6 octobre, le 25, ils s'étendent à l'ensemble de la ville. C'est la bataille des hôtels et des tours. On se bat dans le Saint-Georges, dans le Phoenicia, le Holiday Inn. On se canarde des tours. Le Saint-Georges est détruit, les autres hôtels ne valent pas mieux. Les Phalangistes doivent évacuer le Saint-Georges et le Phoenicia, mais ils tiennent toujours le Holiday Inn où ils s'accrochent avec un courage qui force l'admiration. Au douzième cessez-le-feu, il y a déjà dix mille morts. Pendant les accalmies ou

---

(1) Thierry Desjardins, *Le Martyre du Liban*, Plon.

les trêves, les tireurs isolés continuent leur besogne. Ils sont en grande partie responsables de la reprise des combats. Qui les paye ?

Novembre verra la fin de la « bataille des tours » et l'arrivée de Mgr Bertoli pour le Vatican, Couve de Murville pour la France qui s'offrent en médiateurs. Il n'en sortira rien.

6 décembre — c'est le « Samedi noir ». Pendant que Pierre Gemayel est reçu à Damas par le président Assad comme un chef d'Etat et que tout semble devoir s'arranger, les Phalangistes découvrent sur une route de montagne les cadavres de quatre de leurs amis égorgés dans leur voiture.

Fous de rage, ils dressent des barrages et abattent tous les musulmans qui se présentent : 200 morts.

Les musulmans réagissent et s'emparent du centre commercial livré au pillage. On en est au quatorzième cessez-le-feu, tandis que les combats s'étendent au reste du pays.

Les Phalangistes se sont grossis des partisans de Chamoun, de Frangié et des déserteurs chrétiens de l'armée. Malgré leur défaite dans la bataille des hôtels et des tours, où ils ont succombé sous le nombre, le 4 janvier 1976 ils attaquent les camps palestiniens de Tell el Zaatar et de Dbayé, véritables réduits fortifiés. L'armée libanaise les aide ouvertement ; l'aviation intervient en leur faveur.

En représailles, Palestiniens et musulmans encerclent Damour, ville chrétienne au sud de Beyrouth, fief de Chamoun, et Zghorta, fief de Frangié.

Le 14, les Phalangistes s'emparent du camp de Dbayé, occupé par des Palestiniens en majorité chrétiens, et le 19 janvier de la Quarantaine, sorte de vaste bidonville où s'entassent 30 000 réfugiés misérables.

Ils nettoient « cette verrue » au bulldozer, rasant et incendiant les gourbis. Un millier de morts dont des femmes et des enfants.

Le 30 janvier, musulmans et Palestiniens entrent à Damour et tuent tout ce qu'ils trouvent, au couteau, à la hache, pillant, violant, incendiant. Encore un millier de morts dont beaucoup de femmes et d'enfants. Six mille personnes pourront être évacuées par mer, de justesse.

Tout devient incohérent. Pillage et vandalisme, enlèvements, banditisme. Les musulmans urinent dans les ciboires des églises et crèvent les yeux aux effigies des saints ; les chrétiens se tiennent mieux et, disent-ils, ne souillent pas les mosquées. Mais leur discipline se relâche et les adversaires en arriveront bientôt à se ressembler. Le 15 mars, les premières troupes syriennes entrent au Liban. On croit trouver une solution en forçant Frangié à démission-ner de la présidence de la République. Il refuse. 20 000 morts ; 25 000 morts ; il s'incline enfin.

Le samedi 8 mai, Elias Sarkis, appuyé par la Syrie, est élu, ce qui ne résout rien. Huit jours plus tard les combats reprennent avec une violence inouïe.

Au printemps 1976, les chrétiens se trouvent en mauvaise posture. Ils ont perdu une partie de Beyrouth, ils n'arrivent pas à venir à bout de Tell el Zaatar, ils sont menacés dans la montagne par les Druzes de Joumblatt auxquels se sont joints les Palestiniens. Les villages chrétiens du Haut Metn sont tombés. Le port de Jounieh par lequel se ravitaillent les Phalanges risque d'être bientôt sous le feu des canons palestiniens dont les unités progressent vers la ligne de crête dominant la côte.

Juin 1976, après avoir essayé en vain d'obtenir de Joumblatt et des progressistes libanais qu'ils se désolidarisent des Palestiniens, Assad déclenche l'intervention massive de son armée aux côtés des chrétiens et il les sauve de la déroute.

Syriens et Palestiniens s'affrontent durement dans la Bekaa. Les chrétiens reprennent courage et le 22 juin se lancent à l'assaut de Tell el Zaatar que les Palestiniens croient imprenable. Le siège durera cinquante-deux jours. Cinq cent morts chez les chrétiens. Les dirigeants phalangistes ne pourront empêcher que la reddition du camp soit suivie d'un pogrom, tant chez les chrétiens la haine du Palestinien est devenue impitoyable.

Le Liban est coupé en deux et l'armée syrienne y prend ses quartiers. Les combats ont mis aux prises d'un côté 3 000 miliciens progressistes libanais et 25 000 Palestiniens, de l'autre 20 000 chrétiens, encadrés par les Phalangistes et des officiers de l'armée.

Le 15 novembre, après une nuit de bombardement des positions palestiniennes, l'armée syrienne, 10 000 fantassins appuyés par 200 chars, occupe Beyrouth. Ayant reçu la bénédiction du sommet du Caire elle s'est déguisée en « casques verts », en « Force arabe de dissuasion ».

Le 16 mars 1977, Kamal Joumblatt est assassiné. Il s'est violemment opposé à l'entrée des Syriens. Il ne fait de doute pour personne, même pour son fils, qu'à Damas fut décidée sa mort. Mais sur place, on accusera les chrétiens du Chouf qui seront pourchassés.

En octobre, Assad punira ses alliés chrétiens qui veulent poursuivre l'offensive et profiter de l'occasion favorable pour en finir avec les Palestiniens.

Des milliers d'obus tombent sur le quartier d'Achrafieh. Les chrétiens apprennent comme les musulmans qu'ils ne sont plus maîtres de leur destin, que c'est à Damas que se décide la politique libanaise.

Le Liban n'est guère plus grand que la Corse : 10 000 km², 100 km en longueur, 70 km dans sa plus grande largeur. Mais il est dix fois plus peuplé, et compte en 1979, à peu près 3 millions d'habitants, dont 2 400 000 Libanais, qui vont et viennent, 400 000 Palestiniens bien décidés à y rester ; 30 000 soldats syriens empêtrés dans ce bourbier et 400 000 « étrangers » originaires de tous les pays arabes. Plus quelques « touristes » très spéciaux, venus d'Allemagne, d'Irlande, du Pays basque, du Japon, d'Italie, de France. Ils y font leur classe en terrorisme dans les camps palestiniens de la périphérie de Beyrouth, capitale de la subversion internationale.

Ce pays fragile, aux fastes d'une autre époque, n'est plus qu'une vaste poubelle où les pays voisins vident leurs déchets, un champ clos où ils règlent leurs querelles, s'alliant et s'entre-tuant selon leur humeur. Tueurs à gages, agents doubles et triples, officines de faux passeports, enlèvements, assassinats, plastic et mitraillettes, rien ne manque. Des quartiers entiers effondrés, le centre rasé. Mais au bord de mer, sur la corniche, à côté des carcasses noircies des grands hôtels, où l'on a joué à fort Chabrol, ont poussé d'autres caravansérails surchargés de dorures avec piscines où tombent des cascades. A côté des bidonvilles misérables où s'entassent les réfugiés du Sud et des camps de Palestiniens où l'on s'entraîne à la guérilla ! Sur les trottoirs, s'empilent les caisses de whisky, les cartons de cigarettes, les chaînes hi-fi, les appareils photo dans les emballages d'origine. Tout est vendu à moitié prix. Dans l'immense marché aux puces qui cache la mer, on peut racheter son mobilier qui a été pillé trois mois plus tôt, depuis les fauteuils Louis-XV jusqu'aux appliques, aux lustres et aux reproductions de Carzou. Ou même, une passerelle d'Air-France. Un ingénieux squatter en a fait son escalier. Pour réclamer son bien, personne ne songe à s'adresser à la police : il n'y en a plus ! A l'est, dans le secteur chrétien de Beyrouth, à Jounieh, tout le long de la côte, hôtels et résidences sont sortis du sol et la moindre parcelle de terrain est hors de prix. La livre libanaise n'a perdu que 30 % de sa valeur comme toutes les monnaies liées au dollar, mais le Liban n'a plus de frontières. En quelques heures, sans avoir montré une seule fois mon passeport, je suis passé du « Protectorat maronite de Beyrouth-Est » à « la République palestinienne progressiste de Beyrouth-Ouest », de « l'Etat palestinien indépendant de Saïda », à « l'enclave israélienne du Sud-Liban ». Après m'être rendu en Israël dans la cité-jardin de Nahariya, je suis revenu par la montagne libanaise. J'étais de retour à temps pour dîner avec Elias Sarkis, président de la République, dont l'autorité s'étendait sur les deux ou trois hectares qui entouraient sa résidence de Baabda.

J'avais quitté Beyrouth à l'aube dans une jeep blanche de la FINUL « Force intérimaire des Nations Unies au Liban », les Casques bleus. Nous étions escortés d'une deuxième jeep armée d'une mitrailleuse, bande engagée, pare-brise baissé.

— C'est plus commode pour le tir, m'expliqua le lieutenant français qui commandait notre détachement. Chaque fois qu'un véhicule isolé se risque dans une zone tenue par les Palestiniens, il se fait cravater et nos hommes reviennent en slip. Arrêtés à un barrage, ils sont englués par une bande de zèbres qui sortent de partout. Manquant de recul, ils ne peuvent utiliser leurs armes, et le tour est joué. Tandis qu'avec deux véhicules, l'un couvrant l'autre de son feu, les zèbres en question ne bougent pas. Pas question, bien sûr, de retrouver le véhicule et les armes qui ont été fauchés.

« On se plaint au responsable de l'OLP. Il jure que ses bonshommes n'y sont pour rien. Ce sont des " incontrôlés " qui ont fait le coup. Tu parles ! Pendant qu'on discute, dans le hangar voisin, ils repeignent la jeep et changent les numéros. Ensuite les Israéliens nous accusent d'être les complices des terroristes et de leur refiler de l'armement. »

Et avec un accent de l'Est qui sentait les sapins des Vosges :

— Le Liban, monsieur, c'est la jungle, le Far-West. Faut s'y habituer, être toujours prêt à sortir son pétard, comme dans un saloon.

Sur le siège arrière de notre véhicule, un petit parachutiste qui s'est fait une spécialité. Il peut identifier les bandes armées et les troupes régulières qui tiennent les barrages sur les 115 kilomètres qui séparent Beyrouth d'Israël.

Il annonce :

— Ceux-là sont des Syriens, les Casques verts de la Force de frappe arabe. Ça se voit tout de suite parce qu'ils roupillent à moitié dans leur guérite. Tout juste qu'ils arrivent à lever le pouce pour nous faire le signe de passer. Ils se demandent ce qu'ils foutent là. Comme nous.

Damour : jadis gros village chrétien, dont les habitants furent massacrés et les survivants évacués par bateaux. Des myriades d'enfants sortent des ruines, suivis de femmes en robes aux couleurs vives. Elles sont kurdes chassées de Turquie ou d'Irak, palestiniennes d'un camp voisin.

Des guérilleros barbus à l'air farouche, en pataugas, jeans et tricots de corps sales, kalachnikovs menaçantes et bazookas, sont abrités derrière des fûts d'essence remplis de sable.

— Tiens des nouveaux, s'étonne notre spécialiste. Ce n'est pas le Fatah, ni l'armée du Liban arabe, qui se trouvait là avant-hier ; peut-être le Front progressiste.

Nous traverserons les barrages des Saoudiens, des Koweitis, des Forces spéciales syriennes, des communistes et des membres du Parti populaire syrien, qui est libanais, comme son nom ne l'indique guère.

Enfin des Morabitouns, à l'origine des bandes de souteneurs, de tueurs à gages, de miséreux auxquels on trouva une vocation politique. Et un prophète, Nasser, dont ils sont les derniers fidèles dans le monde arabe.

A l'entrée de la ville de Saïda, un dernier poste de l'armée syrienne. A la suite d'un accord passé avec les Israéliens, par le truchement de l'Amérique, les Syriens ne vont pas plus loin.

Saïda, à 30 kilomètres de Beyrouth, est une ville bouillonnante, colorée, typiquement arabe, qui sent les épices et le mouton grillé. Braillements des haut-parleurs qui débitent une musique de danseuse du ventre. Mosquée blanche, taxis qui débordent de couffins, de matelas ; concerts de klaxons, marchands de pistaches et de sucreries au miel. Etals de bouchers couverts de mouches. On égorge un mouton au milieu de la chaussée.

Et les gosses sont encore plus nombreux que les mouches ! A douze ans, ils brandissent des fusils et des mitraillettes qu'ils posent contre l'étal du marchand de glaces où ils achètent un sorbet. Le chargeur est engagé ; souvent le cran de sûreté n'est pas mis. Les accidents sont fréquents ; parfois ils dégénèrent en bagarres.

Saïda n'est plus une ville libanaise, mais palestinienne, où l'on tolère les Libanais à condition qu'ils soient musulmans, et chrétiens à la rigueur s'ils sont progressistes. Le centre administratif n'est plus la mairie mais, au fond d'une cour, un grand bâtiment à trois étages qui abrite le commandement militaire du secteur, qui est Fatah. On y traite de tous les problèmes que pose une ville de 70 000 habitants dont la moitié sont des réfugiés, de la police, de la voirie, du ravitaillement, des taxes. Ça fonctionne vaille que vaille.

Quelques kilomètres après Saïda, à l'embouchure de la rivière Zaharani, de grands tankers blancs, des torchères qui brûlent : la raffinerie où aboutit le pipe-line de la CAP qui, à travers la Syrie, amène le pétrole d'Arabie Saoudite. Maîtres incontestés du ciel, les Israéliens pourraient la réduire en flammes. Ils n'en font rien. Encore un accord tacite ! La route, jusqu'alors encombrée par toutes sortes de véhicules, se vide. Certains tronçons sont creusés de nids de poules et d'autres de trous d'obus. Nous traversons des villages aux maisons écroulées, éventrées, des ruines noircies. Plus un seul bâtiment intact. Mais de merveilleuses orangeraies, aux feuillages sombres entre lesquels brille la mer. Les orangers ne semblent pas avoir trop souffert. Les arbres, à la différence de ce que construisent les hommes, se guérissent eux-mêmes de leurs blessures. Dans les champs de tabac les taches claires des femmes qui travaillent.

La vie continue au ralenti. Pourtant les terrains, là encore, ont décuplé de valeur. Ce sont les Palestiniens qui les achètent car ils ne sont pas tous misérables. Beaucoup se sont enrichis en travaillant sur les champs de pétrole du Golfe ou en faisant de la politique, du terrorisme, émargeant à toute sorte de caisses.

A Tyr, fondée en 2750 ans av. J.-C., les Phantoms marqués de l'Etoile de David n'ont presque rien laissé de ce que construisirent les Phéniciens, les Romains, puis les Croisés. La moitié des édifices du port se sont écroulés. Le dernier bombardement date... de la veille. Les habitants, qui avaient fui, sont revenus fouiller dans les ruines. Un Libanais chrétien à la voix douce et craintive se plaint à moi. Comme si j'y pouvais quelque chose ! Incurable optimiste, comme les gens de sa race et de sa religion, croyant à la paix prochaine après les accords israélo-égyptiens de Camp David et à un renouveau du tourisme, il avait reconstruit son magasin-hôtel. Il me montre un tas de gravats :

— Hier, des vedettes israéliennes sont venues, me dit-il. Voilà ce qu'il en reste !

Trois petits cargos ont été coulés dans le port. Je les désigne du doigt :

— Encore les Israéliens !

Il proteste. Non, les bateaux venaient de Libye avec des armes pour les gens du FPLP (les partisans de Georges Habache, aile dure et prosoviétique des Palestiniens). Les Israéliens les ont laissés passer, estimant que plus les Palestiniens s'entre-tueraient, mieux cela vaudrait pour Israël. Une tactique où ils sont passés maîtres.

Les Fatah de Yasser Arafat furent prévenus de l'arrivée des armes. Quand les cargos libyens sont entrés dans le port, ils étaient sur place, canons et mitrailleuses braqués. Ils ont coulé les bateaux.

L'Irgoun de Begin et la Haganah de Ben Gourion avaient jadis connu les mêmes démêlés.

L'*Altalena*, un cargo de 5 000 tonnes affrété par l'Irgoun pour transporter à partir d'un port français une cargaison d'armes et d'explosifs et 900 volontaires, fut échoué sur une plage à Tel-Aviv. La Haganah ouvre le feu et le coule. Quarante morts. Begin restera le dernier à bord, et s'enfuiera de justesse. Il traitera Ben Gourion de lâche, d'imbécile et de dictateur. Mais l'Irgoun sera dissous.

L'histoire de la résistance palestinienne ressemble sur bien des points à celle des Juifs. Arafat, c'est Ben Gourion ; il rêve de devenir le chef de gouvernement d'un Etat qui n'existe pas seulement sur le papier. Georges Habache, c'est Begin. Il est aussi intransigeant que lui dans ses propos. Mais c'est Begin au pouvoir qui traite avec l'Egypte et lui rend le Sinaï.

Que sont devenues les armes ?

— J'en sais rien, me dit mon Libanais. Je me suis enfermé chez moi. Il n'est pas bon de se mêler des affaires des Palestiniens, comme de celles des contrebandiers qui débarquent toutes sortes de marchandises sur la côte. Vous croyez que les touristes reviendront ?

Aucune vedette israélienne à l'horizon ; aucun avion dans le ciel. Profitant de cette accalmie, j'ai pu visiter les ruines de Tyr. Les Palestiniens les occupaient. Ils nous en firent les honneurs, nous demandant seulement de ne pas photographier les pièces d'artillerie dissimulées derrière les gradins de l'hippodrome et les colonnades de la Voie triomphale. Officiellement ils s'étaient retirés de la ville et avaient publié toute sorte de communiqués à ce sujet, pieusement repris par la presse internationale. Grand seigneur, le chef palestinien nous invita à choisir un souvenir. Les parachutistes firent provision de crânes qui dataient de l'époque romaine ou phénicienne. J'ai cueilli une fleur de térébinthe, qui poussait près d'une admirable mosaïque byzantine. Ma dernière visite datait de cinq ans et mon guide était alors l'émir Chehab qui récitait des vers en latin devant les sarcophages. Le lieutenant français s'inquiéta :

— Faudrait dégager en vitesse. C'est l'heure où les artilleurs des milices chrétiennes du colonel Haddad arrosent la ville avec des obus de 155. Ça fait du dégât ; vous n'avez qu'à voir. Ce sont des officiers israéliens qui règlent le tir — et il est précis ! Ils savent tout ce qui se passe et que les Palestiniens n'ont pas bougé d'ici.

Sur le port, j'ai retrouvé mon petit Libanais. Il m'a pris par le bras pour me tirer à l'écart et m'a chuchoté à l'oreille, comme s'il s'agissait d'un secret d'État :

— Savez-vous que Moshé Dayan est venu lui-même dans les ruines pour voler une statue d'or qui se trouvait dans un sarcophage ? Tout le monde cherchait cette statue mais lui seul savait où elle était enfouie...

Dernier barrage palestinien. Blockhaus, sacs de sable, mitrailleuse lourde à double canon. Nous entrons dans la zone de guerre. Traversée du Litani, le Chihor-Librat de l'Ancien Testament, une belle rivière aux eaux vertes, au cours lent, dans laquelle certains Israéliens voient la frontière historique et politique de l'Etat hébreu.

Sur un ksar blanc flotte le drapeau bleu pâle des Nations Unies. Une sorte de hippie, un garçon blond, torse nu, aux cheveux qui lui tombent sur les épaules, monte la garde sur un mirador. Un peu plus loin, une automitrailleuse peinte en blanc comme un camion de laitier. Le détachement hollandais s'installe.

Quelques centaines de mètres encore et voici le premier barrage des milices chrétiennes du colonel Haddad. Officiellement « Armée de défense du Sud-Liban », elle comprend une majorité de chiites musulmans qui en ont eu assez des exactions, des réquisitions, de la propagande des Palestiniens. Ici, comme en Jordanie, ils ont fait preuve d'une infinie maladresse, jouant les purs, mais raflant les poulets, inventant des taxes et courant les filles. Les Israéliens aident, soutiennent, arment, ravitaillent, conseillent et encadrent les miliciens d'Haddad.

— Le colonel Haddad est un patriote, m'avait dit Pierre Gemayel, le chef des Phalanges chrétiennes. Il est de Merjayoun ; ses parents ont été égorgés. Il a voulu défendre les siens et se venger. Ne pouvant combattre seul, il s'est allié à ceux qui s'offraient à l'aider : les Israéliens. Que pouvait-il faire d'autre ?

— Un traître, m'avait dit le général Victor Khoury, ministre de la Défense, qui s'efforçait de recréer une armée libanaise. En s'alliant avec Israël, lui, officier libanais, il compromet toute notre œuvre de réconciliation nationale.

Torses nus, sous un auvent, armés de fusils d'assaut israéliens et de mitraillettes Houzi, cheveux longs eux aussi, mais bruns, les miliciens de Haddad jouent aux cartes. L'un d'eux se lève de mauvaise grâce, inspecte les jeeps, hausse les épaules et nous fait signe de poursuivre.

— Ils ne nous aiment pas, m'apprend le lieutenant, et ils cherchent toutes les occasions de nous créer des emmerdes. Le colonel vous expliquera mieux que moi.

Nakoura : le long de la route une série de bâtiments préfabriqués, d'autres à moitié montés, que domine, perché dans la montagne, un village libanais aux mains de Haddad et d'Israël. Rougeaud, les cheveux carotte, en short et sandales de cuir, l'allure d'un kibboutznik, un contremaître israélien dirige une équipe de Libanais et de Palestiniens qui s'emploient à des travaux de terrassement. Faut bien vivre !

— Vous me demandez, me dit d'emblée le colonel, ce que je fais ici avec mes 600 parachutistes français, oubliés du monde, oubliés de Dieu, coincés entre les Israéliens, les miliciens du colonel Haddad et les Palestiniens. Tous préféreraient régler leurs comptes ou s'arranger entre eux mais sans nous. Quels qu'ils soient, ils s'ingénient à nous rendre la vie impossible. Les Israéliens, ça se comprend encore. Par notre présence, nous les empêchons de créer cet État tampon israélo-chrétien qu'ils projettent. Il aurait Tyr pour capitale et borderait la rivière Litani. Regardez où nous sommes installés : une bande de terre au bord de la mer, dominée de tous côtés. Les miliciens de Haddad et les Israéliens pourraient nous passer sur le ventre. Mais ils ne le font pas. Ils ont peur des complications internationales et préfèrent nous rendre la vie impossible pour nous obliger à plier bagage. Ça leur est facile ! Nous dépendons entièrement d'eux pour notre logistique, notre ravitaillement, notre essence. Au Sud-Liban, il n'y a plus rien. Les Palestiniens, qui auraient tout intérêt à ce que nous restions sur place, nous tirent dessus. Ils nous tendent des embuscades, ils fauchent nos armes. Ils ont même acheté un colonel nigérien qui transportait dans sa voiture du plastic, en Israël. Et cet imbécile s'est fait piquer ! Il aimait trop les filles et le cognac ; ça coûtait cher.

« Tout le monde se flingue par-dessus notre tête, mais souvent nous recevons les coups. Il y a longtemps que j'ai cessé de comprendre pour me limiter à mon seul travail. Pas facile d'assurer la subsistance de gens aussi différents que les Fidjiens et les Norvégiens.

Claquements de pales d'un hélicoptère. Le commandant en chef des Casques bleus, le général Errskin arrive. Il est ghanéen. Tous ses amis, ceux de son clan et de son parti, les colonels, les généraux au pouvoir viennent d'être fusillés par leurs subordonnés. Lui-même doit la vie sauve à son absence du pays. Sa situation est encore plus impossible que celle des Casques bleus qu'il commande. Désavoué par le Ghana, que vaut-il ?

— Il présente bien, me glisse un mauvais drôle. De la gueule, de la prestance. S'il retourne chez lui on le descendra. Quand il aura fini son temps, on pourrait toujours le prendre comme serveur au mess !

Quelle étrange communauté que ces « Onusiens » perdus sur ce bout de côte aux rochers déchiquetés. Des officiers fidjiens jouent de la guitare et apprennent la belote. Les Sénégalais, par solidarité musulmane et par flemme, ferment les yeux sur les allées et venues des Palestiniens. Les Hollandais pro-israéliens à leur arrivée changeraient d'opinion. Les Norvégiens reçoivent de belles visiteuses en stage dans les camps de Beyrouth qui leur prêchent la révolution palestinienne. Les Irlandais boivent, vont à la messe, jouent au football et se cognent dessus quand ils sont ivres... Les Français sont leurs bonnes à tout faire.

J'ai demandé à voir le colonel Haddad, que l'on m'avait dit installé à Merjayoun. Impossible. Il était à Metala, en Israël, et il ne donnait ses interviews que de l'autre côté de la frontière. L'intérêt était minime. Je ne pourrais jamais rester en tête à tête avec lui : il était toujours accompagné de « Raspoutine », un énorme Israélien barbu, truculent, à l'accent russe prononcé, porté sur les filles et la vodka, malin comme un singe, qui était son conseiller politique et militaire. Il ne le quittait pas d'une semelle « même quand il allait pisser ». Les couplets qu'il pourrait me réciter, je les trouverais dans le *Jerusalem Post*.

J'ai renoncé à Haddad. Après le déjeuner, j'allai prendre mon café en Israël, à Nahariya. Plus de frontière entre Israël et l'Etat chrétien du Sud-Liban. Les gardes qui tiennent le poste israélien ne sont là que pour ennuyer les pauvres Casques bleus dont chaque camion, chaque véhicule, pendant des heures, est inspecté, démonté, mis sur cales. Ils payent la criminelle imbécillité du colonel nigérien que les Israéliens ont su exploiter au mieux de leurs intérêts et de leur propagande. De la main on me fait signe de passer et je me retrouve dans un autre monde, celui des riches kibboutzim, des routes bien goudronnées, des coquettes maisons enfouies dans la verdure. Des bandes de garçons et de filles, sac au dos, éclatant de santé, « apprennent Israël avec leurs pieds ». A Nahariya, de grandes allées ombragées de tamariniers, des squares, des fontaines, des super-marchés, des cinémas ; l'abondance et la paix à côté de la misère pathétique du Sud-Liban, de ses tueries et de ses drames. Une paix précaire cependant. Un commando palestinien venu de la mer s'y est livré à un abominable massacre de femmes et d'enfants. Le Sud-Liban a payé comme d'habitude.

Je n'ai pas vu, en Israël, un seul canon, un seul char, un seul soldat. Mais sur les crêtes toute une armée, soigneusement camouflée, était prête à intervenir.

Je suis revenu par la montagne libanaise qui n'était à personne le jour, mais où l'on se battait toutes les nuits. J'ai rendu visite à une compagnie du génie qui, en creusant des tranchées, avait mis au jour une dizaine de tombes phéniciennes en parfait état. On y collection-nait les poteries anciennes et les projectiles de tous genres, de toutes provenances, russes, américains, chinois. Je n'ai pu pousser jusqu'au château de Beaufort, qui appartint à Foulques d'Anjou, roi de Jérusalem, et qui domine de son donjon toute la région. Les Palestiniens y ont installé un observatoire ; les Casques bleus un poste d'écoute. Avec ses canons à longue portée, Israël le bombarde jour et nuit. Mais j'ai visité Tibni, autre château des Francs que convoitent le colonel Haddad et son ami Raspoutine et qui leur permettrait de contrôler Tyr. Des bandes d'enfants blonds, aux yeux clairs nous accompagnent. Des descendants des Croisés ou des Palestiniens ? Mais les Palestiniens eux-mêmes, qui sont-ils ? (1).

Saïda à nouveau que parcourent des voitures braillant des slogans révolutionnaires, Beyrouth... et le palais de Baabda, à 5 kilomètres à l'est de la ville, à la frontière des zones musulmane et chrétienne, où réside le président libanais Elias Sarkis.

J'aurais pu me rendre en Syrie, comme en Israël, sans me soucier des frontières, soit en passant au nord par Tripoli, ou à l'est par Baalbeck. La région de l'Akkar et la riche plaine de la Bekaa ont

---

(1) Selon Alem *Juifs et Arabes, 3 000 ans d'histoire*, Ed. Grasset, les Palestiniens seraient un mélange de races, mais où l'élément hébreu serait plus important que chez les Juifs.

été pratiquement annexées par le grand frère de Damas. Sans même qu'il se souciât, comme les Israéliens, d'utiliser en guise de paravent un homme ou un parti.

Le président Elias Sarkis, cinquante ans, les cheveux gris, a une belle tête légèrement empâtée de sénateur romain.

— Je gouverne un pays qui n'existe pas, me dit-il en ouvrant ses mains en signe d'impuissance. Le Liban a éclaté en quantité de fiefs, que contrôlent des féodaux, des chefs de parti et même de simples gangsters. Ils ont leurs bandes, leurs milices, certains disposent de véritables armées privées, équipées de chars et d'artillerie. Je suis le plus faible. Moi, je n'ai rien. J'en suis à me créer une police et une armée. Je représente la légalité. Qu'est-ce que ça vaut, en pleine guerre civile ? Je m'efforce de rétablir un semblant d'État, mais je suis comme Pénélope, ce que je tisse péniblement, humblement le jour, la nuit tous s'entendent pour le défaire.

Elias Sarkis est le sixième président de la République libanaise, le premier étant Bechara el Khoury, fondateur de l'État, l'avant-dernier Sleimane Frangié qui l'a détruit.

Elias Sarkis est né en 1924 à Chebanyeh dans le mont Liban d'une famille modeste de petits notables maronites. Il sera le premier président à ne pas appartenir à ce qu'il est convenu d'appeler « les grandes familles ». Il fait ses études chez les Frères des Écoles chrétiennes à Beyrouth, mais il doit les interrompre pour gagner sa vie. Il entrera aux Chemins de fer ; il suivra les cours du soir, passera sa licence en droit et réussira en 1953 le concours de la magistrature. Il siège à la Cour des Comptes. On y cultive le sens de l'État et l'amour de l'ordre. Il est discret, il a des goûts modestes et aucune ambition politique. Elles ne lui viendront que plus tard.

Se penchant sur les comptes de l'armée, il y découvre des irrégularités. Et c'est ainsi qu'il se heurte au maître tout-puissant de cette armée le général Fouad Chehab.

Un étonnant personnage que ce descendant des grands émirs libanais. D'origine sunnite, les émirs Chehab se sont faits druzes puis chrétiens. Le plus célèbre représentant de la famille est Bachir le Grand, le premier à s'être proclamé chrétien et qui se heurtera au pacha ottoman Djazzar, le Boucher. Véritable fondateur du Liban, il construira le merveilleux château de Beitedine où l'on trouve côte à côte une mosquée pour les musulmans, un temple pour les Druzes, une église pour les chrétiens. Mais il finira mal, trahira les uns, assassinera les autres et ne sera baptisé « le Grand » qu'après sa mort en exil à quatre-vingt-sept ans.

Le général Fouad Chehab, quand est proclamée l'indépendance, devient le premier chef de l'armée libanaise, faisant d'elle le garant de l'indépendance du pays. Il la tient soigneusement à l'écart des luttes de clans et de personnes.

En 1958, Chehab n'acceptera la charge de président de la République que pour mettre fin à la guerre civile qui oppose partisans et adversaires du président sortant mais qui veut rester en place, l'éternel Camille Chamoun.

Il dira : « Ce n'est pas moi que les Libanais ont élu. Je ne représente que l'impossibilité où ils se trouvent d'en élire un autre... » Il déteste ceux dont le métier est de faire de la politique pour amasser de l'argent. Après une tentative de coup d'Etat du Parti populaire syrien, il ne s'entoure plus que de militaires, ses officiers du 2$^e$ Bureau, qui gouverneront sous son contrôle, et de quelques rares fonctionnaires civils comme Elias Sarkis. Il s'est souvenu du petit juge qui s'était vaillamment opposé à lui, au nom des principes. Il en fait son directeur de cabinet et le charge des réformes qui devraient transformer le Liban en un pays où tous pourraient vivre en paix, dans une certaine aisance. Mais que de démons à exorciser ! Bon chrétien et même dévot, le général Chehab a oublié qu'il existait d'autres dieux au Liban que le sien.

Chehab, bien qu'on l'en supplie, refuse d'assumer une deuxième présidence. Charles Hélou lui succède et conserve Sarkis comme directeur de la présidence de la République. En 1967, il en fait le gouverneur de la Banque Centrale, quand après le krach de l'Intra Bank, il faut remettre sur pied l'économie libanaise et rassurer les investisseurs étrangers. Sarkis réussit parfaitement.

A la fin du mandat de Charles Hélou, les « Chehabistes » le présentent comme candidat. Il sera battu d'une voix par Sleimane Frangié, seigneur de Zghorta, ce qu'il y avait de pire dans le personnel politique libanais.

Les politiciens libanais, friands de subtiles magouilles, avides de prébendes, à l'aise dans le désordre et la confusion, préférèrent un « capo mafioso » au disciple intègre du « grand Chehab ». Le général Chehab avait pourtant sauvé le Liban de la guerre civile à deux reprises en 1951 et 1958. Mais ils redoutaient que Sarkis continue l'œuvre de son maître en s'appuyant comme lui sur des officiers et des fonctionnaires, sans se soucier de leurs appartenances religieuses ou politiques, afin de transformer le système féodal libanais en un État moderne. Ils redoutaient surtout la puissante émanation de l'armée libanaise, le 2$^e$ Bureau, au courant de toutes les juteuses combines dont vivait la classe politique et qui la tenait ainsi à la gorge. Frangié à peine élu liquida le 2$^e$ Bureau, et cassa l'armée pour le plus grand malheur du Liban.

Mais Sarkis resta gouverneur de la Banque Centrale. Le général Chehab meurt en 1973 ; Sarkis devient son héritier politique. On ne parle guère de lui pendant les premiers mois de la guerre civile.

Le Liban est à feu et à sang, on compte déjà plus de 20 000 morts. Il faut absolument se débarrasser de Frangié qui s'accroche. Elias Sarkis est élu président le 8 mai 1976.

Cette élection relève de la farce tragique et non plus de la comédie politique libanaise. On est trop pressé par les événements pour y mettre les formes. Tous les vices du système s'étalent au grand jour. Les grands principes, Allah, le Christ sont grossièrement bafoués tandis que Baal, hilare, se frappe sur le ventre dans l'éclatement des mortiers lourds qui tombent autour du Parlement.

Au départ, 10 candidats en lice et 69 députés présents. Certains ont été amenés par la peau du cou ; d'autres sont entourés de leurs gardes du corps armés. Ces gorilles sont souvent des agents du 2ᵉ Bureau syrien le Mokhabarat ou des membres de la Saïka, organisation palestinienne inféodée à Damas. Ils sont chargés de rappeler aux honorables parlementaires dont ils assurent la protection où doivent aller leurs votes.

Très rapidement le duel se circonscrit entre les deux seuls candidats sérieux : Raymond Eddé et Elias Sarkis, tous deux maronites.

Raymond Eddé est président du Bloc national, un parti dont il a hérité de son père qui fut président de la République au temps du mandat français. A ce parti, il manque l'essentiel : une clientèle qui suit son suzerain dans toutes ses volte-face et une milice armée. Eddé appartient à une grande famille libanaise francophile. Avocat brillant, député, deux fois ministre, sa désinvolture, son occidentalisme qui n'est pas seulement un masque, l'ont empêché de faire la carrière qu'il méritait. Une de ses amies, elle-même député, mais en rupture de Parlement, me disait de lui :

— Raymond Eddé est impossible. Il est incapable de résister au désir de faire un mot même s'il doit lui coûter la présidence de la République... ou la vie.

On lui reconnaît toutes les qualités mais on évite de les employer car il passe, comme Mendès France pour ne pas avoir de chance. Disons plutôt qu'il gêne. Il rêve d'un Liban où Baal ne règnerait plus, où l'on respecterait la loi et la constitution. Mendès aussi rêvait d'une certaine France. Heureusement Eddé est moins triste. Il a le pessimisme joyeux.

Si l'histoire lui donne souvent raison, dans l'instant, et c'est ce qui compte pour les Libanais, qui toujours jouent à court terme et à découvert, il met presque à plaisir « les pieds à côté de la plaque ».

Raymond Eddé qui passait pour un libéral de droite, un nationaliste intransigeant, qui avait lutté contre l'implantation militaire palestinienne et refusé — il fut bien le seul — les accords du Caire qui la légalisaient, était cette fois appuyé par les voix de la gauche, par Kamal Joumblatt et les Palestiniens. Il s'était élevé violemment contre ce qu'il appelait « le mandat syrien », rejoignant sur ce point les partisans d'Arafat qui voulaient continuer à en faire à leur tête au Liban et Kamal Joumblatt qui était un patriote à sa façon. Il était prêt à mettre le pays à feu et à sang pour réaliser sa secrète ambition : devenir le premier président druze de la République libanaise, fût-elle socialiste ; mais il refusait les Syriens. Elias Sarkis, ce bon technocrate, héritier spirituel de Chehab, aurait dû avoir contre lui tout le clan des « barons » chrétiens : les Gemayel, les Chamoun, tous ceux qui avaient porté Frangié au pouvoir.

Ils le soutenaient ainsi que les musulmans modérés comme Rachid Karamé. Et surtout les Syriens.

Tenant absolument à faire élire leur candidat, les Syriens n'y allèrent pas par quatre chemins. Sur les 69 députés, ils achetèrent ou

« persuadèrent » la majorité d'entre eux de voter Sarkis. Les prix varièrent entre 150 000 et un million de LL. Pour l'un d'entre eux ils atteignirent 4 millions. Seul, Camille Chamoun pouvait se permettre de telles exigences. Mais comme rien n'est jamais parfait dans ce genre de transactions, qu'Assad trouvait la pilule amère, on essaya de le rouler en lui refilant, avant le vote, la somme promise en livres syriennes qui ne valaient que la moitié des livres libanaises. Il fit aussitôt savoir qu'il votait contre Sarkis entraînant derrière lui ses partisans. A 11 heures, il recevait son dû dans la bonne monnaie et redevenait pro-Sarkis.

On fit comprendre à certains députés dont les circonscriptions étaient occupées par l'armée syrienne ou des organisations palestiniennes à leur botte, que leur famille et leurs amis risquaient de graves ennuis s'ils ne votaient pas comme il convenait.

Des tueurs de la Saïka vinrent chercher Joë Hammoud, député du Sud-Liban à l'Hôtel Bristol pour l'amener au Parlement et voter Sarkis. Il demanda le temps de s'habiller et fila par une porte de service. Il sauta dans un taxi, gagna l'aéroport et prit un avion qui décollait pour l'Afrique où il avait des intérêts. Au pied de la passerelle, il fit cette déclaration : « Maudit soit celui qui se mêle de politique dans ce pays de fous. »

Bahige Takieddine, fidèle partisan de Kamal Joumblatt, ne pouvait que voter contre le candidat des Syriens, donc pour Eddé. Il surprit tout le monde en faisant le contraire. Le lendemain, il quittait le Liban avec toute sa famille.

Raymond Eddé comprit qu'il n'avait pas sa place dans cette galère et avec les 25 députés qui l'appuyaient, il refusa de se rendre au Parlement. Comme il était bien gardé, on ne put l'en convaincre.

Kamal Joumblatt sera plus tard assassiné par les Syriens et Raymond Eddé blessé par eux après avoir servi de cible aux Phalangistes. Il préféra gagner la France avant de subir le sort de Joumblatt.

Elias Sarkis, après son élection « triomphale », se réfugiera à l'Hôtel Carlton où l'assiégeront des milices à la solde des Palestiniens et de Joumblatt, furieux d'avoir été joués par les Syriens.

Pour la gauche, il était un traître, pour la droite un otage, pour les Syriens un domestique dont on s'était offert les services, ce qui lui laissait une marge de manœuvre très étroite.

Il se retrouvait seul face à une tâche impossible. Arrivé trop tard au pouvoir et pas comme il convenait, il ne put qu'assister, impuissant, à la désintégration du Liban. Il me fit voir la terrasse où, toute une nuit, il assista aux bombardements et à l'écrasement des quartiers chrétiens de Beyrouth par l'artillerie lourde syrienne. Le téléphone coupé, il ne put même pas supplier le président syrien Hafez el Assad, son protecteur, d'arrêter le massacre. Depuis quelques mois entouré d'une petite équipe de « Chehabistes », des maronites comme lui, des Arméniens, des Druzes, des sunnites, des chiites, se voulant d'abord Libanais, il a pu commencer à recoller patiemment, discrètement les morceaux de ce pays qui avait volé en éclats.

S'efforçant de se tenir hors de la mêlée, il vit en solitaire dans son palais désert. Il ne peut en sortir qu'en hélicoptère, étant encerclé de toutes parts par des clans ennemis. Ses seules passions : la musique, les livres, le vin quand il est de qualité et comme tout bon Libanais, les cartes. Ce fut sur un air de Mozart, en buvant un excellent Bousy, qu'il m'expliquera la partie de poker qu'il avait engagée avec, en mains, des atouts minables, contre une équipe de redoutables forbans qui n'hésitaient jamais à aider la chance. Dans son dos, pistolet à la main, surveillant la partie, le Syrien. L'enjeu était la survie du Liban.

Avant tout il devait reconstituer une armée pour obtenir un minimum de crédibilité auprès d'une population qui avait appris à ses dépens qu'une kalachnikov valait mieux que tous les discours. Dans tous les camps, dans les pays voisins, nombreux étaient ceux qui n'en voulaient pas et se trouvaient bien de cette anarchie. Ensuite, il comptait remettre sur pied une administration, des douanes, une police, des tribunaux, une fiscalité, tout ce qui n'existait plus depuis 1975.

Le président Sarkis disposait aujourd'hui de quelques cartes : la lassitude de la population rançonnée par les uns et les autres, qui souhaitait l'ordre et la paix, pour vaquer à ses affaires. Elle l'avait prouvé récemment, accueillant avec enthousiasme le premier détachement de la nouvelle armée libanaise dans le bastion chrétien de Aïn Remmaneh. Il croyait avoir trouvé le chef qui convenait à cette force encore embryonnaire, qui lui insufflerait son dynamisme, l'aiderait à surmonter ses complexes : le général Victor Khoury dont il avait fait son ministre de la Défense. Les armes qui devaient l'équiper avaient été fournies sans qu'on exigeât de contrepartie politique. Mais le président avait besoin de la neutralité bienveillante de la Syrie. A quel prix ? La riche plaine de la Bekaa ? Un protectorat déguisé ? Assad ne faisait rien gratuitement.

Je quittai le président, me demandant si ce technocrate honnête était bien l'homme qui convenait à une situation aussi explosive. Venu plus tôt, élu à la place de Frangié, il eût parfaitement réussi. Il aurait alors disposé de toute une infrastructure politique, militaire, économique qui lui aurait permis de poursuivre l'œuvre du général Chehab.

Mais il était comme Chehab : il marchait à pas lents, voulant être compris et accepté des uns et des autres. Comme lui, il n'était ni un orateur, ni un violent.

On pouvait lui appliquer cette définition du Chehabisme que donnait Georges Naccache, fondateur de *L'Orient Le Jour :* « Cette façon lente, cette avance fluctuante, cette procédure presque paresseuse de son action... toute cette tactique faite de poussées et de reprises... »

Il lui manquait l'essentiel : l'armée, son émanation, le 2e Bureau, et le temps pour créer l'un et remettre en selle l'autre.

Or il lui fallait agir vite, brutalement. Mais il était englué dans toutes les contradictions qui lui avaient permis d'accéder au pouvoir.

Malgré tout il avait tellement rêvé de ce poste qu'il en était presque heureux.

Il devait me surprendre, plus tard par son attitude énergique, quand à la conférence de Tunis, excédé, il frappa sur la table et envoya promener tout le monde.

Peut-être n'attendait-il qu'une occasion de dévoiler son véritable caractère ?

En juillet 1979, la guerre civile avait pratiquement cessé, chacun des adversaires campant sur ses positions. On se canardait encore dans Beyrouth, place des Canons où il ne faisait pas bon se risquer même en plein jour.

Passer d'une zone à l'autre, la nuit, à une heure tardive, présentait encore des risques. Près de 100 000 chrétiens vivaient aujourd'hui en zone musulmane et des musulmans, mais en plus petit nombre, en zone chrétienne.

Enlèvements, plastiquages et assassinats relevaient désormais du banditisme, sauf quand il s'agissait d'un cas bien particulier comme le meurtre, en juin, du journaliste allemand Robert Pfeifer, correspondant du groupe Stern. Il s'intéressa de trop près à l'entraînement, dans un camp proche de Beyrouth-Ouest, des terroristes de la bande à Baader, des Brigades rouges italiennes, des militants de l'IRA irlandaise, de l'ETA basque et de quelques autres « séparatistes ». Ces camps relevaient du groupe Wadi Hadad qui fut le patron de Carlos lequel travaillait pour le compte du KGB soviétique et de ses annexes tchécoslovaques, bulgares et cubaines. Interrogé à ce sujet par des correspondants en poste à Beyrouth, le porte-parole de l'OLP leur conseilla, s'ils tenaient à leur vie, d'oublier Pfeifer. Et on l'oublia.

A Beyrouth-Ouest, Hamra a retrouvé son animation, et à l'Est, Achrafieh, le secteur chrétien, malgré les destructions, une vie à peu près normale. La cimenterie de Tripoli fonctionne ; le casino du Liban est ouvert ainsi que quelques boîtes de nuit. Les marchés sont à nouveau approvisionnés en légumes de la Bekaa et en agrumes et fruits de Saïda. Mais plus personne ne paye de taxes ou d'impôts à l'Etat, seulement aux responsables de la rue, du quartier, du village. Le pays tout entier, les villes comme les campagnes s'installent dans une forme d'anarchie qui tend à devenir un système économique et politique permanent. Beyrouth, c'est Chicago au temps d'Al Capone, chacun entretenant un protecteur. Il n'y a qu'un grand absent : l'Etat. Le directeur de la Sûreté devait me dire : « Tout mon pouvoir se limite à la délivrance des passeports. " Ils " n'en sont pas encore à les délivrer eux-mêmes. »

Chez les chrétiens, des gamins qui sortaient du lycée et à qui on donna un fusil se battirent comme des lions, à un contre cinq, avec un armement inférieur à leurs adversaires palestiniens ou « progressistes ». Ils étonnèrent le monde qui les croyait perdus. Oubliant leurs rivalités et leurs rancunes les dirigeants maronites, sous la direction « spirituelle » des moines de Kaslik, se regroupèrent dans le « Front libanais ».

Les combats terminés, certains ne se résignèrent pas à remiser le fusil ; ils prirent goût à cette vie aventureuse. Après avoir participé à plus d'horreurs qu'il n'est possible d'en supporter, ils sont devenus des professionnels, au service d'un chef de bande. Ils se drapent encore dans le drapeau du Liban, mais ne font que dépecer son cadavre.

Les dirigeants des partis politiques rappellent les « parrains » d'une vaste Mafia qui tendrait ses tentacules sur le pays. Leurs bandes s'entre-tuent entre elles pour se disputer des portions de territoires ou un racket particulièrement fructueux. Il y a un an encore, on donnait sa vie pour le Liban maronite parce que les chrétiens ne voulaient pas devenir des citoyens de seconde zone, comme les coptes. En ce mois de juillet 1979, miliciens de Camille Chamoun, Phalangistes de Gemayel s'affrontaient pendant toute une nuit, dans une véritable bataille rangée. Maronites de Zghorta et Phalangistes s'entre-tuaient partout où ils se trouvaient face à face. Tony, le fils de Sleimane Frangié, sa femme, sa petite fille avaient été assassinés et l'ancien président de la République fou de douleur, ivre de vengeance en accusait les Gemayel. Il jurait de les exterminer. On en était à plus de 400 morts. Les Zghortiotes se déguisaient en moines pour surprendre les Phalangistes qui, de leur côté, lançaient des raids et raflaient des otages.

J'ai pris mon bâton de pèlerin pour aller demander aux différents leaders chrétiens pourquoi, jadis unis dans un même front, celui de la chrétienté, ils s'étripaient aujourd'hui comme des souteneurs pour quelques mètres de trottoir. Pourquoi ils se saignaient dans une vendetta moyenâgeuse dont on ne voyait pas la fin pour le plus grand profit de ces ennemis qu'ils ne cessaient de dénoncer : les Palestiniens, les gauchistes, ennemis de l'Occident, alliés de la subversion internationale.

Je commençai par Camille Chamoun. Je le connaissais de longue date. C'était en 1958. Enfermé dans sa résidence, encore président de la République, les armes à la main, il se défendait contre la coalition de ses ennemis en attendant l'intervention des Marines américains qu'il avait réclamée au nom de la doctrine Eisenhower. Des chrétiens combattaient aux côtés des musulmans, ce qui avait empêché la guerre civile de dégénérer en lutte confessionnelle.

C'était à la tombée de la nuit, Camille Chamoun surveillait le paysage à travers une fenêtre transformée en meurtrière par des sacs de sable. Calme, comme au tir au pigeon, il lâchait un coup de fusil, posait son arme et revenait vers le centre de la pièce. Autour de lui sa femme, ses enfants, et je puis assurer qu'aucun ne tremblait. Une belle portée de fauves traqués dans leur tanière et qui montraient les dents.

Fort Chabrol à la libanaise. Le téléphone fonctionnait, l'eau, l'électricité n'avaient pas été coupés ; on ne manquait de rien. Les trèves étaient fréquentes. Elles permettaient de poursuivre de subtiles négociations avec les ennemis du jour qui seraient les alliés de demain. Tout se fait, se défait, se refait au Liban avec les mêmes acteurs. Seuls les figurants changent... et meurent.

La Constitution exigeait que le président de la République, s'efface, son mandat terminé et attende six ans pour se représenter. Sage disposition. Tout président sitôt élu, ses amis, ses alliés, les gens de son clan prenaient toutes les places, surtout celles qui rapportaient, afin de se rembourser des efforts et des sommes déboursées pour que « le patron » accédât à la charge suprême. Le Liban, on ne doit jamais l'oublier, est une société marchande où tout se monnaye.

Chamoun n'avait pas été correct en refusant, les poches remplies, de céder la place. Il acheta quelques députés pour qu'ils modifient la Constitution à son profit. La situation se compliquait du fait des intrigues nassériennes visant à annexer le Liban « province syrienne », celles de Washington et de Londres, s'efforçant de faire adhérer ce même Liban au pacte de Bagdad.

Or Chamoun, ce n'était un secret pour personne, aimait d'un amour intéressé le dollar et la livre sterling. Et il croyait sincèrement que le Liban avait tout intérêt à se lier aux Anglais et aux Américains plutôt qu'à Nasser.

J'étais venu lui demander la grâce d'un ami, un diplomate belge victime du complexe de Lawrence. Passé à la solde de la Syrie, il s'était fait prendre avec un chargement d'armes qu'il livrait lui-même dans sa voiture à Kamal Joumblatt, partisan de Nasser. Il avait été condamné à mort par un tribunal d'exception.

— S... ne risque rien, m'assura Chamoun. Il fera quelques mois de prison et sera ensuite libéré. Se faire piquer de la sorte ! Quel imbécile ! Le coffre de sa voiture était tellement chargé que l'arrière touchait presque le sol. Malgré les plaques diplomatiques, les douaniers ne pouvaient faire autrement que demander à voir.

« Les pauvres bougres ! Ils ont payé très cher leur zèle. Le lendemain les Syriens attaquaient le poste et les massacraient. Vous me dites que S... a une femme, des enfants. Et les douaniers n'en avaient-ils pas ?

L'indignation n'était pas feinte et c'était celle d'un spécialiste. Plus tard j'appris que le président Chamoun était l'un des grands marchands d'armes du Moyen-Orient, le représentant de certaines firmes suisses, fabriquant l'excellent canon Oerlikon. Il est vrai qu'il payait les douaniers au lieu de les faire descendre. Quand il ne les avait pas nommés dans cette fonction (1).

On peut reprocher bien des choses à Camille Chamoun sauf son courage physique, sa vive intelligence, son allure, et cette « aura »

---

(1) Selon Thierry Desjardins, *Le martyre du Liban,* Chamoun achetait 1 200 francs une kalachnikov à Genève et la revendait 2 400 francs à ses partisans et aux autres. Même culbute pour la mitrailleuse russe Douchka.

qui lui assure encore une clientèle parmi les petites gens d'Achrafieh, malgré tout ce que l'on sait de ses activités. Et au Liban il n'est point de secret.

Pendant les bombardements d'Achrafieh, m'avait-on raconté, il resta au milieu des siens, sous les bombes, ne bronchant pas même quand les coups tombaient tout proches. Quand ce fut terminé, quand Assad estima que la punition des chrétiens était suffisante, Chamoun sortit et se promena dans le quartier dévasté au milieu des gravats et des éclats de verre. Pas une seule vitre, pas une seule vitrine qui n'ait été pulvérisée. Satisfait, il rentra chez lui. Certes, il déplorait les morts, les blessés mais les affaires avaient été bonnes. Avec un associé dont seul le nom apparaissait, il contrôlait la vente des vitres. On avait même prétendu que ses miliciens, sur son ordre, tiraient systématiquement dans les vitrines. Mais les Libanais sont si mauvaises langues !

Cet étonnant personnage voulut sincèrement faire du Liban le porte-avions de l'Occident et, en vrai Libanais, en tirer le maximum de profit. Les politiciens de son entourage et même ses adversaires lui ressemblaient, avec moins d'envergure, moins d'allure. Mais tous avaient concouru à la perte de leur pays. Le Liban n'était qu'un assemblage hétéroclite de clans religieux, féodaux, il était fragile certes, il fallut quand même qu'on les aidât pour qu'il éclatât en mille fragments.

Camille Chamoun me reçut à Achrafieh dans un building moderne que les obus syriens n'avaient pas trop écorné. Son bureau était sombre, petit. Derrière lui un drapeau libanais et l'emblème de son parti, le PNL qui n'a pour programme que les idées changeantes de son chef et ses intérêts multiples. Il avait quatre-vingts ans, il en paraissait dix de moins ; il mentait effrontément, il disait même parfois la vérité pour mieux vous égarer. C'était toujours passionnant. D'emblée, il me prévint, agitant sa crinière blanche :

— Ne faites pas une montagne de ces accrochages entre mes partisans et les Phalanges. Seule est importante l'entente qui existe entre les leaders des deux mouvements, entre Pierre Gemayel et moi. Ce ne sont que des règlements de compte entre petits voyous. Hier ils étaient des héros ; ils se sont très bien battus contre les Palestiniens et leurs alliés gauchistes. Sans eux le Liban était perdu. Ils l'ont sauvé. C'est l'essentiel. Certains d'entre eux ont pris goût à la violence, à la vie facile ; ils avaient vingt ans. La paix revenue, il fut difficile de leur imposer une discipline. Vous avez connu les mêmes problèmes en France à la Libération. Puis ça s'est tassé. Et ça se tassera au Liban, je puis vous l'assurer.

Le sujet ne l'intéressait pas, à moins qu'il ne le trouvât gênant. Il se lança dans une longue et brillante analyse de la situation politique. Il en ressortait que le président Sarkis qui ne représentait que lui-même, qui avait été mis au pouvoir par les Syriens, ne pouvait rien faire, et qu'il devait partir. Chamoun oubliait de préciser qu'il était l'un des principaux obstacles à son action après avoir été son électeur privilégié. Mais peut-être sa main droite ignorait-elle ce qu'avait fait trois ans plus tôt sa main gauche quand elle se laisait graisser par les Syriens.

Avec Pierre Gemayel, il avait appelé les Syriens à la rescousse quand le parti chrétien était en mauvaise posture. Mais il l'avait encore oublié.

— Que veut la Syrie ? me demande-t-il soudain. Annexer le Liban. C'est son vieux rêve. Quel a été le jeu d'Assad ? Dans un premier temps, il a aidé les Palestiniens contre nous ; il les a armés et entraînés. En janvier 1976, il est même intervenu directement en leur faveur. Quand son armée est entrée au Liban, elle pouvait les écraser. Il ne l'a pas fait mais, au contraire, il les a ménagés.

« Nous avons voulu poursuivre la guerre contre eux, pour en finir, il nous a alors bombardés sauvagement afin de nous rappeler à l'ordre, malgré les supplications de son bon ami Sarkis, pendu à ses basques.

« Assad a fait assassiner Kamal Joumblatt dans un but précis : se débarrasser d'un opposant à sa politique en laissant croire que les chrétiens étaient responsables, et provoquer dans le Chouf des heurts très graves entre les Druzes et les maronites. Ils ont eu lieu.

Je demande :

— Et Tony Frangié ? Cette fois, on ne peut accuser le président syrien. Hafez était le meilleur ami du père ; son frère Rifaat, celui du fils.

Il sourit :

— A qui profita le crime ? Certes pas aux chrétiens qui en sont à s'entre-tuer. Si bien qu'un Zgorthiote maronite qui se risquerait aujourd'hui en secteur phalangiste serait sûr d'être abattu comme un Phalangiste maronite qui rôderait trop près de Zghorta. Le crime a servi les Syriens. S'ils ne sont pas coupables, ils sont au moins complices.

« L'histoire est simple. M. Bayeh, un responsable phalangiste directeur de banque à Zghorta, est assassiné par des partisans de Frangié. Ils l'accusent de vouloir mordre sur leur territoire en y créant des sections kataëb. Les amis de Bayeh décident une expédition punitive contre les assassins de leur ami qu'ils savent se trouver à Ehden, dans la montagne. Ils sont 200 qui, en armes, impunément franchissent trois barrages syriens. On m'a affirmé, et tout me pousse à le croire, qu'ils furent même escortés par des jeeps syriennes jusque sur les lieux du drame, à Ehden où Tony Frangié, sa femme et sa fille se trouvaient par un malencontreux hasard, à la suite d'une panne de voiture.

Je m'étonne :

— Qu'ils aient tué à la rigueur Tony Frangié, mais sa femme, sa petite fille, les domestiques, et même le chien...

— Les hommes de main de Frangié avaient un certain nombre d'assassinats sur la conscience. La folie de la vengeance a égaré les Phalangistes, frappés personnellement dans leurs familles, leurs amis.

« Mais est-ce bien des Zghortiotes de Frangié qui ont tué

Bayeh, et des Phalangistes de Gemayel qui, sur son ordre, ont massacré Tony et les siens ? Le 2ᵉ Bureau syrien est coutumier de ce genre de traquenards. Il a des agents aussi bien chez les Zghortiotes que chez les Phalangistes. Comment expliquez-vous les barrages et l'escorte de jeeps ?

« A cause des Palestiniens notre pays est devenu un exutoire et les Syriens sont chez nous. Nous sommes pourtant disposés à tolérer la présence des Palestiniens le temps qu'ils se trouvent une patrie, mais sous trois conditions :

— qu'ils ne demandent pas à acquérir la nationalité libanaise ;

— qu'ils cessent de constituer un Etat dans l'Etat avec une armée dotée d'armements lourds ; qu'ils se débarrassent de ce matériel ;

— qu'ils acceptent de ne plus entreprendre de raids contre Israël à partir du Sud-Liban ou des eaux territoriales libanaises, ce qui chaque fois engendre des représailles.

« Palestiniens ou Syriens ne sont que des occupants et nous n'en voulons plus.

« Lassés, une partie des chiites du Sud nous rejoignent ou combattent dans les rangs d'Haddad, qui bien sûr est aidé par les Israéliens. Haddad et les siens n'avaient pas le choix.

« Nous qui avons tant fait pour la renaissance, au xixᵉ siècle, de la culture arabe, nous qui avons créé les premiers journaux en langue arabe, nous qui sommes sur cette terre depuis tant de siècles, nous qui sommes arabes et chrétiens, nous réclamons notre droit à la différence. Et à la culture occidentale. Nous voulons vivre libres comme bon nous semble. L'Occident, pour lequel nous combattons, semble l'avoir oublié. Il fait les yeux doux à des palestino-progressistes qui, dans leurs camps, entraînent les terroristes, ceux-là qui demain s'emploieront à déstabiliser leurs pays pour le compte des Russes.

L'envolée est assez réussie. Mais Camille Chamoun oublie que comme ministre de l'Intérieur il fut l'ami d'Arafat, qu'il approuva les accords du Caire et qu'il demanda l'intervention syrienne.

On appelle Pierre Gemayel « le Chef ». Il a aujourd'hui soixante-quinze ans. Il est resté grand, mince et pointe du menton avec énergie. De l'allure mais rien dans la tête, disent ses ennemis et quelques-uns de ses amis. Pas sûr, affirment les autres. Avec ses façons de vieux boy-scout, il nous fait marcher depuis un quart de siècle. Au contraire, il est très malin, mais s'en cache. On raconte qu'il a abandonné le pouvoir à ses deux fils Amin, le politique, Bechir, le militaire. Mais rien n'est décidé sans son approbation. Même un meurtre.

Personne ne met en doute son honnêteté, sa sincérité, c'est en cela qu'il diffère de la classe politique libanaise pour qui argent et politique ont des liens étroits.

Est-il né à Bickfaya dans le mont Liban comme il le prétend, ou bien au Caire où sa famille s'était réfugiée, pour fuir les persécutions des Turcs ? Peu importe. C'est à Beyrouth qu'il fait ses études de pharmacie, et c'est place des Canons qu'il ouvre une officine. Il s'intéresse au football plus qu'à la politique et aux potions. Le sport, c'est sa marotte.

En 1936, aux Jeux olympiques de Berlin, il découvre les rites militaires et gymnastiques du pouvoir totalitaire. Il est fasciné. A son retour, le 21 novembre 1936, il crée le parti des Phalangistes libanais (Al Kataëb) avec cinq autres chrétiens dont quatre maronites : Georges Naccache, Charles Hélou, Emile Yared, Shafik Nasif.

L'organisation des Phalanges est à l'origine copiée sur celle du parti nazi. Chaque phalange compte 600 hommes divisés en deux compagnies. En 1943, le mouvement rassemble 30 000 adhérents, tous jeunes. Baudriers, bottes et chemises bleues. Le Moyen-Orient vit à l'heure des « mouvements à chemises » : chemises vertes en Egypte, grises ou blanches en Syrie. Les Phalanges évolueront vers le style « Révolution nationale » et prendront pour devise : « Dieu, Patrie, Famille » qui n'a rien de nazi.

Elles sont menacées sur leur droite par le Parti populaire syrien qui est comme elles libanais, chrétien mais franchement hitlérien. Fondé par un admirateur du Führer, Antoun Saadé, la doctrine du PPS affirme qu'il existait une nation syrienne antérieure au christianisme et à l'Islam et qu'il fallait faire revivre. Ce serait « la grande Syrie, croissant fertile d'Asie dont Chypre serait l'étoile et qui comprendrait le Liban, la Syrie, la Palestine, la Transjordanie, le Sinaï, l'Irak. Saadé le voulait laïque et national-socialiste. »

Le PPS luttera contre la présence française au Liban. Les Phalanges, pour ne pas perdre leur clientèle, lui emboîteront le pas. Pierre Gemayel, bien que francophile, participe au combat pour l'indépendance et prend la tête de manifestations contre le Mandat. Il se fait arrêter par ces Français dont il se sent si proche mais qui commettent vraiment trop de bourdes pour qu'on les laisse faire. Dans son bureau, une grande photo, celle de son arrestation par les gendarmes. Il m'explique qu'il était temps que la communauté chrétienne réagisse pour ne pas se laisser prendre de vitesse par les musulmans dont le nationalisme arabe se réveillait et par le PPS qui recevait argent et munitions des Anglais.

De 1944 à 1951, les Phalanges deviennent une véritable force politique. Elles ont des députés au Parlement tout en conservant leurs formations paramilitaires déguisées en mouvement de jeunesse et en associations sportives.

Leur clientèle se compose de petits bourgeois, de commerçants, d'artisans, de boutiquiers. Elle se recrute exclusivement dans les villes, les campagnes, restant entre les mains des féodaux. Les Phalangistes qui jouent aux soldats du dimanche se disent et se croient — comme leur chef — les défenseurs du Liban maronite, le dernier rempart de l'Occident chrétien contre la marée islamique.

Quand le Liban est en paix, les effectifs des Phalanges fondent ;

quand des menaces se précisent, que la rue bouge, elles reprennent de l'importance.

Avec leurs 20 000 adhérents actifs, sans compter les sympathisants, les Phalangistes constituent, dans le clan chrétien, la seule force véritablement populaire. On y trouve des hommes prêts à donner leur vie pour défendre le fameux pacte confessionnel qui partage le pouvoir entre leaders chrétiens et musulmans et dont ils sont souvent les derniers à profiter.

Leur obsession comme celle de leur chef et prophète Pierre Gemayel est de maintenir un Liban inchangé alors que tout change autour de lui.

En 1958, les Phalangistes prouvent qu'ils sont la seule force à pouvoir tenir tête à l'opposition de gauche autour de laquelle se rallient de plus en plus de musulmans.

Quand en 1975 éclatera la guerre civile coupant le Liban en deux camps, d'un côté les « chrétiens conservateurs », de l'autre les « palestino-progressistes », les chrétiens se retrouveront autour des Phalanges. Les « Kataëb » avec leurs « soldats du Dimanche » ont été les seuls à pouvoir opposer des combattants armés et entraînés aux Palestiniens suréquipés et aux Libanais qu'ils avaient entraînés dans leur aventure. Deux mille jeunes chrétiens laisseront leur vie dans ce combat. Ils n'étaient pas tous phalangistes, bien que les Gemayel l'affirment aujourd'hui. Toutes les causes gonflent le nombre de leurs martyrs.

Pierre Gemayel ne veut pas accorder d'importance aux querelles qui opposent ses partisans à ceux de Chamoun. « Des voyous, dit-il, lui aussi. Nous avons demandé au président Sarkis l'aide de l'armée pour les mettre au pas. Il a été incapable de nous la fournir. Alors, parce que cela devenait nécessaire, nous avons fait nous-mêmes la police et nous avons rétabli l'ordre. »

Il m'affirme qu'il ignore tout de l'assassinat de Tony Frangié. Rien n'est plus pur que le fond de son cœur.

Mais quelques jours plus tôt une voiture piégée a explosé alors qu'il roulait avec son escorte sur la route du bord de mer. On attribue l'attentat à Sleimane Frangié qui ainsi a voulu marquer l'anniversaire de l'assassinat des siens. Pierre Gemayel ne comprend pas ou fait semblant. Pour lui les responsables de tous les malheurs du Liban ce sont les Palestiniens, ces intrus. Accueillis comme des hôtes, ils se sont conduits en occupants. Il laisse entendre qu'ils ne seraient pas étrangers au massacre d'Ehden qui, en divisant les chrétiens et en faisant éclater le Front national libanais, sert leurs intérêts.

Je m'étonne :

— En novembre 1969, vous avez approuvé les accords du Caire qui légalisaient la présence armée des Palestiniens au Liban.

— Nous ne pouvions pas faire autrement, m'affirme-t-il, Nasser était alors tout-puissant. Nous risquions la guerre civile et l'intervention étrangère, une guerre à laquelle nous ne pouvions faire face avec notre petite armée. Des milliers de personnes manifestaient en faveur de la Palestine dans les rues de Damas et de Bagdad. La Syrie et l'Egypte étaient derrière et tout le monde arabe suivait. Mais les Palestiniens n'ont pas respecté les accords du Caire. On leur donnait l'Arkoub, une bande de territoire à la frontière d'Israël, qu'on appela le Fatahland, où ils pouvaient faire ce qui leur plaisait, ainsi que le libre usage d'une route pour communiquer avec la Syrie : la piste Arafat.

« Respectant les accords du Caire, l'armée se retira de l'Arkoub pour céder la place. Les Palestiniens s'étaient engagés à ne pas tirer sur Israël à partir du territoire libanais, à ne pas être armés en dehors du Fatahland, surtout à ne pas s'ingérer dans la politique intérieure libanaise.

« Ils se sont répandus dans tout le pays. Par la terreur ou par la propagande, ils ont dressé les deux communautés l'une contre l'autre. Dans Beyrouth même, ils ont transformé les camps de réfugiés en véritables citadelles. Si nous n'étions pas intervenus, en accord avec les communistes, les gauchistes, et la subversion internationale, à la solde des Soviétiques, ils auraient fait du Liban un État palestinien coupé de l'Occident. Les chrétiens n'auraient été tolérés que comme citoyens de seconde zone. Les Israéliens seraient entrés à Beyrouth. Vraiment on ne peut rien espérer de ces Palestiniens. Ils ne savent que détruire. »

Nasser qui connaissait bien les Palestiniens, leur goût du désordre et de l'intrigue, leur incapacité à s'unir et la fragilité du Liban, avant que le général Boustani ne signe ces fameux accords l'avait prévenu. Et lui montrant le document il lui demanda : « As-tu bien lu ce qui est écrit là-dedans ? »

Boustani avait signé. Cet accord faisait des Palestiniens un État dans l'État, en leur donnant une juridiction particulière et les autorisant à se servir du Liban comme d'une base contre Israël, il autorisait de ce fait les représailles des Israéliens.

Je rappelle à Pierre Gemayel ces souvenirs mais je sens qu'ils l'importunent. Il me sort :

— Le document était secret. Les Israéliens étaient censés ne pas le connaître.

— Comme le Parlement qui pourtant l'a ratifié. N'allez pas me dire qu'ils en ignoraient les clauses quand deux jours plus tard tous les journaux libanais en dévoilaient l'essentiel. Puis vous vous êtes alliés aux Syriens et ils vous ont écrasés sous leurs bombes.

Pierre Gemayel joue l'étonnement, la surprise outragée

— Je ne comprends pas comment mon ami Hafez el Assad a pu agir aussi mal. Vraiment, je ne comprends pas. Il avait fait un si beau discours quelques mois auparavant dans lequel il défendait la position des chrétiens en des termes que n'aurait pas reniés l'un de nous.

Pierre Gemayel redresse sa haute taille, pointe du menton et part dans une de ses diatribes habituelles contre l'Occident et surtout la France, qui abandonna le Liban aux heures difficiles par peur de compromettre son ravitaillement en pétrole.

J'aimerais lui dire combien ses chrétiens sont difficiles à défendre alors qu'ils s'entre-tuent entre eux, qu'ils s'allient avec le diable, qu'ils n'hésitent pas à cogner les premiers, quitte à se plaindre quand ils reçoivent des coups, sans jamais cesser de faire des affaires. C'est peut-être un signe de santé mais aussi d'inconscience. Le « Vieux Chef » ne trempe pas dans ce genre de trafics. Mais son entourage ?

Bechir Gemayel, fils de Pierre Gemayel, responsable militaire des Phalanges que je rencontre le lendemain, a le verbe aisé d'un avocat, ce qu'il fut avant les « événements ». Mais il se sent plus à l'aise haranguant une troupe que dans un prétoire. Il fit plus de veuves qu'il n'en défendit. Au moins, avec lui, on sait où l'on va ; il ne cache pas ses intentions. Il veut que tous les fidèles du Christ qu'ils soient maronites, grecs orthodoxes, latins ou arméniens se rangent sous sa bannière. Hors des Phalanges, point de salut. C'est ce qui l'amena à se heurter à la fois aux fidèles de Chamoun, aux bandes de Frangié, aux « Gardiens du Cèdre », aux militaires de la nouvelle armée libanaise, puis aux Arméniens qui, bien que chrétiens, voulaient rester neutres. Leur sanglant passé les rendait prudents et les ambitions de Bechir ne leur disaient rien qui vaille. Beaucoup préféreront l'exil à un enrôlement forcé.

Au contraire de son frère Amin, Bechir, c'est le soldat. La guerre l'a révélé. Les amis de Tony Frangié ont voulu le tuer ; l'attentat a échoué. Il sait qu'ils recommenceront et qu'il devra se garder sans cesse où qu'il se trouve. La vendetta ne connaît pas de frontières. Malgré cela, il est décidé à aller jusqu'au bout de ses idées qui ne plaisent pas à tout le monde. Physiquement, une solide petite brute qui commence à s'empâter, le sens du commandement, le désir de régner par des moyens qui conviennent à toute époque troublée : la force, l'argent, l'intrigue, mais chapelet au poing. Un chouan à la libanaise.

Il fut un moment partisan de la partition mais penche maintenant pour la création d'une fédération libanaise, avec un mini-État chrétien dont il serait le chef militaire uni par des accords à un mini-État druze, sunnite, chiite. Pas de place pour les Palestiniens. Il les enverrait volontiers en Jordanie s'y faire pendre.

Bien qu'il s'en cache, il conçoit l'armée libanaise comme une annexe des Phalanges, un corps de réserve où il pourra puiser en cas de crise. Ce que fait le général Victor Khoury l'inquiète. Que les phalanges reçoivent des armes d'Israël (en petite quantité, pas toujours de bonne qualité) n'est un secret pour personne. (« Ils ne payent pas, devait me dire en riant Ezer Weizman, ministre de la Défense de l'État juif, on ne va pas leur refiler du premier choix. ») Certains cadres de son unité blindée Kataëb ont fait des stages d'entraînement dans les camps du Neguev. Bechir Gemayel approuve le commandant Haddad qui, dans le Sud, combat les Palestiniens avec l'appui direct de Tsahal, l'armée israélienne, mais, sur d'autres points, il n'est pas d'accord avec son père.

— Nous avons eu tort, dit-il, de signer les accords du Caire car nous ne pouvions ignorer que les Palestiniens ne les respecteraient pas. Mon père s'est fait des illusions sur les Syriens. Ils ne veulent qu'annexer le Liban. Et sur Hafez el Assad qui, comme tous les Alaouites, a un double visage, chrétien avec les chrétiens, musulman avec les musulmans, mais ne pensant qu'à son intérêt. J'estime très graves les affrontements entre miliciens de Chamoun et les nôtres. La discipline se relâche ; nous devons la rétablir sinon nos troupes échapperont à leurs chefs. Heureusement, aux Phalanges, nous disposons d'une solide organisation. Ce n'est pas le cas des autres partis. Il est exact que nous percevons des taxes. Mais elles ne vont pas dans notre poche comme on le raconte. Nous devons armer et faire vivre nos combattants, aider les familles de ceux qui sont morts. Beaucoup d'entre elles sont dans la misère.

— Que s'est-il passé à Zghorta ?

Il ne se défile pas comme l'eût fait son père :

— Les Frangié appartiennent à une autre époque, affirme-t-il. Ce sont des féodaux qui défendent jalousement leur fief où ils se conduisent en seigneurs du Moyen Age avec tous les droits, même celui de cuissage. Accrochés au passé et à leurs privilèges abusifs, ils ne tolèrent la présence d'aucun parti dans leur chasse gardée, surtout une organisation moderne, active, sociale comme les Phalanges.

« Quand nous avons commencé à recruter des partisans ils sont devenus fous de rage. Ils ont détruit un dispensaire que nous y avions créé ; ils ont assassiné des nôtres, dont notre responsable local, Bayeh, un directeur de banque qui avait beaucoup d'amis. Les nôtres avaient des armes, celles avec lesquelles ils avaient combattu les Palestiniens ; non pas celles que nous leur aurions envoyées. Et ils ont réagi.

« Non, Tony Frangié n'était pas spécialement visé ; il ne devait pas se trouver à Ehden ce jour-là. Sa femme, sa fille, ses domestiques massacrés ? C'est horrible, c'est abominable.

« Mais je ne peux pas, en tant que responsable des Forces armées libanaises, me désolidariser de mes hommes même quand ils commettent des horreurs sous le coup de la colère, de la vengeance. Le sang hélas appelle le sang et rend fou.

« Vous avez connu cela en France, pendant la Résistance. Nous sommes une résistance au Liban. Qui vous a dit que nous nous opposions à la reconstruction de l'État pour conserver nos " rackets " ? Et que nous voulions la partition ? C'est faux. Nous souhaitons un retour à l'ordre, à la paix. Ce n'est pas le cas des Palestiniens et de tous ceux qui les manipulent.

« Un certain nombre de musulmans nous ont rejoints ou se préparent à le faire, des chiites surtout. Les sunnites viendront quand ils cesseront enfin d'avoir peur. C'est leur drame, la peur. Nous souhaitons un État libanais laïque où tous seraient unis, en dehors des confessions. Nous sommes prêts à laisser le champ libre à l'armée libanaise. A condition que cette armée soit sûre, que les soldats musulmans qui la composent ne passent pas avec armes et bagages dans l'autre camp. Cela s'est fait avec le lieutenant Khattib et son armée du Liban arabe, qui ramassa tout le matériel et occupa les casernes, quand les militaires chrétiens rentraient tranquillement chez eux.

« On raconte que nous sommes des fascistes. Mais nous sommes le premier parti libanais qui ait fait voter des lois sociales en faveur des travailleurs. Le Liban est dans cette partie du monde le dernier bastion de la démocratie ; nous en sommes les défenseurs. Les Kataëb ont été encore les seuls à se dresser franchement en face d'une gauche manipulée par les communistes, soutenue par les Palestiniens. Alors tout a été bon pour nous nuire. On nous a accusés de tous les maux, de tous les crimes dans la presse occidentale parce qu'on gênait certains projets qui étaient la destruction du Liban, sa ruine économique, sa fin politique.

« Nous voulons au Liban une démocratie laïque, à l'occidentale, nous refusons de devenir une république populaire ou un dépotoir pour tous les damnés de la terre et les terroristes du tiers monde.

« Tous les Libanais pensent comme nous, mais n'osent pas encore l'avouer, surtout les musulmans. Quand ils nous aident, ils le font en secret. Un jour, ils oseront.

« On nous a reproché l'attaque du camp de Tell el Zaatar. Mais vous saviez ce que c'était Tell el Zaatar ? Le repaire de toutes les organisations terroristes du monde entier. C'était Habache qui régnait, pas Arafat. Des souterrains, des blockhaus, des usines d'armement, des tonnes d'armes. Une DCA comme n'en avait pas l'armée libanaise.

« Nous avons pris la Quarantaine et nous avons pris Tell el Zaatar parce que c'était pour nous une question de vie ou de mort.

« Il y a eu des bavures, mais quand ces bavures sont le fait des autres, des palestino-progressistes, si chers à certains de vos journaux, on les tait. Et on exagère les nôtres. »

Bechir Gemayel me raccompagne dans la cour de la caserne qu'il occupe avec son état-major et où sont rangés chars Sherman et autocanons, bien entretenus. C'est du vieux matériel mais ça peut servir.

Un milicien, jambes écartées, monte la garde devant le mât où flotte le drapeau libanais. Il claque des talons et salue militairement son chef.


Après Camille Chamoun, après les Gemayel qui malgré leurs outrances appartenaient à notre temps, avec qui l'on pouvait se comprendre même s'il était difficile de s'entendre, il me restait à voir Sleimane Frangié. Il habitait sur une autre planète : un univers archaïque, féodal qui subsistait dans toute sa violence, ses passions, inchangé comme au temps de Fakhereddin, des émirs druzes et chrétiens, où seul comptait l'homme, son courage et le nombre de fusils dont il disposait.

Moitié politicien, moitié chef de bande, Sleimane Frangié est en grande partie responsable de la guerre civile. Mais pouvait-il agir autrement tant il était déterminé par son environnement et son passé de « bravo » ?

En 1970, il fut élu président de la République contre Elias Sarkis, à l'arraché, avec une seule voix de majorité — 50 voix sur 99. On ne votait pas pour Frangié, on votait contre Chehab et la forme de pouvoir que représentait son candidat. Le président de la Chambre conteste le scrutin. Les pistolets sortent aussitôt. A l'extérieur, les hommes de Frangié, les Zghortiotes à cheval qui galopent autour du Parlement s'énervent et tirent en l'air des salves de plus en plus nourries. Fantasia ou menaces ?

Pendant tout son mandat, Sleimane Frangié se conduira non pas en homme politique responsable mais en « capo mafioso » qui se sert d'abord et sert les siens. On en avait l'habitude : pas à ce point.

Il est né à Zghorta en 1910, dans l'arrière-pays maronite au nord-est de Tripoli, la grande cité musulmane sunnite, fief des Karamé. Minoritaires, les Zghortiotes, trempés par d'incessants combats, passent à juste titre pour les plus irréductibles parmi les chrétiens.

Pendant des siècles, ils défendirent pied à pied leur indépendance, réglant leurs comptes avec leurs voisins musulmans au poignard, au pistolet, au fusil, n'hésitant pas devant un meurtre quand leur honneur, ou ce qu'ils baptisaient de ce nom, était en jeu.

Jamais il ne leur venait à l'idée de faire appel à la police, à l'armée, aux tribunaux. Ils semblaient ignorer qu'il existât un Etat libanais. Commerçant actifs et entreprenants, les Zghortiotes colonisèrent un quartier de Tripoli. Ils furent nombreux à s'exiler en Afrique, en Amérique du Sud. Mais ils revenaient, fortune faite, et reprenaient les habitudes du clan. Etaient-ils les descendants de ces fameux « Mardaïtes », ces mercenaires chrétiens au service de Byzance, venus du Taurus et qui semèrent la terreur parmi les musulmans ? Ces derniers les redoutaient à ce point qu'ils préférèrent traiter avec eux plutôt que les combattre. Ils achetèrent très cher leur départ, mais un certain nombre se fixèrent dans la montagne libanaise devenant les ancêtres des maronites de Zghorta.

Histoire ou légende ? Les Zghortiotes ont conservé auprès des fidèles de l'Islam la même réputation et ils s'en targuent.

Les Frangié étaient l'une des trois grandes familles chrétiennes de la région avec les Moawad et les Douheihy. Zghorta, c'était trois quartiers toujours en luttes, réglant d'interminables querelles, s'alliant ou se combattant. Chaque maison construite en belle pierre dorée était un fortin, chaque résidence des chefs de clan, une citadelle. Aujourd'hui encore, les caves sont des dépôts de munitions. Chez les Moawad, les plus pacifiques, les plus ouverts des Zghortiotes, le sous-sol de la maison recélait trois tonnes de munitions, des canons, des mortiers de 120, des bazookas.

— Un seul obus là-dedans, me dit Leilah Moawad, agitant ses bracelets, et nous sautions tous. Heureusement, le Seigneur...

Comme je lui demandais ce que signifiaient ces horribles

murs de béton qui enlaidissaient la cour, elle m'expliqua que son beau-père avait fait construire ces pare-balles pour y être à l'abri de Frangié.

L'aîné des Frangié, Hamid, avait fait une honorable carrière politique. Il avait été député, ministre des Affaires étrangères ; on lui promettait un grand avenir. Il serait un jour président de la République. Sleimane, le cadet, comme dans toutes les grandes familles libanaises de la montagne, s'occupait de la « sécurité ». Il remplissait le rôle de chef « pistolero », celui qui, avec ses hommes de main, maintient la cohésion du groupe, fait régner l'ordre, encaisse les taxes et lutte contre les rivaux, lesquels emploient les mêmes méthodes. Les électeurs se comptent au nombre de fusils et de pistolets qu'ils détiennent. Les bulletins de vote ne font que confirmer cet état de fait. Les étiquettes politiques ne signifient rien. On est député de père en fils, on hérite du mandat ; on le vend parfois.

En 1957, par le hasard des morts et des successions, le chef du clan rival des Frangié, les Douheihy, se trouva être un moine. La bure n'avait calmé en rien ses humeurs guerrières. Un vrai Templier !

Camille Chamoun dont il avait reçu armes et argent le poussa à se présenter aux élections contre les Frangié. Hamid Frangié était pour lui un rival dangereux et il cherchait à l'éliminer du Parlement.

Dans un village voisin de Zghorta, à Miziara, on célébrait ce jour-là une messe de Requiem en souvenir d'un parent de l'évêque de Tripoli. L'évêque était grand électeur et les représentants des trois clans rivaux étaient tous présents à l'intérieur de l'église, leurs partisans et leurs hommes de main massés à l'extérieur. Le Père Douheihy célébrait l'office.

Qui dégaina le premier ? On sait seulement qu'un chauffeur du clan Moawad fut tué sur le parvis par un « Frangié ».

Les combats gagnent rapidement l'intérieur du sanctuaire. Tous les fidèles de sexe mâle portent une arme et s'en servent. Les balles ricochent sur le tabernacle et les statues de saints mais font mouche aussi sur les fidèles. Il y aura une centaine de blessés et 27 morts dont la veuve du défunt en l'honneur de qui était célébré l'office. Plus deux religieuses et des enfants.

Le célébrant en chasuble, embusqué derrière le maître-autel, se défend colt à la main contre le chef des hommes de main du clan Frangié, Sleimane, que tous ont vu, abrité derrière un pilier, vider chargeurs sur chargeurs sur le Père Douheihy.

Le scandale est énorme. On s'est entre-tué entre chrétiens dans une église en présence d'un patriarche et de je ne sais combien d'évêques.

Sans demander son reste, Sleimane Frangié s'enfuit en Syrie où il liera des liens amicaux avec les Alaouites du clan Assad traditionnellement proche des chrétiens. Il sera jugé par contumace. Son avocat plaidera la légitime défense. Acquitté au bénéfice du doute, il ne reviendra que quelques années plus tard — quand il lui faut remplacer son frère Hamid frappé d'hémiplégie. Rien ne le préparait à une carrière politique. Il n'avait pas fait d'études particulières et ses connaissances étaient surtout d'ordre pratique : tir et entretien de l'armement. Les politiciens écartés du pouvoir par le général Chehab en feront pourtant un président de la République.

Sleimane Frangié n'appartient pas à la bonne société beyrouthine où l'on sait s'arranger avec discrétion, voler dans la caisse en regardant ailleurs, se partager les prébendes sans exclure personne. D'emblée il ne joue pas le jeu parce qu'il n'en connaît pas les règles. C'est un vrai Zghortiote mal dégrossi qui s'installe au palais de Baabda avec ses hommes de main. Il le transforme en tripot et en bistrot. Il fait même venir de Zghorta une chèvre pour avoir du lait frais. Erre-t-elle tristement en bêlant dans les couloirs feutrés de la Présidence ? On le raconte dans les salons de Beyrouth où l'on est honteux d'avoir un tel rustre pour président.

« Tout au cours de son mandat, Frangié n'a pas seulement fait preuve d'un esprit affreusement partisan, il a fait preuve d'une incroyable médiocrité, c'est en cela peut-être qu'il a été le plus criminel. Et c'est pourquoi rapidement, dès que le pays a été secoué par la crise, il est redevenu avec son fils, l'inénarrable Tony, un simple chef de gang, comme dans l'église de Miziara (1). »

J'ai rencontré ce vieillard foudroyé, pétri de haine, qui ne rêvait que vengeance, dans sa résidence d'Antelias défendue par une petite armée. Il n'est pas facile de se rendre à Zghorta, enclave chrétienne en terre musulmane. Ce qui ne simplifie pas les choses, on y est en lutte avec les autres maronites groupés autour des Phalanges. La sanglante vendetta qui les oppose a déjà fait 400 morts, le score étant à peu près égal des deux côtés.

N'ayant pu emprunter d'hélicoptère, j'ai dû passer de Beyrouth-Ouest « palestino-progressiste » en secteur chrétien. Après Jounieh, une fois franchi le dernier barrage phalangiste puis un barrage syrien, j'ai continué ma route dans une Mercedes zghortiote, bourrée d'armes et de joviaux garçons qui passaient leur nuit à organiser des embuscades contre les Phalangistes. Tout en se défiant des musulmans de Tripoli, leurs alliés très provisoires, qui avaient de vieux comptes à régler avec eux. On se serait dit en Corse au temps de Mérimée. C'est dire si la traversée de Tripoli s'effectua sur les chapeaux de roue ! Les environs de Zghorta sont gardés par les Brigades spéciales de Rifaat el Assad, grand ami des Frangié, et par les éléments disparates et pittoresques de l'Armée de libération zghortiote. Ils affichent à chaque barrage une photographie de Tony, de sa femme et de sa fille assassinés un an plus tôt et qui sont devenus les grands martyrs de la cause.

Les mois d'avril et de mai 1978 avaient été marqués à Zghorta par une série de meurtres et d'enlèvements. Les Phalangistes, qui avaient tenu le haut du pavé pendant les combats et payé chèrement le prix de leur victoire, envisageaient très sérieusement la partition,

_____
(1) Thierry Desjardins, *Le martyre du Liban*, Ed. Plon.

ce qui exigeait, selon eux, un front uni autour de leur mouvement. L'un des principaux obstacles à leur plan était Zghorta où les Frangié ne voulaient recevoir d'ordre de personne. Les Phalangistes avaient réussi à s'implanter dans le fief. On en avait assez du Seigneur de la montagne, de sa façon de rendre la justice, toujours à son profit, des exactions de ses bandes et de sa rapacité. Et puis quand il était président, il avait négligé son pays et il s'était seulement enrichi. Des villages entiers passaient à l'opposition. Bechare, à 4 kilomètres d'Ehden, par exemple, était « Kataëb ».

Sleimane Frangié avait réagi selon son tempérament et sa règle de l'honneur, en chef de bande. Sur le plan local, il avait fait assassiner les dirigeants phalangistes qui menaçaient ses privilèges dont Nasji Thomé et Bayeh, le directeur de banque. Sur le plan national, il avait quitté avec éclat le Bloc libanais qui rassemblait tous les maronites dont Chamoun et son PNL, Gemayel et ses Phalanges et les « Gardiens du Cèdre ». Allant plus loin encore, il n'avait pas hésité à s'allier avec ses ennemis de la veille, les musulmans de Tripoli dont le chef de file était Rachid Karamé.

Selon sa conception primitive, brutale, archaïque de son droit, il ne trahissait pas, il défendait son bien, son fief et ses privilèges, conseillé peut-être par les Syriens dont il avait toujours été une carte.

L'affaire se compliquait d'une rivalité personnelle qui opposait la nouvelle génération, les jeunes loups, Tony Frangié, chef des milices zghortiotes, à Bechir Gemayel, responsable militaire des Phalanges. Dany Chamoun, chef des miliciens du PLN, jappait derrière. Son père le tenait encore solidement en laisse, ce qui n'était pas le cas des deux autres.

Les pères avaient mangé les raisins verts, les fils en avaient eu les dents agacées.

Bechir Gemayel ne pouvait laisser massacrer impunément ses partisans sans perdre son honneur. Après une réunion de son état-major, il décide de donner une leçon aux zghortiotes et de rogner les griffes des Frangié. Non sans en avoir référé au « Vieux Chef » car il est impensable qu'il se soit lancé dans une telle aventure sans son accord et celui de son frère Amin.

Une opération est montée pour le 3 juin. Une centaine de Phalangistes du groupe d'intervention basé à Beyrouth, auxquels viendront se joindre des éléments locaux, appartenant aux familles qui ont des comptes à régler, s'empareront d'Ehden, le village d'été de Zghorta, à 1 400 mètres d'altitude. Il est à peine habité en cette période de l'année qui précède les grandes vacances. On ne pouvait s'attaquer à Zghorta, un trop gros morceau. Bechir Gemayel affirme ignorer la présence à Ehden de Tony Frangié et de sa famille. Le but poursuivi : punir les assassins de Bayeh et des autres Phalangistes et, en prenant Ehden, rappeler au vieux Frangié que son règne était terminé.

La land-rover de Tony Frangié serait tombée en panne, ce qui l'obligea à coucher dans le village au lieu de regagner Zghorta.

Un spécialiste de l'honneur libanais m'expliqua qu'on avait coutume dans la montagne maronite de régler ses comptes, mais en respectant certaines règles. Œil pour œil, dent pour dent. Mais pas un œil pour une dent. Le meurtre d'un responsable phalangiste local, petit directeur d'une succursale de banque, ne valait pas celui du fils aîné d'un ancien président de la République. Un lieutenant devait suffire. On avait tué le général. C'était disproportionné.

Première bavure donc, première entorse à l'honneur, l'assassinat de Tony Frangié. Les Gemayel l'avaient-ils voulu ?

Mon spécialiste incriminait le hasard, la panne de la land-rover qui ne put être réparée le soir même (1). Les Gemayel voulaient seulement faire perdre la face aux Frangié en exécutant dans leur fief quelques-uns de leurs hommes de main.

Le massacre de la femme, de la fillette de Tony, des deux domestiques, du chien n'était plus une « bavure » mais devenait un crime. Il ne pouvait avoir été « programmé » par Bechir Gemayel. Il n'est ni fou ni sanguinaire à ce point, même si certains jours il se prend pour Napoléon ou Richard Cœur de Lion.

Ce carnage s'expliquait difficilement par la folie du sang, la soif de vengeance qui aurait saisi à 5 heures du matin, une heure où l'on a plutôt la tête froide, parents et amis des victimes des Frangié.

On s'expliquait encore moins qu'une troupe de 200 hommes armés, montés sur des véhicules blindés qui traînaient des canons, ait pu sans être arrêtée franchir trois barrages syriens.

Et si Camille Chamoun disait vrai, que les Phalangistes se soient fait escorter par deux jeeps de l'armée syrienne, l'une ouvrant la marche, l'autre la fermant ?

Même les amis des Frangié sont obligés de reconnaitre que bien des aspects de ce drame demeurent mystérieux et inexpliqués.

Ne se pourrait-il pas que des provocateurs, à la solde des services spéciaux syriens, se soient glissés parmi les phalangistes ? Ils auraient transformé l'exécution de Tony Frangié, « la bavure », en ce crime impardonnable qui, pour des générations, dressera les uns contre les autres les chrétiens les plus décidés, les plus batailleurs. Pour le plus grand profit de la Syrie.

Voici ce que l'on sait de certain : les Phalangistes attaquèrent Ehden à 4 h 30 du matin. Ils étaient divisés en deux groupes, le premier, en investissant le village, massacra trois paysans qui gagnaient leur champ. Parmi eux, un vieillard de cent dix ans. Craignaient-ils qu'ils ne donnent l'éveil ? C'est possible. Ce même groupe encercla la villa où dorment les Frangié : Tony trente-six ans, sa femme Vera trente-trois ans et Jeanne, leur fillette, trois ans. Dans la pièce voisine de leur chambre, le chauffeur et la bonne. Tous sont tués à coups de hache, même le chien, dans des conditions atroces. Le sang a giclé sur les murs. Dans le noir, les assaillants se seraient blessés eux-mêmes.

_____

(1) J'ai vérifié personnellement ce détail à Ehden : il est exact.

Le second groupe a tendu une embuscade sur la route Zghorta-Ehden. Quand à Zghorta on entend le canon, car les assaillants tirèrent au canon, une vingtaine d'hommes s'arment, aussitôt sautent dans leur voiture, prennent la route d'Ehden et donnent dans l'embuscade qui est tendue à un tournant. Ils seront tous massacrés.

L'armée syrienne dont l'attitude est de plus en plus suspecte n'interviendra qu'à 10 h 30 pour dégager Ehden, laissant aux assaillants le temps de repartir. Sleimane Frangié pourra alors se rendre dans la villa de son fils. Il interdit qu'on touche à quoi que ce soit, qu'on change même les draps souillés jusqu'à ce que justice soit faite, la sienne bien sûr. Et il fait clore la villa. Je n'ai pu la visiter, je n'ai pu que la contourner de l'extérieur. Sa situation la rendait indéfendable.

— Les Phalangistes, m'affirma l'ex-président Frangié, qui refuse de croire au complot syrien, ont suivi à la lettre le plan dressé par les Gemayel. La troupe était conduite par l'un de leurs fidèles, le docteur Samin Geagea, chef de la section phalangiste de Bécharé qui avait eu maille à partir avec les Zghortiotes. Il fut d'ailleurs blessé au cours de l'opération, transporté par ses amis à l'Hôtel-Dieu de Beyrouth où il aurait été soigné. On raconta par la suite qu'il avait eu maille à partir avec les Palestiniens. Mais on l'a reconnu à Ehden. Il ne fallait pas chercher plus loin. Les Gemayel ne toléraient pas d'autres leaders chrétiens qu'eux : ils voulaient la partition et règner sur le mini-État maronite. Jamais il n'y aura de paix entre chrétiens tant qu'ils vivront.

L'enterrement des 33 victimes fut suivi par plus de 10 000 personnes. Sleimane Frangié donna l'ordre que les cercueils de son fils, de sa belle-fille et de sa petite-fille soient ensevelis dans une petite chapelle. Ils ne rejoindront le caveau de famille et les femmes n'auront le droit de porter le deuil, que lorsque la vendetta sera exécutée et tous les Gemayel exterminés. Dès la fin des obsèques, ses partisans donnaient la chasse aux Phalangistes. Ceux qui ne déchiraient pas leurs cartes, ne remettaient pas leurs armes étaient exécutés sur-le-champ. Le territoire de Zghorta leur fut interdit sous peine de mort. Les Kataëb interdirent à leur tour aux Zghortiotes l'enclave chrétienne même s'ils n'étaient pas du clan Frangié.

L'année suivante, à la messe célébrée pour l'anniversaire du massacre d'Ehden, un moine du clan Frangié, Yamine, proclama en chaire :

— Tous ceux qui ont profané Ehden seront tués, en particulier ceux du clan des Gemayel, eux et leurs descendants, pour des générations jusqu'à ce qu'il ne reste plus un seul homme et une seule femme.

Ce même jour, Pierre Gemayel échappait par miracle à un attentat, sur l'autoroute du bord de mer. Près d'un barrage de l'armée, un véhicule piégé, une Renault 16, explosa sur le passage de sa Buick blanche et des deux véhicules qui l'escortaient. La Renault était bourrée d'explosifs : 20 kilos de TNT, des obus de mortiers de 120 mm, un jerrican de 20 litres d'essence. L'explosion fut déclenchée à distance par un système à relais électronique très sophistiqué. Pierre Gemayel, par miracle, ne fut que légèrement blessé. On put l'extraire de sa voiture avant qu'elle ne prenne feu. Deux de ses gardes de corps, par contre, furent tués (1).

Sleimane Frangié m'avait reçu, assis dans un fauteuil de cuir noir à bascule comme en ont les sénateurs américains dont il copie le comportement. Il se trompe, il ressemble plutôt au « Parrain » du film. Pâle, maigre, le cheveu gris. Derrière lui, le drapeau de l'Armée de libération zghortiote, ce ramassis de voyous courageux. Sur sa table, une grande photo de son fils. J'en viens au fait avant qu'il ne m'inflige une de ces grandes déclarations de principe qu'adorent les politiciens orientaux et sud-américains, surtout quand ils conçoivent la politique comme une série d'attentats et de règlements de compte.

— C'est vous, Monsieur le Président, qui avez essayé de tuer la semaine dernière Pierre Gemayel ?

Cri du cœur :

— Non.

— Pourquoi ?

— Je ne savais pas à quelle heure sa voiture passait.

Bien des ombres demeuraient : la panne de la land-rover qui fut peut-être provoquée, les barrages syriens, l'escorte et l'attentat contre Pierre Gemayel. On m'a affirmé que les Zghortiotes ne pouvaient l'organiser car ils ne disposaient pas d'un matériel à ce point sophistiqué comme en ont seules les grandes entreprises de subversion et les gens à leur solde. Ou les hommes de Frangié n'y sont pour rien, ou on les a aidés.

A Ehden, dans l'air vif et tonique de la montagne, sous un saule, dans un jardin je me suis trouvé au milieu de femmes en noir et d'hommes désœuvrés, désespérés.

L'un d'eux me dit :

— Je suis le directeur du Casino du Liban. Parce que je suis de Zghorta, que le casino se trouve en zone phalangiste, moi qui suis maronite comme eux, moi qui me suis battu à leurs côtés, je ne puis m'y rendre sans risquer de me faire égorger. A cause de la vendetta. Je te tue, tu me tues ; c'est sans fin. Pourtant j'appartiens à une famille traditionnellement opposée aux Frangié.

— Moi je suis directeur d'école, dit un autre, et je ne puis rejoindre mon école pour les mêmes raisons. C'est stupide, intolérable. Que les Frangié et les Gemayel règlent leurs comptes mais qu'ils ne nous y mêlent pas de force. Des hommes marchent sur la lune et à Zghorta nous vivons en plein Moyen Age !

Les femmes, au Liban, semblent avoir plus de bon sens que les

---

(1) Un attentat, perpétré selon les mêmes méthodes et avec le même matériel, manquera de coûter la vie à Camille Chamoun auquel les Frangié n'ont rien à reprocher.

hommes peut-être parce qu'elles souffrent plus. L'une d'elles leva les bras au ciel comme pour le conjurer :

— Nous en arrivons à regretter le temps où encerclés, menacés d'être égorgés par les Palestiniens et leurs alliés, nous nous battions au coude à coude tous chrétiens, tous unis sous le même drapeau qui était celui du Liban, avec un cèdre. Et la croix autour du cou.

Elle répète :

— Oui, c'était le bon temps !

Prêtres, moines, évêques, patriarches, le pape lui-même s'efforcèrent de faire la paix entre maronites. Le pape ne put obtenir que la libération de certains otages. Il fallait que le sang rachetât le sang. Le sang du Christ avait perdu tout pouvoir pour ceux-là qui se réclamaient si fort de lui. Les moines maronites de Kaslick proclamaient la guerre sainte au même titre que les musulmans la « Jihad ». Ils étaient plutôt mal venus quand ils prêchaient aux deux camps la réconciliation.

« La violence, écrit Michaël Gilsenan (1), est l'armature essentielle des relations politiques (au Liban)... Chaque notable doit avoir son propre appareil de coercition et de contrôle. Cet appareil prend, en premier lieu et surtout, la forme d'équipes d'hommes de main sous les ordres de quelques personnages très proches du leader individuel. (C'était essentiellement le rôle attribué à Sleimane Frangié par son frère Hamid avant son incapacité due à la maladie (2)...) Toutes ces structures ont en commun la violence et le fait que leur identité est fondée sur leur opposition aux autres unités analogues et sur le maintien du pouvoir par la force. Elles sont essentielles à la reproduction d'un principe qui est empiriquement et idéologiquement central dans la politique libanaise, la personnalisation de la vie politique... »

Deux règles régissent cette vie politique : l'intérêt, et l'honneur, mais l'honneur conçu comme un « machisme ». On se dirait parfois au Mexique de Pancho Villa. Même exacerbation de la virilité, même amour « sexuel » des armes.

« Un homme est un abadaï (un homme « véritable », un héros, un homme fort) et il revendique le statut ; bien plus il doit se préparer à toujours le faire. La bataille n'est jamais complètement gagnée. Il doit toujours se montrer un homme car parler sans agir le couvre de ridicule et lui ôte sa réputation... L'honneur est d'abord un langage, une pratique de domination et de compétition et d'agression à la fois ouverte et cachée... langage de l'apparence et de l'ostentation... une vision de soi qui donne des dimensions théâtrales à une grande partie de la vie sociale... aux dépens des autres en les détruisant et en les diminuant. On doit briller à tout prix, peu importe si la monnaie est fausse et les bijoux clinquants... Peut-être est-ce la clef de l'incongruité apparente dans le spectacle macabre de

---

(1) Revue française d'études politiques méditerranéennes.
(2) Ce même rôle fut attribué à Tony Frangié par son père.

ce monde d'apparat et de finesse, raffiné et étincelant, transformé en théâtre d'horreurs. »

Du côté musulman, à l'exception de Kamal Joumblatt (mais peut-on dire de ce Druze converti à l'hindouisme et au socialisme qu'il est musulman ?), on trouve peu d'hommes d'envergure ou ayant seulement des « trognes » comme un Chamoun, un Frangié, de l'allure comme un Pierre Gemayel.

L'un des plus représentatifs serait encore Rachid Karamé, leader des sunnites de Tripoli. On ne compte plus le nombre de fois où il fut ministre ou président du Conseil. C'est une institution.

Après des études dans une école chrétienne, il fait son droit au Caire et conservera toujours une grande sympathie pour l'Egypte.

En 1964, ce qui n'est guère dans sa nature pondérée, il deviendra un fervent nassérien et prendra les armes dans la mini-révolution de 1958 qui chassera Chamoun du pouvoir. Sagement, il deviendra « Chehabiste », il servira fidèlement ce général qui n'aimait pas le pouvoir. Rachid Karamé deviendra pro-palestinien par nécessité, poussé dans cette voie par sa clientèle musulmane que des organisations extrémistes, tel le PC libanais, ont prise en main dans sa bonne ville de Tripoli. C'est un libéral, un homme de droite pour les progressistes. Il se retrouvera malgré lui aux côtés de Kamal Joumblatt dont la personnalité brouillonne l'exaspère, dont le « charisme » l'éclipse et qu'il juge d'une ambition effrénée. Comme Saëb Salam et tous ses aînés, bien qu'il n'ait pas atteint la soixantaine, qu'il ait été le plus jeune président du Conseil de l'histoire du Liban, il appartient déjà au passé. Il lui manque l'essentiel. Sur cette terre de violence et de sang, une véritable personnalité.

Son rival Kamal Joumblatt par contre n'en manquait pas, bien qu'elle fût difficile à cerner. Je le rencontrai une première fois en 1958, alors qu'il dirigeait la lutte contre Chamoun d'une cave encombrée de sacs de sable, où traînaient mitraillettes et grenades. Il était entouré de ses Druzes moustachus, bardés de cartouchières. On le disait nassérien et de gauche. Chamoun était pro-américain, de droite et partisan du pacte de Bagdad. Il tenait surtout à se faire réélire président et Joumblatt à l'en empêcher.

On a souvent comparé les deux hommes :

« Joumblatt est visionnaire — Chamoun est pragmatique — Joumblatt est un rêveur dangereux — Chamoun est un bon vivant dangereux. L'un a laissé tuer pour donner corps à un rêve ; l'autre a laissé tuer pour défendre un style de vie de rêve (1). »

Je revis Joumblatt en 1974, plus longuement. Il était en pleine crise de mysticisme, il revenait des Indes et se trouvait sous l'influence d'une jeune hippie belge qui pour faire plus authentique se donnait l'accent américain. Par la même occasion, il était devenu

---

(1) Benassar, *Anatomie d'une guerre et d'une occupation*, Ed. Galilée.

végétarien. Il présidait aux destinées du parti socialiste progressiste, il était secrétaire général du Front arabe de la Révolution palestinienne, chef de file des progressistes libanais et il venait de recevoir le prix Lénine de la Paix, ce qui le faisait passer aux yeux de beaucoup pour un agent soviétique ; il ne l'était pas, mais Moscou l'utilisait. Avant tout, c'était le chef de l'un des deux grands clans féodaux druzes, les Joumblattis, et il pouvait compter sur la fidélité inconditionnelle de ses fidèles qui tenaient le Chouf.

Ses ancêtres, poussés par les Ottomans, avaient été de grands massacreurs de maronites bien que proches d'eux comme les Kurdes l'étaient des Arméniens. On ne s'égorge bien qu'entre frères. On racontait qu'il était fils d'un évêque maronite, un fort bel homme pour lequel sa mère, la « Châtelaine du Liban » du roman de Pierre Benoit, délaissée par son mari, aurait eu de coupables faiblesses. La photo de l'évêque, m'affirma-t-on encore, ornait la chambre de Joumblatt. Comme il ne m'a pas convié à la visiter, je ne puis ni infirmer ni confimer.

Il avoue :

— Jusqu'à vingt ans, j'ai tout ignoré des croyances de ma communauté. J'ai fait mes études primaires et secondaires à Aïntoura — collège lazariste situé au Kesronou près de Jounieh et je ne savais des religions que ce que j'en avais appris chez les Pères. Au point que quand on m'emmena à la maison pour saluer une dernière fois la dépouille de mon père, ma réaction la plus naturelle a été de faire le signe de croix et marmonner les prières qu'on m'avait apprises (1). »

Les Druzes comme les Alaouites et les Ismaéliens dont ils se rapprochent le plus se disent musulmans chiites, mais derrière ce paravent ils se livreraient à des pratiques « païennes ». Ils reconnaissent comme incarnation de Dieu (au même titre que le Christ pour les catholiques) un certain Hakim, calife fatimide qui régna sur l'Egypte au IX$^e$ siècle. Cet Hakim se fit surtout remarquer par ses extravagances, faisant brûler Le Caire parce qu'il s'ennuyait. (Comme Joumblatt pour se distraire fit brûler Beyrouth, disent ses ennemis.) Il interdisait aux femmes de porter des chaussures on ne sait pas très bien pourquoi et aux fidèles de se rendre à La Mecque. Il se proclama Dieu « incarnation des forces cosmiques » et partit en promenade, une nuit, sur son âne, dans la banlieue du Caire, où il disparut mystérieusement. Il fut, semble-t-il, massacré par de bons musulmans qu'il inquiétait. Ses disciples Hamza et Darrazi (d'où vient le mot Druze) prêchèrent son culte au Liban, en Syrie, en Perse. Hamza fit assassiner Darrazi, se proclama lui-même imam, et pour éviter les querelles intestines à l'intérieur de la secte, il interdit tout prosélytisme. « Le voile est tiré, la porte est fermée, l'encre est sèche et la plume est brisée », décida-t-il. Le dogme fut dès lors secret. Seuls les sages, les grands initiés le connaissent.

Les Druzes devinrent une communauté fermée, gardant leur

--------

(1) Benassar, *Anatomie d'une guerre et d'une occupation*, Ed. Galilée.

doctrine secrète, sourcilleux sur les inter-mariages, ne permettant ni la conversion, ni l'apostasie et restèrent groupés dans des repaires de montagne notamment dans le mont Hermon.

La communauté est divisée en « okala », en sages, qui peuvent devenir des Sheiks, des grands initiés — et en «djohils », hommes ordinaires. Les chefs de clan, les émirs, appartiennent le plus souvent à cette dernière catégorie. Etre initié exige une vie religieuse rigoureuse, interdit le mensonge, le vol, la vengeance. Comment alors faire de la politique au Liban ? Cela oblige encore à porter un turban immaculé, à se livrer chaque jour à de nombreuses prières, à copier les livres saints. Enfin les « Okala » doivent participer à certaines cérémonies secrètes dont on ne connaît rien. Ce qui valut aux Druzes d'être accusés, comme les Alaouites, de pratiques licencieuses. Comme eux, comme les Ismaéliens, ils croient à la métempsychose. L'âme se réincarne, jusqu'à ce qu'elle ait atteint la perfection et monte enfin dans les étoiles. A la fin des temps, l'extravagant Hakim et ses prophètes Hamza et Darrazi reparaîtront pour proclamer l'évènement de la justice. Les Druzes qui auront rempli le cercle complet des réincarnations, devenus bons et purs, régneront sur le genre humain et les meilleurs habiteront près de Dieu.

Les chefs temporels, les émirs, comme les chefs spirituels, les « Okala » sont sacrés, leur personne inviolable et leur autorité ne peut être mise en question.

Si les Druzes ont toute sorte de devoirs les uns vis-à-vis des autres, ils n'en ont aucun à l'égard des étrangers à la secte. Le mensonge leur est même recommandé afin d'éviter des ennuis. C'est la « takya » des chiites, le « ketman » des Alaonites et des Persans. Kamal Joumblatt usa et abusa de ce privilège.

A partir du $X^e$ siècle, les Druzes d'Alep et du mont Hermon se regroupent dans la partie centrale du mont Liban, dans le Chouf, où ils se retrouveront mêlés aux maronites qui, pour fuir les persécutions, s'étaient comme eux établis dans les montagnes.

Ils sont 250 000 répartis pour moitié en Syrie, dans le djebel Druze, pour moitié au Liban. Plus quelques milliers accrochés sur les pentes du mont Hermon, au nord d'Israël, au mont Carmel et au sud-ouest d'Alep.

Les Druzes ont toujours eu la réputation d'être d'excellents guerriers et, de redoutables tireurs. Ombrageux, ils sont très à cheval sur leur honneur et celui de leurs femmes. Ils s'entendirent fort bien avec les Croisés, tout en entretenant de bonnes relations avec leurs ennemis. Ils furent toujours habiles à pratiquer le double jeu.

Druzes et maronites enfants de la même montagne combattirent ensemble sous la bannière des Fakhredin qui portait un pavot blanc sur fond rouge, puis de ces émirs Chehab, descendants d'un compagnon de Mahomet, qui se convertirent plus tard au christianisme et dont l'emblème était un croissant blanc sur fond bleu.

Les Druzes se divisèrent en deux clans : les Yasbaki et les Joumblattis. Lorsqu'ils affrontèrent les chrétiens, les Druzes, moins nombreux mais unis, les taillèrent en pièces, avec la bénédiction des Turcs. 6 000 chrétiens furent massacrés au Liban, et les Français débarquèrent un corps expéditionnaire (1860).

Très cultivé, Kamal Joumblatt adore lire tout et n'importe quoi. Il me reçut dans sa bibliothèque de Beyrouth, bourrée de livres. Il avait tendu de tulle les rayons si bien qu'il était impossible de prendre le moindre ouvrage.

— Pourquoi ce tulle ? lui ai-je demandé.

Il me répond de sa voix douce avec un sourire de communiant :

— A cause des mouches. Elles salissent mes livres que j'aime.

— Mais pour les consulter, comment faites-vous ?

— Je les ai tous lus ; je n'en ai pas besoin. Mais de les sentir près de moi me rassure.

Kamal Joumblatt ressemblait à Pierre Gemayel. Même sveltesse, même foi en lui-même et en sa cause, même sincérité, même désintéressement. Et mêmes ambitions.

Le rêve de Kamal Joumblatt était, je l'ai déjà dit, bien que Druze, de devenir président de la République du Liban, ce qui n'était possible que si le Pacte national cessait d'exister. Aussi s'était-il allié avec le diable, l'URSS et les Palestiniens. Pierre Gemayel caressait les mêmes ambitions mais savait qu'il ne pourrait régner que sur un Liban exclusivement chrétien.

L'un comme l'autre, ils étaient adorés de leurs partisans. Gemayel, le potard de la place des Canons, qui venait du peuple, dont la clientèle était populaire, passait à tort ou à raison pour un fasciste. Joumblatt, grand seigneur, né dans le sérail, se disait « progressiste », mais devait l'essentiel de sa puissance au fait d'être « sacré » pour les Druzes de son clan. N'étant pas un initié, il ignorait pourtant les grands secrets de sa secte. Mystique à ses heures, il se cherchait un dieu et une doctrine, balançant entre le Christ, Marx et Krishna.

Notre longue conversation fut entrecoupée de tasses de café, d'allées et venues, ses fidèles venant dévotieusement lui baiser la main.

Kamal Joumblatt me proposa de prendre contact, en son nom, avec Moshé Dayan pour lui proposer une solution raisonnable (mais laquelle ?) du problème palestinien. Il envisageait (mais que n'envisageait-il pas ?) de réorganiser l'armée libanaise sur le modèle israélien : une armée du peuple au service d'un peuple et non d'un clan de chrétiens nantis.

Il était partisan de l'internationalisation de Jérusalem, adepte de la non-violence... et du terrorisme. Puis nous avons évoqué Bouddha, Confucius, Lao Tseu et de tous les grands sages d'Extrême-Orient.

Quel personnage à facettes ! Il était ce jour-là l'ami du genre humain. Trois ans plus tard il disait des chrétiens après la prise du camp palestinien de Tell el Zaatar : « Nous en tuerons un tiers, un tiers émigrera, le troisième se soumettra. » Il espérait alors forcer par la montagne le passage vers Jounieh, devenir le chef de l'État d'un étrange Liban sans maronites mais avec des Palestiniens. Il entraîna les Palestiniens dans cette aventure et se retrouva en face des Syriens. Déjà, en 1974, il se défiait de la Syrie et de ses ambitions territoriales.

— Elle a toujours refusé, me dit-il, un Liban indépendant. La preuve : elle n'a jamais établi d'ambassade ni de consulat à Beyrouth.

Partout il voyait des complots payés par l'argent de la CIA. Il alignait les millions de dollars qui prenaient le plus souvent la direction du coffre-fort de Chamoun.

Kamal Joumblatt était courageux avec nonchalance, lucide plus souvent qu'il n'y paraissait. Quand il se heurtera aux Syriens, quand il s'obstinera à vouloir conquérir la montagne chrétienne malgré leur défense, il dira : « C'est ma tête cette fois que j'ai mise dans la balance. » Et sa tête tomba.

Le 16 mars 1977, Kamal Joumblatt était abattu alors qu'il se rendait de son château-forteresse de Moukhtara, dans le Chouf, à Beyrouth. Les Palestiniens accusèrent aussitôt « les agents de l'impérialisme sioniste et américain » ; Arafat la CIA, les Phalanges, et les Israéliens. Le coupable, c'était le 2ᵉ Bureau syrien qui voulait en finir avec ce nationaliste intransigeant aux réactions imprévisibles et dont la clientèle débordait sur la Syrie — le djebelDruze. Il risquait de gêner les Alaouites dans leur grand projet de regrouper autour d'eux toutes les minorités non musulmanes (1).

Kamal Joumblatt s'était fait bien des illusions sur les Palestiniens. Il s'en aperçut quand, ministre de l'Intérieur, il s'efforça de limiter leurs activités hors des camps en leur prêchant la raison. Il n'empêcha pas le Sud-Liban d'être entraîné dans la guerre et les Palestiniens de se répandre en armes dans tout le pays.

Lui qui n'était pas musulman il se fit le porte-parole de l'Islam, lui qui était un grand féodal par sa nature et ses manières, il se fit l'avocat de la gauche. Et il n'était pas un révolutionnaire.

Il déclare en décembre 1975 :

« La gauche ne cherche pas un changement de régime économique et social mais l'assainissement du régime politique, démocratique et libéral en vigueur dans le pays. »

Dans le fond de sa pensée, il était proche d'un Gemayel et de sa « Révolution nationale ».

On trouve ses idées exprimées dans « Pacte du Parti progressiste socialiste » que n'aurait pas renié Pétain : qu'on en juge. Il propose :

— Proclamation d'une charte des droits et des devoirs des citoyens. Représentation adéquate dans les assemblées de l'élite et des organismes professionnels, économiques et moraux, assurant ainsi l'accès au pouvoir des hommes compétents et de valeur. Consolidation de l'idée de famille par l'encouragement au mariage des jeunes, par le respect de son caractère sacré. Certificat

_____

(1) Comme Assad, Kamal Joumblatt aurait été baptisé. Règlement de comptes entre... chrétiens !

prénuptial obligatoire, lutte contre les maladies et le relâchement des mœurs, lutte contre l'esprit de classe et le féodalisme en préparant la révélation de chefs authentiques. Restauration de l'équilibre entre la population rurale et urbaine afin de sauvegarder la sainteté du lien entre l'homme et la terre. Ranimer et développer les manifestations des traditions populaires : fêtes saisonnières, mœurs et traditions chevaleresques. Enraciner dans la jeunesse la charité chevaleresque, l'amour du travail. Mise en application d'un statut équitable de la propriété, du capital et du travail assurant leur collaboration harmonieuse, etc. (1).

Et ce fut cet homme qui reçut le prix Lénine. Son fils qui lui succédera haïssait la politique. Obligé de composer avec les assassins de son père, les Syriens, de les recevoir à sa table, pour oublier, il se réfugie dans la boisson. Dommage !

Une petite brochure publiée par deux journalistes de « la gauche libanaise » : *Comprendre le Liban* par Selim Accaoui et Hagida Salman, éd. Savelli, donne des indications précieuses sur le comportement des deux camps pendant la guerre civile et du genre de rapports que Phalangistes, Palestiniens et Morabitouns entretenaient avec la population civile. Côté chrétien :

... « La vie de la petite et même de la moyenne bourgeoisie n'est plus toujours facile surtout après quelques mois de guerre civile. Déjà les prix des denrées alimentaires se sont multipliés par deux ou par trois. Le pain manque très souvent.

« De nombreux employés n'ont pas touché leurs salaires depuis des mois. La menace continuelle de la mort et les obus qui pleuvent n'arrangent rien. L'absence de l'Etat et de ses différentes institutions se fait sentir : les dépôts d'ordures s'entassent, les voitures et même les appartements sont pillés sans qu'il soit possible de se référer à la municipalité ou à la police, inexistante...

« ... Il faut organiser la vie des quartiers et par là même donner un exemple de vie politique dans le mini-Liban chrétien de demain si la partition est appliquée. Aussi les forces de la droite chrétienne commencent-elles à organiser des « comités populaires » pour ramasser et brûler les ordures... Le pain est parfois préparé par de jeunes militants phalangistes... Cette organisation parvient à fonctionner du fait de l'hégémonie du parti phalangiste qui impose une participation populaire totalement dirigée dans le sens désiré par les formations de la droite chrétienne. »

Ce genre d'organisation, nécessaire pendant la guerre civile et confessionnelle, dégénère très vite :

« Les organisations de la droite chrétienne... reçoivent à bras ouverts tous ceux qui les rejoignent. Ces nouvelles recrues, n'ayant pour motivation que le fanatisme et le chauvinisme, ne tardent pas à se servir de leurs armes pour se remplir les poches ou même imposer leur loi à de « plus faibles » (habitants non armés ou non affiliés à une organisation). Les vols et les pillages deviennent de

---

(1) Pierre Valland, *Le Liban au bout du fusil*, éd. Hachette.

plus en plus fréquents puis une pratique permanente. Miliciens phalangistes et PNL caïds de quartiers s'organisent en bandes de pillards à l'intérieur des partis ou indépendamment d'eux. Des maisons abandonnées se transforment en dépôts de marchandises volées... Les partis n'osent pas décourager ces « initiatives » même si elles finissent par aiguiser la colère des pillés ou des habitants qui se sentent menacés ; ils ont besoin de combattants voleurs ou pas. » Poussés par les mêmes nécessités, les palestino-progressistes sont arrivés à des résultats encore plus désastreux, leurs divisions étant plus profondes, leur recrutement plus composite.

« Les enlèvements de chrétiens, les tortures sont pratiqués couramment dans les régions musulmanes. Le lendemain de la chute de la Quarantaine aux mains des Kataëb, quarante chrétiens sont massacrés par une organisation nassérienne dans le secteur de l'hôpital Babir...

« Dans les quartiers ouest de Beyrouth et à Chyah, en l'absence de toute autorité légale, c'est le CLAP (commandement de la Lutte armée palestinienne), sorte de police des camps palestiniens qui se charge de maintenir l'ordre... En fait le CLAP s'est avéré incapable de bien remplir les fonctions des différents services de sécurité libanais. Les barrages avaient beau se multiplier, les brigades mobiles sillonner les quartiers, les pillages continuaient de plus belle, les pilleurs étaient rarement rattrapés... A cause du grand nombre d'organisations présentes, toutes bien armées (une vingtaine d'organisations libanaises et sept organisations palestiniennes) et de l'animosité existant entre certaines d'entre elles, il n'a pas été possible d'organiser efficacement la vie publique de ce secteur important de Beyrouth tout au long de la guerre civile. Les seuls services publics rendus ont été le fait d'initiatives isolées de certaines organisations, ne concevant ces tâches que comme un moyen tactique efficace de propagande politique. Les ordures s'amoncellent sur les trottoirs empestant les quartiers sans que personne s'occupe de les enlever. »

« La tournure de plus en plus confessionnelle de la guerre civile, les désillusions jouent également dans les actes de pillage. Le pillage lui-même est une pratique confessionnelle dans la mesure où, dans le camp musulman, la très grande majorité des victimes est de confession chrétienne. Des barrages éclairs arrêtent les automobilistes mais se contentent de les délester de leur portefeuille. Au cours de la deuxième étape la montre, les papiers personnels et la voiture y passent... Les quartiers populaires musulmans et la région ouest de Beyrouth peuvent être appelés « zones libérées » dans la mesure où l'Etat y est totalement paralysé... »

Mais à Beyrouth-Est ou Ouest le téléphone a toujours fonctionné, comme l'électricité, et l'eau n'ont manqué que rarement.

Les héros de cette guerre stupide sont ces humbles fonctionnaires qui, payés tous les trente-six du mois, ont permis à Beyrouth de survivre.

Un riche commerçant libanais maronite mais qui n'adorait que

Baal et faisait surtout commerce avec les pays arabes du Golfe m'avoua :

— Je préfère habiter le quartier chrétien pour traiter mes affaires. Je sais au moins combien je dois payer et à qui je dois payer. On me donne des reçus.

« A Beyrouth-Ouest où je m'étais d'abord installé, impossible de s'y retrouver dans toutes ces organisations qui viennent vous rançonner. Il y a les deux partis communistes, le PCL qui est pour les Russes et l'autre qui ne l'est pas ; le parti de Joumblatt qui est socialiste, composé de Druzes barbus enturbannés et analphabètes, qui croient à la métempsychose, confondent Marx et le calife Hakim, les deux partis nassériens dont les Morabitouns de Koleilat qui sont très gourmands, les deux Ba'th, l'un syrien, l'autre irakien, le PPS (Parti populaire syrien) libanais, d'extrême-droite hier d'extrême-gauche aujourd'hui. Plus les soldats syriens qui se plaignent de la maigreur de leur solde et qu'il faut bien payer sinon ils fauchent les tapis. Tous n'arrêtent pas de « quêter », la sébile d'une main, la mitraillette de l'autre.

« Ah ! si la paix pouvait revenir et ramener l'ordre, la police, le percepteur, le douanier. Il était tellement plus facile de s'arranger avec eux. Moins gourmands, plus affables. Et ils vous offraient le café. »

Il eut ce mot :

« Je crois qu'après cette guerre civile, les Libanais vont commencer à aimer l'ordre. »


Quand la mer n'est pas trop agitée entre Beyrouth-Est et Jounieh, à quelques encablures de la côte, s'ancrent de petits chalutiers qui débarquent leurs marchandises sous la garde vigilante des hommes de Chamoun ou de Gemayel. S'ils ne payent pas de droits de douane, ils versent de coquettes redevances aux responsables du secteur. Les miliciens chamounistes et les Phalangistes s'étaient empoignés l'autre nuit pour le contrôle d'une bande côtière et d'un petit port de pêche propre à la contrebande.

M'étant intéressé d'un peu trop près à ce genre d'opérations, d'un canon de mitraillette on me fit signe de poursuivre ma route. Si je voulais en savoir plus, que j'aille donc me renseigner auprès d'un responsable d'Achrafieh. Je compris qu'on n'aimait guère les journalistes qui se livraient à ce genre d'enquête. Pourtant, c'était le secret de Polichinelle. Puisqu'il n'y avait plus d'Etat, chacun de ces « micro-Etats » de quelque bord qu'il fût reconstituait à son profit une organisation avec douane, police, taxes. Une organisation très lâche, facile à tourner, qui convenait d'autant mieux au caractère libanais, profondément individualiste. Le Libanais est merveilleusement à l'aise dans le désordre et l'anarchie. Il a le don de l'improvisation et n'arrive jamais aussi bien à se débrouiller et à s'organiser que lorsque la confusion est totale.

Mais cette fois, on avait été trop loin. Car il sera difficile, sinon impossible, de revenir en arrière.

Au début des « événements », chrétiens et musulmans mais aussi Palestiniens, se constituèrent un fabuleux trésor de guerre. Les chrétiens eurent le port, les palestino-progressistes, les banques.

Le port recelait pour un milliard cinq cents millions de dollars de marchandises diverses qui disparurent entièrement. A la décharge des chrétiens, on doit reconnaître qu'en faisant main basse sur les entrepôts, ils ne lésèrent pas leurs compatriotes puisque toutes ces marchandises étaient en transit pour les pays du Golfe, l'Irak, l'Arabie.

Les Phalangistes, toujours bien organisés, installèrent à l'entrée du port un poste de garde. A côté, une table avec un responsable, muni d'un tampon.

Les camions qui se présentaient, tous conduits par des chrétiens et des sympathisants du mouvement, achetaient un « permis de pillage ». Ils payaient selon le tonnage de leur véhicule 5 000 ou 10 000 LL. Ils avaient le droit de le remplir en un temps fixé. Puis ils n'avaient plus qu'à filer. A eux de prendre ce qu'ils trouveraient.

C'est ainsi que certains firent fortune, d'autres moins, selon qu'ils tombèrent sur des stocks de farine, de montres, de magnéto-phones, de chaînes Hi Fi, ou de fers à béton.

Mais tous s'y retrouvèrent.

Le port eut son martyr.

« Un certain X... », Phalangiste de conviction et boutiquier de bonne souche, se trouvait à l'hôpital dans un état grave, à la suite d'une blessure reçue sur une barricade. Il était même sous perfusion. Apprenant ce qui se passait au port, devant ce manque à gagner, le peu de sang qui lui restait dans les veines ne fit qu'un tour. Il fila en pyjama, tenant à la main son flacon de sérum, rentra chez lui, trouva un camion, se précipita au port, acheta un permis, pilla tant et si bien qu'il en mourut d'épuisement.

Beaucoup de ces marchandises passeront en secteur musulman, l'argent n'ayant ni odeur ni frontières, et encore moins de confession religieuse.

Du côté musulman, on s'en prit aux banques. Deux hold-up méritent d'être signalés, car ils dépassent tout ce qui fut réalisé dans le genre, tant par l'importance du butin que par les moyens mis en œuvre : le pillage de la British Bank et celui de la Banco di Roma.

Ces « casses » furent exécutés par des organisations palestinien-nes et des partis de gauche islamo-progressistes, mais ils furent organisés, programmés par des individus avisés qui, s'ils remplirent les caisses de leurs organisations, ne s'oublièrent pas non plus.

La British Bank posa des problèmes techniques. Elle se trouvait en pleine zone de combat et il eût été difficile sinon onéreux d'obtenir de l'adversaire qu'il s'abstînt de tirer le temps de vider les coffres.

A partir de la crypte d'une petite église voisine, on creusa donc un tunnel qui aboutissait... à un mur blindé et bétonné dont on ne put venir à bout, ni par le plastic disposé en charges creuses, ni par les bazookas, ni par les chalumeaux les plus perfectionnés.

On aurait pu à la rigueur tout faire sauter avec quelques tonnes de TNT. Mais c'était éparpiller aux quatre vents les trésors d'Ali Baba, brûler billets de banque et valeurs négociables.

Des Palestiniens avisés contactèrent à Londres les spécialistes qui avaient collaboré à la construction de la chambre forte. Deux d'entre eux débarquèrent à l'aéroport de Damas munis de tout un matériel de précision. Ils furent conduits sur les lieux en taxi ou en automitrailleuse.

Forcer le blockhaus leur demanda, dit-on, une semaine d'efforts souterrains pendant qu'au-dessus d'eux on s'entre-tuait au nom du Christ, au nom d'Allah.

On profita d'une trêve pour déménager la banque. Le butin fut estimé entre 100 et 300 millions de dollars.

Ce ne fut rien, paraît-il, à côté de la Banco di Roma, située à côté de la Chambre des Députés, qui fut, elle aussi, pillée et qui contenait dans sa salle forte d'un millier de coffres, tout l'or, les bijoux, les pierres précieuses des bijoutiers arméniens de Beyrouth.

Le leader palestinien pro-syrien Zouhair Mohsen aurait été mêlé directement à ce casse.

Quand en juillet 1979, il fut assassiné à Cannes, pour des raisons obscures, avant d'en savoir plus, on accusa comme il se doit Israël. Dans l'appartement que lui avait prêté un ami libanais on découvrit des sacs de toile débordant de bijoux et d'or en provenance de la Banco di Roma. Ses différents comptes en banque étaient fort bien approvisionnés.

Fut-il indélicat dans le partage du butin ?

Il emporta son secret dans la tombe et la police française comprit qu'elle n'avait pas intérêt à poursuivre trop loin l'enquête (1).

Vingt-trois banques furent pillées à Beyrouth.

Les techniques qui furent mises au point, notamment pour forcer la British Bank, auraient inspiré Spaggiari pour le casse de Nice. On raconta même qu'il avait fait un stage à Beyrouth.

Du côté musulman, on assiste au même phénomène que du côté chrétien. A l'origine par exemple du mouvement El Monrabitou, on trouve un certain Koleilat, ancien homme de main du leader musulman Saëb Salam, ce qui ne l'empêcha pas d'œuvrer pour son compte.

Sa belle-famille tenait magasin de feux d'artifice, place des Canons. Les Phalangistes ne purent résister au plaisir de l'incendier. Furieux, Koleilat recruta, parmi la pègre et les déshérités, des « frères » qui massacrèrent les chrétiens. On lui trouvera une idéologie à sa convenance. Il deviendra « nassérien indépendant ».

---

(1) Nous risquions des ennuis du côté de nos ventes d'armes et de nos approvisionnements en pétrole.

Il passa ensuite à la solde de Kadhafi qui avait le pétro-dollar généreux. Installé à Beyrouth-Ouest il contrôla toute sorte de rackets qui l'amenèrent tantôt à s'entendre, tantôt à s'opposer aux Palestiniens.

En dehors des Palestiniens, du Parti socialiste progressiste de Joumblatt dont nous avons donné l'étonnant programme politique, il faut signaler le PCL, le Parti communiste libanais qui s'est beaucoup renforcé grâce à l'appui soviétique.

Il groupe plusieurs milliers de militants, il dispose de trois journaux. En relations directes avec Moscou, il sert de centrale pour les PC égyptiens et syriens. Truffé d'agents du KGB, il entretient d'excellentes relations avec les Palestiniens extrémistes d'Habache, et de très mauvaises avec les Trotskystes du Groupe communiste révolutionnaire.

Son programme assez anodin jusqu'ici s'est beaucoup radicalisé. Ordre, discipline, orthodoxie. Tout le monde marche au pas.

Il ne me restait plus qu'à rencontrer « l'homme de la dernière chance », celui qui avait la charge de recréer la nouvelle armée libanaise. Grâce à elle, le président Elias Sarkis espérait renouer les fils ténus et fragiles de sa tapisserie, refaire cet Etat libanais que tous réclamaient à grands cris tout en s'accommodant fort bien de son absence.

Je retrouvai le général Victor Khoury aux bains militaires, une survivance du mandat français. Trapu, musclé, les cheveux grisonnants, toujours en mouvement, le langage direct et même brutal, il était connu comme un excellent militaire, adoré de ses hommes. Il revenait de France où il avait été, je pense, demander des armes. De confessions religieuses, il ne voulait plus en entendre parler dans son armée. Il avait pris pour adjoint le général Torbey, qui était druze. Musulmans et chrétiens y cohabitaient.

— Il a fallu leur apprendre à vivre ensemble, me dit-il. Ce ne fut pas facile. Savez-vous que les premiers temps, quand un musulman était au standard, il refusait de transmettre une communication téléphonique émanant d'un chrétien ? Et vice-versa. Maintenant, je dispose de 8 000 hommes sur lesquels je peux à peu près compter. J'en aurai 12 000 demain, puis 18 000.

Il frappa du plat de la main sur la table :

— Une situation pareille à la nôtre ne peut plus durer. Des milliers d'armes traînent à Beyrouth, 600 000 dans tout le Liban. Il faut qu'elles disparaissent, enfin qu'on ne les voie plus, même si, par prudence, parce qu'ils ne sont pas rassurés sur l'avenir, les Libanais les conservent dans leurs caves. Il est intolérable que des cow-boys fassent la police et la loi à Beyrouth, qu'ils roulent des épaules, armés jusqu'aux dents. Je me suis battu à côté d'eux quand nous autres, chrétiens, nous jouions notre vie, défendant nos familles. Et on s'est bien battu. Savez-vous comment ces petits salauds m'ont remercié ? En assassinant mes chevaux.

Le général Khoury, cavalier émérite, remporta de nombreux concours hippiques. Il ne pardonnera jamais à ceux qui, pour lui donner une leçon, incendièrent ses écuries et il saura attendre.

L'affaire n'est pas simple, comme tout ce qui se passe au Liban. Un certain capitaine Achkar avait été infiltré par les Phalanges dans le 2ᵉ Bureau de l'armée. Le général Khoury l'apprit et voulut le faire arrêter. Achkar se défendit et fut tué.

Bechir Gemayel en représailles fit dynamiter la résidence de Victor Khoury et ses écuries prirent feu.

— Qu'on me laisse refaire une armée, répéta le général. Alors chrétiens et musulmans se retrouveront, les musulmans n'auront plus peur et cesseront d'être les otages des Palestiniens et les chrétiens considéreront à nouveau leurs leaders non plus comme des chefs militaires qu'ils doivent entretenir mais des politiciens responsables de partis légalement constitués. Ce sera difficile de refaire cette armée ! Si j'échoue, le Liban est perdu, à tout jamais.

Un homme se pencha vers le général. Traits taillés à coup de serpe, barbiche poivre et sel, les yeux vifs et brillants.

C'était le fameux Père Douheihy, le célébrant de la messe de Requiem de Miazara où il y eut vingt-sept morts, le prêtre au colt sous la chasuble.

Il porte une élégante tenue de clergyman, ayant juré qu'il ne remettrait la soutane que lorsque les Syriens auraient quitté le pays.

— Après avoir refait l'armée, dit-il, vous recréerez, j'espère, mon général, un solide 2ᵉ Bureau ? Comme le général Chehab. C'est la seule façon de tenir ce pays.

« Sleimane Frangié, voilà le coupable. C'est lui qui a cassé l'armée. Et maintenant, il est prisonnier comme un rat dans sa montagne, entouré de ses amis syriens. Les Gemayel et les Frangié vont s'entre-tuer jusqu'à ce qu'il n'en reste plus un seul. Ce sont eux qui se disent les champions des chrétiens au Liban ! Je vous le dis, mon général, il nous faut un régime à poigne, un 2ᵉ Bureau qui n'hésitera pas...

Il s'arrête. Le général feint de ne pas l'avoir entendu et change de sujet :

— J'ai déjà des crédits pour payer convenablement mes jeunes engagés. Je pourrai les choisir. Me laissera-t-on faire ?

Le général Victor Khoury finira-t-il président de la République après avoir ramené la paix comme Chehab ? Ou sera-t-il assassiné comme ses chevaux ?

Je rentrai à mon hôtel, le Coral Beach, qui se trouvait à quelques centaines de mètres des bains militaires. Le général me prêta sa voiture de fonction, son chauffeur et son garde de corps.

— Vous ne voudriez pas prendre un taxi, me demanda timidement le chauffeur. En voici un. Voulez-vous que je l'arrête ? Surtout que le général ne le sache pas. Je paierai la course.

Il faisait très chaud. J'ai cru que ce brave militaire avait la flemme de me conduire.

Tout penaud, il m'avoua la vérité. Au carrefour voisin, près du magasin Spinney, l'armée du Liban arabe du lieutenant Ahmad Khattib, allié des Palestiniens, avait installé des barrages. Ses partisans venaient d'enlever un lieutenant et quatre soldats de l'armée nationale libanaise. Le chauffeur ne voulait pas subir le même sort et se faire voler la belle voiture du général. Je pris donc un taxi.

Il me restait encore à rendre visite à la seule institution qui tenait debout dans cette tempête : un magnifique immeuble de pierre et d'acier : la Banque Centrale du Liban, le temple du dieu Baal.

Le gouverneur Michel El Khoury, très élégant, très disert, me reçut dans son luxueux bureau à l'épaisse moquette.

— Mais oui, me dit-il, la livre libanaise se comporte bien sur tous les marchés du monde. Elle reste toujours convertible. Les réserves en or et en devises que nous avons accumulées pendant trente ans de prospérité peuvent nous permettre de tenir longtemps encore, bien que l'Etat n'ait plus de rentrées d'impôts directs ou indirects. Heureusement il y a les millions de dollars que, tous les mois, les Libanais exilés dans le Golfe ou en Arabie envoient chez eux. Et tous ces pétro-dollars que les Etats Arabes, la Libye et l'Irak déversent chez nous pour financer tel ou tel mouvement, telle ou telle milice. Un argent dont nous nous passerions bien volontiers car il vient au Liban, non pas pour construire mais pour détruire. Il entre quand même dans notre balance des paiements, il maintient la livre libanaise à son cours habituel. Notre économie reste active malgré la guerre et ses destructions. Jamais il n'y a eu autant de spéculations sur les terrains. Ils ont doublé, triplé. C'est inquiétant. Partout, l'on construit. C'est rassurant.

— L'avenir du Liban ?

— Il suffit que notre pays retrouve sa stabilité politique et il connaîtra une nouvelle prospérité. Le secteur bancaire s'est maintenu à un niveau très satisfaisant d'activité.

Je demande :

— Alors, faut-il refaire le Liban, non pas avec l'armée comme le disait votre homonyme, le général Victor Khoury, mais autour de sa monnaie ?

— La livre pourrait, en effet, devenir l'un des éléments unificateurs du pays si nous devions nous constituer en Etat fédéral comme la Suisse...

— La livre libanaise comme emblème au lieu du cèdre sur le drapeau libanais ?

Le gouverneur sourit. L'entretien est terminé.

Michel El Khoury rêve aussi d'être président de la République.

Solitaire dans son palais de Baabda, le président Elias Sarkis s'est remis à sa tapisserie.


Qui a assassiné le Liban ?

Les Libanais bien sûr par leur insouciance, leur incurable optimisme, leur individualisme, leur goût du désordre et du profit immédiat, par leurs rivalités qu'ils firent toujours passer avant l'intérêt national. Pourtant ils aimaient leur pays mais à leur façon, en enfants ingrats et trop gâtés.

Qui les a aidés ?

Tous réunis, musulmans et chrétiens, ils n'auraient jamais pu causer autant de dégâts. Les fusillades, les canonnades duraient des jours et des nuits entières avec de brèves interruptions. Les chrétiens reconnaissent qu'ils ont dépensé vingt millions de nos francs par jour durant les neuf mois que durèrent les combats. Ils affirment que leurs adversaires ont gaspillé dix fois plus de munitions. Cela fait des milliards de dollars. Ni le pillage du port ni celui des banques n'ont suffi.

Les Palestiniens ? Certes. Ils ne pouvaient survivre que dans un pays désorganisé, sans armée, sans police, débarrassé des chrétiens. Abou Ayad, le second d'Arafat, n'avait-il pas déclaré que la route de Tel-Aviv passait d'abord par le mont Liban et Jounieh ? Qui a fourni les armes et l'argent ? Qui, à plusieurs reprises, quand les combats cessèrent, paya les tireurs isolés qui firent des cartons sur les passants dans le seul but de faire reprendre les combats ?

La liste est longue : la Libye de Kadhafi, la Syrie d'Hafez el Assad, l'Irak, l'Arabie, les Emirats, l'Algérie, la Jordanie, l'Iran, l'Egypte, le KGB, la CIA et Israël. Ils payèrent les uns, ils payèrent les autres. Les chrétiens ont reçu de l'argent de Kadhafi, les musulmans et les Palestiniens des USA et même d'Israël ; tout le monde de la Syrie qui, en cours de route, changea trois fois de monture et s'entendit avec Washington sans déplaire à Moscou.

Y eut-il complot de Kissinger ?

George Godley qui est envoyé comme ambassadeur au Liban au mois de mars 1974 est une sorte d'exécuteur des hautes œuvres. Il a la tête de l'emploi et un passé chargé. On l'a connu au Cambodge où Sihanouk dénonce ses complots, au Laos où il joue les vice-rois et s'offre une armée privée. Il est au Guatemala, en République dominicaine, au Congo partout où il faut remettre des gouvernements au pas ou en changer. Il aurait servi de modèle à *Un Américain bien tranquille* de Graham Greene. L'Argentine refuse sa nomination, mais le Liban l'accepte. Les Russes, aussitôt, envoient Soldatov qui est l'alter ego de Godley, l'homme des mêmes besognes. Tous les initiés savent que bientôt « il fera chaud » à Beyrouth.

Godley suit-il les instructions de Kissinger à la lettre ? Ne fait-il que s'en inspirer ? Selon Godley (et Kissinger ?), il y aurait au Moyen-Orient trois peuples qui posent des problèmes : les Israéliens, les Palestiniens et les chrétiens du Liban. Les Israéliens disposent de puissantes amitiés dans le monde, ils sont déterminés et ne peuvent être chassés de Palestine. Les Palestiniens ont acquis prestige et soutien auprès de tous les pays arabes. S'en prendre à eux ou les laisser « en diaspora » trop longtemps mettrait en péril l'approvisionnement en pétrole de l'Amérique et de l'Occident. Les chrétiens du Liban ne survivent que grâce à l'appui de l'Occident et à l'inertie du monde musulman qui les entoure. Et il n'y a pas de pétrole dans leurs montagnes. L'Amérique doit choisir la seule voie qui s'offre à elle : assurer une terre d'élection aux Palestiniens en leur donnant le Liban, procurant ainsi une paix définitive aux Israéliens.

Godley tient à peu près ces propos :

— Israël est une finalité en soi, les Palestiniens une poudrière en puissance, les chrétiens du Liban des bourgeois ayant une vocation d'apatrides. Que perdrait l'Amérique avec les chrétiens ? Rien. Intelligents, dynamiques, évolués, ils font partie de notre société de consommation. Ils n'auront donc aucune peine à s'intégrer dans notre société occidentale. Ils s'en tireront même à très bon compte et ne poseront aucun problème aux peuples d'accueil qui s'en trouveront bien. L'alliance inéluctable des Palestiniens avec l'Islam libanais leur aurait procuré de toute manière une terre de refuge au Liban.

« Installés au Liban définitivement, les Palestiniens ne seraient plus ce peuple dévoré par le désir de posséder un territoire national. Ils cesseraient de suivre les leaders extrémistes qui, poussés par la Russie, veulent porter la révolution dans tout le Moyen-Orient. »

URSS et USA ont fait le même pari sur la victoire de la révolution palestinienne. Mais la Russie soutient la gauche libanaise et les Palestiniens extrémistes, l'Amérique les leaders traditionnels de l'Islam libanais, les Karamé, les Saëb Salam et la tendance modérée de l'OLP. Le département d'Etat souhaiterait que le drapeau vert de l'Islam remplaçât le drapeau rouge ou noir des communistes et des terroristes. Sous ses plis pourrait se constituer un Etat fort qui contrôlerait comme en Egypte et en Syrie le terrorisme palestinien.

Godley n'avait pas prévu que les chrétiens s'accrocheraient à leur pays. Même les exilés de la diaspora libanaise, ceux qui ont fait fortune à l'autre bout du monde, non seulement envoient de l'argent mais leurs fils et ils viennent mourir pour le Liban chrétien.

La folie meurtrière se déclenche, le sang coule, le Liban s'embrase. Les « palestino-progressistes » n'arrivent pas à bout des « conservateurs chrétiens ».

Les dés ont échappé à Godley. L'Amérique, obligée de reconnaî-tre le fait chrétien, approuve l'intervention syrienne. Israël arme les Phalangistes. Godley est rappelé aux Etats-Unis. Francis Maloy, son successeur, accompagné d'un conseiller, se rend en secteur chrétien pour rencontrer le président Sarkis nouvellement élu de la façon que l'on connaît. Ils sont enlevés et assassinés. Ont-ils payé pour Godley qui a fait miroiter aux yeux d'Arafat un Etat islamo-palestinien et qui n'a pas tenu ses promesses ?

Que reste-t-il du pari de Kissinger ? Des ruines, des cendres, des milliers de morts. Un pays détruit pour rien. Les Syriens, à leur tour, s'engluent dans le marécage libanais. Joumblatt y laissera la vie, les Palestiniens y perdront toute crédibilité de devenir un jour un peuple.

Qui a gagné au Liban ? Baal, le dieu Baal, voyons, qui, barbouillé de sang, danse sur ses ruines.

# IV

## IRAN :
## ZARATHOUSTRA ET LES MOLLAHS

— *L'Europe n'est qu'un ramassis de dictatures pleines d'injustices.*

— *Nous sommes convaincus qu'à vous autres, Iraniens, on vous a fait perdre votre capacité de distinction entre le Bien et le Mal en échange de quelques appareils radio et de ridicules chapeaux occidentaux. On a attiré votre attention sur les femmes dénudées qu'on rencontre dans les avenues et sur les bords des piscines. Que ces pratiques honteuses prennent fin pour que pointe l'aube d'une vie nouvelle.*

— *Tout pouvoir laïque, quelle que soit la forme sous laquelle il se manifeste, est forcément un pouvoir athée, œuvre de Satan. Il est de notre devoir de l'enrayer et de combattre ses effets. Le pouvoir satanique ne peut engendrer que la corruption sur la terre, le Mal suprême qui doit être impitoyablement combattu et déraciné.*

— *Le vin et toutes les autres boissons enivrantes sont impurs mais l'opium et le haschisch ne le sont pas.*

— *Il est interdit à un homme de regarder le corps d'une femme qui n'est pas la sienne, sous aucun prétexte. Il est également interdit à la femme de regarder le corps d'un homme qui n'est pas son mari.*

— *Il est recommandé de mettre deux morceaux de bois frais dans la tombe d'un défunt.*

Pensées et préceptes de conduite de
l'ayatollah Ruhollah Khomeiny

J'ai bien aimé l'Iran, d'où ma peine à en parler aujourd'hui. J'y ai vécu en 1947-1948, dix-huit mois d'affilée. Téhéran était une ville de jardins, de « koutchés », de ruelles étroites aux murs de pisé, avec quelques grandes avenues où, plus nombreux que les voitures, passaient de vieux fiacres attelés de chevaux clopinants. On disait que leurs conducteurs, les « dorochkés », gras et imberbes étaient d'anciens eunuques. Le soir, ils promenaient des belles en tchadors noirs, souvent des prostituées, parfois des travestis.

Dans un jardin de Chemeran au-dessus de la ville, allongés sur des tapis autour d'un samovar qui ronflait, nous discutions de mille choses à condition qu'elles soient futiles comme des dernières mésaventures d'un haut personnage que son épouse avait surpris au lit... avec son propre amant.

Notre hôte était un prince follement riche et suffisamment fou pour qu'on le lui pardonnât. Il s'efforçait de bannir de son entourage les sots et les importuns. On y rencontrait peu de diplomates, encore moins de politiciens mais des poètes, des chanteurs baktyars, des joueurs de flûte et de tambourin. Le prince était athée avec conviction et vingt-neuf jours par mois, il ne supportait pas qu'on parlât de Dieu sinon pour le maudire. Mais le trentième, déguisé en derviche, les cheveux couverts de cendres, agitant des chaînes, il mendiait au bazar en invoquant Allah auquel il croyait ce jour-là. A son retour, débarrassé de ses haillons, il nous conviait à boire du vin, et fumer l'opium. Il nous récitait de longues tirades de Voltaire et d'Anatole France, celles qui s'en prenaient le plus violemment à l'Eglise et à ses serviteurs. Mais il m'eût volontiers accompagné à la messe si j'y avais été.

Je suis retourné en Iran à plusieurs reprises, maudissant la circulation qui devenait infernale, ne reconnaissant plus mes Iraniens gagnés par la frénésie des affaires et de l'argent. Au passage, j'interviewai le Shah. Il venait de répudier Soraya ; il souhaitait épouser Marie-Gabrielle de Savoie et s'étonnait, tant il se considérait comme peu musulman, qu'il lui fallût une dispense du pape.

J'assistai à son mariage avec Farah Dibah que j'avais connue quand elle jouait les cheftaines de louveteaux dans la troupe scoute montée par les bonnes sœurs. Son oncle, le sergent-chef Dibah, un ancien de la Légion Etrangère était de mes amis. Ensemble, en compagnie de Napoléon Jékiell qui régnait sur l'AFP, nous levions gaillardement le coude au bar du Ritz ou chez P'tit Louis, un « troquet » dont le patron fabriquait lui-même son pastis avec des sachets d'herbes qu'il recevait de Marseille. Il laissait entendre qu'il avait eu dans cette bonne ville un passé orageux et qu'il avait joué du surin du côté de la Belle de Mai.

Un des oncles de Farah tenait le Park Hotel. Homme de bonne compagnie, il faisait des prix aux journalistes et il était accommodant sur les notes de bar.

Puis je fus interdit à ma grande surprise pour un livre que j'avais commis en 1961 (*Visa pour l'Iran*, Gallimard éd.). Il écorchait la vanité du souverain en révélant les origines modestes sinon obscures de sa famille. Jusqu'alors il ne s'en était pas soucié, il en était même plutôt fier, à juste raison.

On voulut savoir quelles étaient mes sources. Le chef de la Savak, le général Pakravan, fut chargé personnellement d'une enquête qu'il préféra ne pas poursuivre. On l'a fusillé depuis, moins pour des crimes qu'il n'avait pas commis qu'à cause de l'étiquette qu'il avait portée. C'était un homme charmant, un excellent diplomate, un courtisan accompli et malgré cela un homme de cœur. Mais qu'allait-il faire dans cette galère ? Khomeiny lui devait pourtant une fière chandelle mais il n'était pas homme à s'encombrer de gratitude, surtout si son image de révolutionnaire intransigeant en avait souffert.

Dans ce *Visa pour l'Iran*, j'écrivais aussi :

« La Perse n'est pas une monarchie constitutionnelle mais absolue, fortement tempérée par la désobéissance à tous les échelons. Ce pays m'apparut certaines fois comme l'un des rares où se pratiqua la démocratie sous sa forme extrême, c'est-à-dire le gouvernement de tout le monde et de personne dans un désordre érigé en système... Selon que le roi détient le pouvoir réel ou au contraire le chef d'état-major ou le Premier ministre, chacun d'eux remplit le Parlement de ses créatures. Les députés sont toujours prêts à retourner leur veste avant même qu'on le leur demande...

« ... Un vieux peuple attachant, d'une grande gentillesse mais épuisé par une longue histoire pleine d'avatars, d'invasions, de massacres, d'incendies, retrouve lentement ses forces. Ses étudiants manifestent et se battent dans les rues de Téhéran, ce qui est un signe de vitalité tandis qu'un souverain aux tempes grises erre dans son palais en proie à toutes les contradictions de sa nature profonde. » Et cela encore avait déplu.

Ayant lu Gobineau, assisté à quelques « prêches » de H. Corbin qui en savait tant sur le chiisme qu'on se demandait s'il ne l'inventait pas, conseillé par André Godard, directeur des Antiquités iraniennes, et Yédda, son épouse qu'il était difficile d'abuser, j'en étais venu à penser comme tous les gens de sens qui avaient longtemps vécu dans ce pays et l'avaient aimé sans en être dupes. L'Iranien était double et il n'était pas surprenant que le manichéisme fut né en Perse. Il pouvait être tour à tour et simultanément souriant, aimable, moqueur, cynique, triste et désespéré, jouisseur et ascète, sceptique, religieux et même fanatique, voleur et intègre, capable de toutes les exaltations, et la crise passée, de tous les désenchantements. La poésie iranienne m'avait donné quelques clefs :

Roudagui :

> *Vis joyeux avec les belles aux yeux noirs*
> *Car le monde hélas n'est qu'un conte et du vent,*
> *Ce monde hélas n'est que nuée et vent,*
> *Apporte du vin et advienne ce qui pourra...*

Omar Khayyam :

> *Cesse de penser à toi-même, de craindre la pauvreté, de poursuivre la richesse.*
> *Bois du vin. Une vie si lourde de tristesse, mieux vaut la passer dans le songe et l'ivresse.*

Ou encore Chahid de Bactriane qui vivait au IXᵉ siècle :

> *Si la douleur faisait de la fumée comme le feu,*
> *Le monde entier serait éternellement dans la nuit...*

Cette poésie de mort, de renoncement, d'évasion, ce goût du malheur, c'était l'âme secrète de la Perse. Elle plongeait ses racines dans le vieux fonds mazdéen qui subsistait vivace derrière le masque du chiisme. La religion mazdéenne était triste, ses rites lugubres. Elle exigeait de ses adeptes une grande pureté et une surveillance perpétuelle de tous leurs instincts.

Lassés de ce puritanisme accablant, les Persans s'étaient tournés vers l'Islam, croyant y trouver une libération. « Ils ne purent rejeter ce vieux tchador noir qui leur venait du fond des siècles (1). »

L'imam Khomeiny a cru faire sa révolution au nom d'Allah, le Grand, le Miséricordieux contre un roi corrompu et infidèle. Il en est toujours persuadé. Il se trompe pourtant. Ce fut au nom d'un autre dieu Ahura Mazda le Pur, l'Impitoyable et contre son double noir Ahriman, l'esprit du Mal, le « Taghout », le Diable. Ce diable sera le Shah, qui, malade, dévoré par le doute, rongé par le cancer, n'était plus qu'un pauvre diable et Carter que rien ne prédisposait à cet emploi.

Que cherchait Khomeiny sinon rétablir les pouvoirs théocratiques, dont avaient disposés au temps des Sassanides (2) les mages zoroastriens, les mobeds, ancêtres des mollahs ?

13 octobre 1971. Dans un faste inouï, à Persépolis, Sa Majesté Impériale, Reza Shah Pahlavi Aryamehr (lumière des Aryens), fête dans un luxe inouï les 2 500 ans de la monarchie iranienne. Il a invité rois et chefs d'Etat, émirs et princes. Certains se sont récusés comme Nixon, la reine d'Angleterre ou G. Pompidou. D'autres auraient aimé ne point venir mais ils n'osèrent pas, tels les émirs et les sheiks du Golfe.

Devant le tombeau de Cyrus le Grand (3), Reza Shah tient un étonnant discours :

« A toi Cyrus, grand roi, roi achéménide, de la part de Moi-même, le Shahinshah de l'Iran, de la part de mon Peuple, salut. En ce jour historique où le pays tout entier renouvelle son serment avec son glorieux passé, je prends l'Histoire à témoin pour dire que

---

(1) *Visa pour l'Iran.*
(2) 226-651 de notre ère.
(3) Selon Alexandre Demandt, professeur d'histoire ancienne à l'Université de Constance, le tombeau à toit à pignon de Meched Mader-i-Suleiman n'aurait jamais été le tombeau de Cyrus et la date du jubilé serait fausse.

Nous, héritier de Cyrus, nous avons pris l'engagement tenu il y a 2 500 ans. Nous sommes restés fidèles à notre mission, nous avons fait de notre culture un instrument de paix et d'amour... Cyrus nous voici devant ton éternelle demeure pour te dire solennellement : dors en paix car nous sommes en éveil. Et nous le resterons pour surveiller ton glorieux héritage. »

Puis c'est l'étonnant défilé, dans la lourde poussière ocre, des guerriers de Cyrus, de Darius, les fameux « Immortels » portant la barbe bouclée, l'épée courte, le petit arc des cavaliers mèdes, des guerriers en armure de Shapour, Sapor, qui vainquit les légions romaines. Ils précèdent les parachutistes en tenues camouflées, les chars amphibies, les canons de 155 autotractés, les véhicules tous terrains équipés de missiles. Les survolent les escadrons de cavalerie héliportés, les chasseurs à géométrie variable que les Américains ont hésité à construire tant ils coûtaient cher et que le Shah s'est offerts.

Car Reza Shah s'est institué le gardien du Golfe et de ses trésors. Les émirs de Bahrein, de Koweit, les sheiks de Dubaï, d'Abou Dhabi, du Qatar conviés à cette fête font figure de satrapes dépendant du « Grand Roi ». Leur orgueil de Bédouins s'en trouve blessé, leurs convictions religieuses de musulmans wahhabites, offensées. Car Reza Shah ne se réclame pas à Persépolis des califes très saints mais des Achéménides impies, adorateurs du feu.

On dépensera pour cette pantomime des millions de dollars qui auraient pu être mieux utilisés pour donner du travail et du pain à ces milliers de déshérités qui encombrent les bidonvilles autour de Téhéran. Encadrés par les mollahs, ils seront les troupes de choc qui emporteront le régime.

Mais déjà le Shah a été pris de démence. Celui que Zeus, Allah ou le Destin veut perdre, il commence par le rendre insensé.

A Nadjaf, un des lieux saints où se trouve la tombe d'Ali, gendre du Prophète et le premier des imams, à l'ombre des coupoles bleues des mosquées et des « madrassés », où l'on enseigne la vraie foi, celle des chiites, l'ayatollah Khomeiny fulmine contre le roi, sa dynastie qui vient à peine de naître, et contre tous les rois qui depuis 2 500 ans ont empêché le règne de Dieu et de ses prêtres, tous depuis Darius et Cyrus, depuis les rois parthes, grecs, mongols et turcs.

Il emploie les mêmes termes que les mages, les mobeds zoroastriens, ancêtres des mollahs, qui voulurent eux aussi régner et qui y parvinrent pour le plus grand malheur de la Perse.

Avec une extraordinaire efficacité, l'ayatollah usera du vieux fond manichéen, s'arrogeant la mission suprême de traquer les forces diaboliques de l'ombre au nom de Dieu qui est la Lumière. La monarchie est une des formes les plus honteuses et les plus viles de la réaction, dit-il. « Luttez contre ces tyrans et ces brutes qui enchaînent les peuples. Détruisez les palais de la tyrannie impériale... »

Deux hommes vont s'affronter par-delà les siècles, symbolisant deux pouvoirs qui n'ont cessé de lutter durant toute l'histoire de la

Perse : le pouvoir civil et le pouvoir religieux, le prêtre et le roi.

Mais ni Khomeiny ni Reza Shah — et c'est dommage — n'ont suffisamment d'envergure pour hausser cet affrontement à la hauteur de l'histoire et de ce qui la transpose, le mythe.

« Pourtant ces deux hommes qui nourrissent une haine implacable l'un pour l'autre se ressemblent étrangement. Ils sont tous deux entêtés et vindicatifs. Ils développent des vues simplistes sur les problèmes de leur pays et du monde. Ils n'admettent pas la contradiction. Ils se considèrent tous deux guidés par le Tout-Puissant. Ils se veulent les dirigeants incontestés du peuple. Leur esprit dictatorial ne connaît pas de bornes. Seul leur style de vie diffère. Khomeiny mène l'existence simple, sans apprêt d'un ascète tandis que le Shah s'entoure d'une pompe toujours plus grande (1). »

On ne peut comprendre le sens profond, presque magique de leur combat sans évoquer les prédécesseurs de Khomeiny qui nourrissaient les mêmes ambitions bien avant l'Islam. Quel meilleur guide que Gobineau dans *Trois ans en Asie ?*

« A juger sur les apparences, la Perse est un pays de mahométans. La foi musulmane seule y est reconnue et les habitants qui ont toujours à la bouche des formules pieuses tirées du Coran semblent les croyants les plus zélés du monde... Et avec cela, on peut considérer comme une vérité hors de toute contestation que, sur vingt Persans, à peine un seul croit-il à ce qu'il dit... Comment une nation entière a-t-elle été amenée à ce singulier spectacle d'une hypocrisie universelle dont personne n'est dupe et à laquelle tout le monde se soumet ?...

« Je serais porté de croire que l'origine de ce phénomène est antérieure à l'Islamisme... Sous les Sassanides (2), le corps des prêtres du feu, les mobeds, avaient acquis une influence énorme dans l'Etat. Ils étaient à peu près tout-puissants dans les conseils du souverain, s'étaient fait une grande part dans l'administration civile et, confondant le domaine de la foi et de la politique, n'admettaient pas qu'aucune partie de cette dernière pût leur rester fermée... Les mobeds, corps puissant bien organisé et dirigé par des chefs fougueux, n'hésitèrent pas à entrer dans un système soutenu de persécution qui laissa de bien loin derrière lui tout ce qu'on peut raconter ou inventer sur l'Inquisition d'Espagne...

« (Ils voulaient) que la nation entière fût revenue, comme aux époques antiques, un peuple exclusivement pastoral, agricole et guerrier ; elle eût renoncé aux arts et aux jouissances du luxe...

« Les classes industrielles qui formaient, comme partout, la majorité des populations urbaines répondirent à la persécution par la haine et éclatèrent avec furie en plusieurs occasions, surtout sous

---

(1) Fereydoun Hoveyda, *La chute du Chah,* éd. Buchet-Chastel.
(2) Ce fut le roi sassanide Ardechir qui, au IVᵉ siècle de notre ère, organisa la première Eglise d'Etat, faisant du clergé mazdéen le soutien du trône.

le règne de Kobad, où l'hérésiarque Mazdak (1), se mettant à leur tête, flatta toutes leurs passions en prêchant la destruction des mobeds, la communauté des femmes et des biens et toutes ces honteuses folies, toujours les mêmes, presque sans variantes, dans les sociétés vieilles et sans conscience... Quatre cents ans après l'avènement de l'Islamisme, on comptait encore en Perse de nombreux partisans de l'ancienne religion de Mazdak. La mode des religions secrètes s'établit...

« Sur ces entrefaites l'Islamisme naquit... Le jour de la rancune avait lui. Dans les villes, les dissidents opprimés levèrent la tête. La foule des artisans, la populace maltraitée par les mobeds, les artistes, les incrédules de position, se jetèrent dans les bras des Arabes vainqueurs. L'amour des révolutions et du pillage fit le reste.

« ... (Les Arabes) de l'aveu d'un calife avaient bien le génie militaire, mais ils ne possédaient en aucune façon celui du gouvernement et de l'administration. Les mobeds s'offrirent à mettre leur expérience au service du vainqueur si le vainqueur voulait en user. Il en usa... Il prit les mobeds pour intendants à la condition qu'ils reconnaîtraient l'Islam ; ils y consentirent, en arrangeant tout aussitôt un Islam d'une façon qui l'eût rendu méconnaissable pour Mahomet et qui ne ressemble à rien de ce qui se voit dans le monde musulman.

« Ils se reconstituèrent en clergé inquisitif, dominateur, changeant seulement le nom de mobeds en celui de moullahs...

« Ils établirent en principe que lire le Coran sans la participation d'un moullah constituait en soi une hérésie grave et que le moullah seul devait et pouvait donner au fidèle le véritable sens du texte sacré... Contre l'Islamisme lui-même ils inventèrent le culte des imams...

« Ils avaient eu, comme mobeds sous les Sassanides, une part fort grande en bien des points de la justice civile. Sous le nouveau régime ils l'attirèrent tout entière à eux en tant qu'elle releva du Coran, et décidèrent dans tous les cas, suivant la visée, le caprice, l'intérêt ou la passion du moment. De la sorte, ils restèrent extrêmement puissants dans la société persane. Les marchands qui en avaient sans cesse besoin, en leur qualité de juges civils, allèrent à eux avec empressement ; le bas peuple qui en recevait des aumônes, se mit sous leurs pieds et ils se trouvèrent en face de rois, tout à fait en état de les braver. Ceux-ci prirent peur... Au XVIIIe siècle, (les mollahs) furent déplorables de nullité... Peu à peu ils tombèrent au rang de chefs de la populace. Uniquement préoccupés du soin de se conserver cette ressource, ils se firent les complaisants de la plèbe, affichèrent un zèle immodéré pour la collecte des aumônes dont une partie leur restait dans les mains, et, en leur qualité d'administra-

---

(1) Mazdak peut être considéré comme le premier des « communistes utopiques ». Ses théories furent appliquées pendant dix ans, avec l'appui du roi voulant lutter contre la toute-puissance du clergé. Puis Mazdak fut massacré, le roi détrôné et le clergé revint au pouvoir plus puissant qu'avant.

teurs de la justice, s'attachèrent toujours à donner raison aux misérables dont, à un jour dit, ils pouvaient avoir à réclamer l'appui... Mais si, dans les émeutes, on continua de les craindre..., les classes supérieures s'en éloignèrent, apprirent à les mépriser, et alors commença ce système de dénigrement et de moquerie qui remplit la littérature persane... A dater de ce moment l'autorité royale marcha d'un pas très ferme dans la réaction contre un pouvoir qui l'avait souvent gênée et qui toujours lui avait fait grand'peur... En un mot, le clergé musulman de Perse mérite, dans sa grande généralité le mépris et la haine qu'il inspire à la nation... »

Le livre de Gobineau est paru en 1859.

1978. Voici face à face les deux protagonistes du drame : Mohammed Reza Shah, cinquante-neuf ans ; l'ayatollah Khomeiny qui en a soixante-seize ou soixante-dix-huit, on ne sait pas très bien.

Ils se lancent à la tête :

Le Shah :

« Le régime monarchique, en tant qu'âme, essence, existence, source d'énergie et fondement de la souveraineté et de l'unité nationale, constitue la base solide et le gardien puissant de toutes ses valeurs, ses progrès, ses acquisitions matérielles et morales... » *(Vers la grande civilisation)*

« ... Je détiens dans mon pays le rang et le pouvoir suprêmes, reposant sur la loi et le lien spirituel particulier qui me rattache à mon peuple... » *(Id.)*

Khomeiny :

« Le gouvernement islamique ne peut être ni totalitaire ni despotique mais constitutionnel et démocratique. Dans cette démocratie, pourtant, les lois ne dépendent pas de la volonté du peuple mais uniquement du Coran et de la Sunna (tradition) du Prophète.

« La Constitution, le Code civil et le Code judiciaire ne peuvent s'inspirer que des lois islamiques contenues dans le Coran et transcrites par le Prophète et elles seules doivent être appliquées scrupuleusement. Le gouvernement islamique est le gouvernement de droit divin et ses lois ne peuvent être ni changées, ni modifiées, ni contestées. » *(Principes philosophiques et religieux)*

Comme on ne parle pas la même langue, qu'on ne peut s'entendre sur rien, on en vient vite aux coups bas. On s'accuse de toutes les turpitudes, des mœurs les plus exécrables. C'est la lutte du Bien contre le Mal.

On ne peut comprendre Reza Shah sans parler de son père Reza Khan fondateur de la dynastie qui était... mais oui... républicain. Son fils le détesta secrètement, il voulut s'en démarquer et finit par lui ressembler. Mais il lui manquait la puissante personnalité de cet homme venu de nulle part et qui semblait être sorti, le sabre à la main, du sol de l'antique Perse.

La naissance de Reza Khan pose en effet un mystère. Ce que j'en appris, quand je vivais en Iran — et je disposais de bonnes sources —, contredit ce que racontera plus tard son fils dans ses *Mémoires*.

Je me suis souvent demandé pourquoi Mohammed Reza Shah, le second, était honteux à ce point des origines de son père. Reza Khan pouvait se permettre de dire comme Nadir Shah qui conquit les Indes : « Je suis fils de mon sabre, petit-fils de mon sabre, et ainsi de suite... »

Selon Reza Shah Pahlavi, son père serait né en 1878 dans la province du Mazandéran, sur les bords de la Caspienne.

D'origine purement persane, il serait fils et petit-fils d'officiers de l'armée. Son grand-père aurait été colonel. Plus tard, il dira même qu'il appartenait au clan très illustre des Bavand. Mais un peu plus loin, il se contredit et avoue qu'il était complètement illettré, ce qui est étrange pour le rejeton d'un officier supérieur de grande famille.

Reza Khan serait né en réalité à Savad Kouh, dans le Mazandéran, d'un père inconnu, à une date indéterminée, d'où le nom qu'il porta dans son enfance, Savad Kouhi, celui qui est né à Savad Kouh. Il était probablement bâtard ou fils d'un de ces mariages religieux, très peu légitimes, d'un « cire », unions qui peuvent durer de deux heures à quelques mois et qui permettaient au mollah de se faire graisser la patte, pour couvrir la plus banale prostitution.

Un jour sa mère dut s'enfuir, probablement chassée par le maître qui en avait usé. Elle emporta son fils dans ses bras et suivit une caravane dans la neige. Il faisait si froid que l'enfant devint bleu ; on crut qu'il était mort et sa mère réfugiée dans une étable le frotta de paille jusqu'à ce qu'il revive.

Dans sa jeunesse, le futur Reza Khan fut ânier. Il mesurait deux mètres ; il était grand et fort et s'engagea à quinze ans dans la brigade persane de cosaques sous le nom de Reza. On l'a connu montant la garde devant la légation de Belgique et pour quelques rials accompagnant les invités chez eux, une lanterne à la main. Il apprit seul à lire et à écrire. Il n'y avait pas alors de grades intermédiaires dans l'armée. De simple soldat devenu officier, il se baptisa selon une coutume bien persane, Reza Khan, ce qui faisait mieux.

Grand sabreur, vrai centaure, il participe sous les ordres d'officiers russes à toute sorte d'expéditions contre les tribus, contre les Kurdes entre autres que les Russes ménageaient quand ils pouvaient en finir avec eux. Il acquiert un grand prestige par son courage et découvre en même temps la duplicité des grandes puissances.

Simple capitaine, après la révolution bolchévique, il se trouve à la tête d'une « atriad », d'une brigade de cosaques, 2 500 cavaliers. Il se mêle de politique, sert les Anglais contre les Russes, devient généralissime, ministre, président du Conseil et dictateur.

Ataturk est son modèle. Il rêve de rénover l'Iran, comme lui la

Turquie, d'en faire un pays moderne, une république autoritaire (1) ! de le sortir de son marasme, de l'arracher aux convoitises de ses deux grands voisins prêts à se le partager : l'Angleterre et la Russie. De 1923 à 1925, il s'efforce d'arriver à ses fins.

Finalement il renonce, dépose le souverain Ahmed Shah toujours en voyage et se nomme empereur, roi des rois Shah in Shah plaçant lui-même la couronne impériale sur sa tête et prenant le nom de Pahlavi. Pahlavi désignait avant l'Islam, au temps des Sassanides, la langue et l'écriture iraniennes.

Puis le soir de son couronnement, il couche selon son habitude, à même le sol, enroulé dans sa couverture. Il n'aimait pas les grandes déclarations. Il en fit deux au cours de son existence, la première, quand il prit la capitale avec sa bande de cosaques « les habitants de Téhéran sont invités à obéir et à se taire », la deuxième quand il se fit empereur : « Les Persans sont vraiment trop bornés pour mériter d'être républicains. »

Reza Shah, puisque Shah il y a, crée une armée et une gendarmerie auxquelles il donne tous ses soins. Il s'attaque aux grandes tribus qui n'en faisaient qu'à leur tête et se mettaient au service des uns et des autres. Puis aux brigands qui pullulaient. L'ordre étant à peu près rétabli, il s'en prend à ce qu'il estime être l'élément le plus rétrograde et corrompu du pays, le clergé chiite, maître des bas quartiers et du Bazar qui s'oppose à toutes ses réformes.

Comme Ataturk, Reza Khan est anticlérical ; il ne peut supporter les mollahs, leurs mines chattemiteuses, leur manque de sens national.

Fut-il croyant ? Son fils l'affirme. Il l'était à la persane, quand il avait du temps à perdre pour discuter de Dieu. Mais il ne sembla pas s'être beaucoup soucié de ce genre de problème. Il n'hésite pas à entrer à cheval dans une mosquée pour arracher de la chaire un ayatollah qui prêche contre lui. C'est en bottes qu'il pénètre à Koum dans le tombeau sacro-saint de Fatimah. Comme un mollah veut s'y opposer, il le jette à terre et le cravache.

Il proscrit la polygamie, il dévoile les femmes, il interdit l'entrée des lieux publics et des magasins aux récalcitrantes. Puis il leur fait arracher le voile par ses agents de police et déguise tout son peuple à l'occidentale. C'est d'un effet assez surprenant surtout quand il impose le port de la casquette.

Il ne fait pas bon lui résister. Ses méthodes sont expéditives. Son médecin personnel se charge, par des piqûres d'air, de provoquer des embolies qui emportent dans l'autre monde ceux dont il veut se débarrasser, dont certains de ses anciens amis comme Teymour-tache qui l'aida. Il fait assassiner le héros kurde Simko après lui avoir pardonné sa révolte et l'avoir nommé gouverneur de province. C'était un piège. Il retire au clergé tous ses pouvoirs : l'enseigne-

---

(1) « Je suis persuadé que mon père, un temps, fut partisan de l'idée d'une république. » (Mémoires du Shah d'Iran)

ment, la justice, l'état civil. Celui-ci lui voue une haine que l'on entretient soigneusement mais secrètement dans toutes les « madrassés », les séminaires chiites. Khomeiny en sera imprégné. C'est toute la race des Pahlavi qu'il confond dans la même exécration.

Reza Khan a eu pourtant l'immense mérite d'empêcher l'éclatement de l'Iran, de le sortir de son sommeil. La guerre lui coûtera son trône.

Par haine de l'Angleterre et peur de la Russie, séduit par le mythe aryen comme le sera plus tard son fils, il se jette dans les bras des Allemands. Les Alliés envahissent la Perse. Il doit abdiquer le 15 septembre 1941. Trois ans plus tard, il mourra en déportation à Johannesburg.

Quand son fils Mohammed Reza officiellement lui succède, il a vingt-deux ans.

C'est un garçon délicat, réservé, frêle, timide, mystique, ce qui agace son père qui voudrait en faire un soldat comme lui, rude, brutal, qui sait ce qu'il veut et où il va. Dès l'enfance, Reza Khan s'efforce de lui donner une éducation virile ; il l'habille d'une tenue militaire et l'oblige à faire l'exercice comme un simple troupier.

Pour lui faire connaître le monde, lui donner cette instruction qui lui a tant manqué, il l'envoie en Suisse, aux Rosées. L'héritier du trône y fut plus heureux que près de ce géant qui le terrifiait.

Le jeune Shah ne fut d'abord qu'un prisonnier, qui se terrait au fond de son palais où Summer Welles, en marge de la conférence de Téhéran, le découvre. Il le trouve sympathique, cultivé, et après lui avoir fait subir une sorte d'examen, estimant trop compliqué d'instaurer une république, il le remet sur son trône. Dans les premières années de son règne, Reza Shah se montrera discret, effacé, se gardant bien d'exercer le moindre pouvoir. Roi, par la grâce d'un simple secrétaire d'Etat américain, il n'en est pas encore à se réclamer de Cyrus.

Je l'ai connu en 1947. Je fus même le seul journaliste occidental qui l'accompagna en Azerbaïdjan que les Russes venaient d'évacuer sous la pression américaine. A vingt-sept ans, il avait peur de la foule et il voulait être aimé d'elle. Il s'efforçait avec beaucoup de timidité et de maladresse de donner à son entourage une allure démocratique, à la suisse. Il n'obtenait que courbettes empressées. Ghawam Saltaneh, qui gouvernait, le traitait en enfant, à la grande rage de sa sœur jumelle, la princesse Achraf dont les griffes poussaient. Elle était, disait-on déjà, l'homme de la famille. Mais hélas le mauvais génie.

Puis ce fut Mossadegh, de son vrai nom Mohammed Hedayat, grand seigneur, pitre génial, nationaliste intègre, que le hasard et la confusion des temps amenèrent au pouvoir après l'assassinat du chef d'état-major, le général Razmara. Razmara, ancien saint-cyrien, promettait d'être un nouveau Reza Khan, qui rétablirait un ordre social, laïque et militaire. Il menaçait de s'en prendre aux religieux qui avaient profité de la vacance du pouvoir pour se donner de l'importance. Khalil Tahmassebi, adepte d'un mouvement extrémiste, les Feddayins, les « Sacrifiés » de l'Islam, manipulé par l'ayatollah Kachani, l'assassina, sauvant ainsi le trône de Reza Shah dont Razmara se préparait à escalader les marches. Il m'avait même demandé de lui recruter, parmi d'anciens camarades de guerre en chômage, des spécialistes, qui auraient constitué sa garde personnelle.

Mossadegh nationalisera les pétroles, enflammera les foules, mais il sera dépassé par la rue qu'encadrent les Toudehs, les communistes. Le Shah poussé par sa famille voulut réagir. Trop tard. Il se retrouva avec Soraya en exil à Rome. Soraya qui détestait l'Iran et n'aimait pas la Cour et ses intrigues était ravie ; le Shah comme d'habitude était indécis.

Les Américains le rétabliront sur son trône, avec l'aide du général Zahedi qui sait comment s'achète la populace à Téhéran et qui on doit payer : les nervis du quartier Sud, les patrons de gymnase, des « Zuhrkhanés », les « maisons de la force » dont le plus brillant élément était un certain « Sans cervelle ». Quelques unités de l'armée étaient restées fidèles et l'ayatollah Kachani que la popularité de Mossadegh agaçait s'était rangé aux côtés du roi. Plus tard, le Shah affectera de croire qu'il a été plébiscité par la volonté populaire. C'est une farce !

Il doit d'avoir retrouvé son trône aux Américains, pour la deuxième fois, et à Mossadegh lui-même. Mais il le hait tellement, qu'il ne voudra jamais le reconnaître.

Dans les derniers jours du régime Mossadegh, l'ambassadeur américain Henderson a persuadé du danger communiste le vieil homme en pyjama. Il lui a révélé le vaste complot qui devait faire basculer l'Iran dans l'orbite soviétique.

Mossadegh est avant tout un patriote. Il n'a pas arraché le pétrole aux Anglais pour voir son pays tomber entre les pattes des Russes qu'il déteste plus encore et qu'il estime infiniment plus dangereux. Ils ont 3 500 kilomètres de frontières communes avec l'Iran, et ils ont déjà annexé, au temps des tsars, une partie du territoire iranien, tout le Caucase et le nord de l'Azerbaïdjan.

La rue était aux mains des Toudehs. L'armée elle-même était gangrenée. Quand éclate le putsch du général Zahedi, Mossadegh refusera l'aide des communistes qui n'attendaient que son signal pour faire distribuer des armes au peuple.

Il n'a pas suffi, comme le raconte le Shah, d'un seul coup de semonce tiré par un char fidèle pour venir à bout du Premier ministre, qui toujours en pyjama se serait enfui de chez lui pour se réfugier dans un poste de police.

Les Toudehs, si Mossadegh s'était prêté à leurs desseins, pouvaient l'emporter. Les Russes étaient prêts à les appuyer.

20 % des officiers de l'armée appartenaient secrètement au parti. L'un des chefs du 2ᵉ Bureau, ancêtre de la Savak, en était, comme le colonel envoyé à Abadan pour réprimer les troubles qui

avaient éclaté parmi les ouvriers de la raffinerie. Le secrétariat personnel du Shah et l'état-major étaient truffés de communistes.

On arrêtera 1 200 officiers ; 640 arrestations seront mainte-nues. Une trentaine d'entre eux seront fusillés. Ils refuseront d'assister à un service religieux et affirmeront tous leur foi dans le communisme. Le colonel Mobacheri, l'un de leurs chefs, dira : « Si un paradis existe, la voie pour y accéder est justement celle que nous avons empruntée. » Il est dommage que le Shah n'ait pas su se concilier de tels hommes au lieu des pantins dont il s'entourera plus tard et qui le lâcheront quand il aura besoin d'eux. Ce n'est pas dans une Cour orientale, faussement occidentalisée que l'on enseigne à des officiers la franchise et le caractère.

« A présent, proclame le Shah, toujours en quête de légitimité, j'ai le droit de dire que j'étais vraiment élu par le peuple (1). »

En cela il est bien iranien, il rêve l'histoire comme Khomeiny. Il a comme lui la même conception singulière de la vérité.

Mossadegh sera arrêté et après un procès où il donnera le meilleur de son talent de mime et de juriste, il sera condamné à la prison puis à la résidence forcée à Karpous-Abad, « le village des citrouilles », l'un des innombrables domaines qu'il possédait.

Le Shah écrit : « Je savais sa condamnation à mort certaine s'il était convaincu de trahison. Je fis signifier au tribunal de n'avoir pas à tenir compte des actions contre moi. »

La vérité est bien différente. Henderson avait fait promettre au Shah de se montrer « très clément » à l'égard de Mossadegh. Faire de lui un martyr aurait été plus qu'une ingratitude, plus qu'un crime, une faute politique. Le Shah ne pouvait que s'incliner. Mais il interdit qu'on rende visite à l'ancien Premier ministre.

En vain, j'essayai d'obtenir l'autorisation. Je ne pus qu'avoir de ses nouvelles par sa famille. A quatre-vingts ans Mossadegh écrivait ses Mémoires et commençait sa médecine.

Le Shah s'efforce dès lors de gouverner à travers des Premiers ministres marionnettes. Ça ne lui réussit pas, encore moins au pays qui se trouve bientôt au bord de la banqueroute.

En 1961, il me reçoit le sourire triste ; ses cheveux ont blanchi, ses traits sont marqués. Il paraît moulu de fatigue. Non seulement la situation politique est mauvaise mais les élections « libres » qu'il a organisées, ont tellement été truquées, qu'il a dû lui-même les annuler. Le pétrole se vend mal ; on ne parle que corruption.

L'ombre de Mossadegh pèse sur le souverain ; elle l'obsède au point qu'il ne peut prendre de décision sans s'y référer. Il est résigné à appeler au pouvoir l'homme qu'il envie et déteste le plus après Mossadegh : Ali Amini, neveu de ce même Mossadegh, petit-fils de

---

(1) « Le plan communiste consistait à utiliser Mossadegh pour me renverser d'abord. Selon des papiers découverts au parti toudeh, Mossadegh devait être éliminé deux semaines après mon départ. J'ai vu imprimés les timbres de la République populaire iranienne qui devait être proclamée. »
M. Reza Shah, *Réponse à l'histoire*, éd. Albin Michel.

l'ancien roi Kadjar Nassredin Shah. Mais aussi le meilleur économiste d'Iran.

Ali Amini la veille m'avait dit :

— Je sais que le Shah se défie de moi parce que je suis le descendant des Kadjars. Le temps est fini où l'on briguait un trône au nom des droits que vous donne le passé. Je suis fidèle au roi, par raison tout d'abord car nous devons ensemble faire front contre le danger qui monte. Président du conseil, je collaborerai avec le Shah pour lequel j'ai de l'estime, mais je ne serai jamais son domestique. Le président du conseil doit gouverner, le souverain régner.

Une fanfare joue dans le lointain. Par la croisée, j'aperçois des pelouses bien ratissées où sautillent des merles et des massifs de fleurs éclatent sous la lumière dorée de l'automne. Je suis au palais d'été de Sahadabad.

Le Shah assis en face de moi allume cigarette sur cigarette. Il en fume cent par jour.

Je l'interroge sur les élections. Il me fait quelques vagues déclarations.

— Voilà trois ans que j'encourage la création de partis sur une base démocratique comme ils existent dans tout le monde libre, une démocratie sans partis n'a pas de vie réelle...

Il veut créer une aciérie dont Ali Amini m'avait dit qu'avec son coût élevé, l'Iran n'avait rien à faire. Il est prêt à la demander aux Russes si les Américains la lui refusent.

Et soudain un cri du cœur :

— Mossadegh est tranquille chez lui et moi ici, en proie à tous les tourments.

Soudain il me parle de Soraya dont il vient de se séparer, qui ne voulait pas régner et qui ne pouvait lui donner d'enfant, du complot qui avait été monté pour l'écarter du pouvoir, à travers elle, sans qu'elle s'en doute, afin de le remplacer par son frère Gholam Reza. Encore une idée des Américains ! Il a accepté de sacrifier son amour, sa quiétude à ce qu'il estime être son devoir envers un peuple qui ne le comprend pas.

Il nommera Ali Amini Premier ministre, il le laissera redresser la situation, il le gardera du 6 mai 1961 au 16 juillet 1962, puis le chassera, par jalousie, et l'obligera à l'exil. Mais il s'efforcera d'appliquer un certain nombre de réformes mises en route par son Premier ministre, en particulier dans le domaine agraire.

En moins de sept ans, grâce aux revenus du pétrole, l'Iran décolle. Partout se construisent des usines, s'édifient des barrages. Les paysans deviennent propriétaires de leurs terres. A la misère succède une certaine aisance. La concussion demeure dans des limites raisonnables même parmi les princes et les princesses de l'entourage. Le Shah prend de l'assurance. Il a de la chance. Deux fois il échappe à un attentat. Du courage physique il n'en manque pas, il lui manque l'autre, le courage quotidien.

En 1958, pour la première fois dans l'histoire de l'Iran moderne, la balance commerciale est positive, grâce au pétrole. Cinq ans plus tard en 1963, le Shah lance un vaste programme de réformes qui se heurte à l'hostilité du Bazar, du clergé, des grands féodaux et des chefs de tribu. Il veut réaliser le rêve de son père : faire de la Perse un pays moderne. Mais il versera dans le même travers que le grand cosaque qui ne concevait toute réforme que forcée. Au moins Reza Khan veillait personnellement à son exécution, la cravache à la main. Son fils moins réaliste donne des ordres puis s'en va faire du ski à Gstaad ou se complaît dans des états d'âme qu'il soigne à coups d'amourettes.

Reza Shah rêve d'un grand projet : la révolution blanche dont la charte est solennellement proclamée le 27 janvier 1963 :

« Nous accomplirons, dit-il, simultanément une réforme agraire sans précédent, et nous engagerons un processus d'industrialisation qui débarrassera l'Iran des tutelles étrangères. »

70 % de la population de l'Iran vit dans les campagnes. L'avenir du régime se joue sur cette réforme essentielle qui devait être faite avec la plus grande prudence.

Le Shah commence par distribuer tous les biens de la couronne, 500 000 hectares que son père s'était appropriés par des moyens contestables. Quand une terre lui plaisait, il exigeait qu'on lui en fasse don. Aucun propriétaire terrien désormais ne pourra posséder plus d'un village. Certains en avaient des centaines.

Grâce à des prêts remboursables de quinze ans, les paysans peuvent acquérir ces terres rendues libres. 600 000 d'entre eux accèdent à la propriété. Puis la propriété d'un seul village est elle-même remise en question, le statut du métayage — une forme de servage patriarcal est aboli. 1 400 000 paysans deviennent fermiers (1).

Le Shah s'en est pris au plus riche, au plus puissant de tous les propriétaires terriens, le clergé chiite qu'il a obligé à brader ses immenses domaines. Il a inquiété le Bazar, traditionnellement rétrograde, quand il décide de faire participer les ouvriers au bénéfice des entreprises et d'accorder le droit de vote aux femmes. Enfin, il se met à dos certaines grandes tribus du Sud comme les Kasgaïs qui veulent défendre leurs droits ancestraux au libre nomadisme que la réforme leur interdit. Révolte du bazar de Téhéran que l'on mate à coup de canons ; révolte des Kasgaïs que l'armée réprime durement ; révolte du clergé chiite surtout à Koum, la ville sainte qu'anime un ayatollah jusqu'alors inconnu, Ruhollah

---

(1) Cette réforme échouera en partie à cause de la méconnaissance qu'ont les technocrates étrangers de l'agriculture iranienne. On a cassé le village structure ancestrale qui formait une sorte d'unité coopérative, entretenant les « kanates » qui drainaient et irriguaient la terre iranienne. La banque a remplacé le propriétaire terrien. Avec le propriétaire, on pouvait toujours s'arranger, pas avec la banque.

De plus en plus endettés, les nouveaux propriétaires revendront leurs terres et viendront grossir le prolétariat des villes.

L'Iran bientôt ne pourra plus subvenir à ses besoins alimentaires et dépendra de plus en plus de son pétrole pour ses importations de nourriture.

Khomeiny. L'armée tire sur les manifestants encadrés par les mollahs et le sang gicle sur les murs des mosquées.

Selon Khomeiny, il y aurait eu cent morts à Koum et 15 000 dans tout l'Iran. Ces chiffres sont probablement exagérés comme plus tard le nombre des victimes de la Savak. L'Iranien a une conception particulière de l'arithmétique. Il fait varier les chiffres selon ses besoins, son humeur, sa fantaisie. Quand la politique et sa sœur jumelle, la démagogie, s'en mêlent, quand une révolution islamique et chiite qui tire sa légitimité du sang des martyrs, s'y ajoute, ça devient du délire.

Et nous arrivons au chiffre de cent mille morts.

Ceux que donne le Shah, dans *Réponse à l'histoire*, paraissent plus proches de la réalité. Il écrit :

« Selon les " informateurs " le chiffre des prisonniers politiques " torturés " dans nos prisons oscillait entre 25 000 et 100 000. Or dans une publication clandestine intitulée *Chronique de la répression*, imprimée en Iran, on précisait que de 1968 à 1977, c'est-à-dire en neuf ans, le chiffre des personnes arrêtées, pour des raisons politiques, fut exactement de 3 164. »

Cent mille ou trois mille ? Où est la vérité ?

Khomeiny sera arrêté mais jamais maltraité. Le chef de la Savak de l'époque, le général Pakravan, toutes les semaines, vient déjeuner avec lui à la prison, dans l'idée de le ramener à de meilleurs sentiments. Cette image de Khomeiny martyr, cette image à laquelle il tient tant serait donc fausse. Et si elle avait coûté la vie de Pakravan, exécuté à la sauvette ?

Le Shah dispose déjà de cette police secrète que lui ont montée les Américains dans le style de la CIA. Son premier patron en sera le général Teymour Baktyar, oncle de Soraya, une brute que le roi arrivera non sans peine à chasser. Plus tard, il le fera assassiner alors que le général Baktyar a pris contact avec Khomeiny en Irak et qu'ils ont décidé de mettre en commun leurs efforts pour renverser le régime. S'allier avec un bourreau ne gêne pas l'ayatollah.

Khomeiny, après un bref séjour en Turquie, s'est installé à Nadjaf, un des hauts lieux de la religion chiite puisque s'y trouve le tombeau d'Ali, le gendre du Prophète, dont se réclame le chiisme.

A 95 %, le bon peuple iranien appelé aux urnes approuve la « révolution blanche » de son souverain. On lui promet la lune, pourquoi n'en voudrait-il pas ?

Le Shah a désormais les mains libres et tous les pouvoirs. Au début il n'en abuse pas. Puis peu à peu...

« Il neutralisa tous les groupes politiques ou sociaux qui se dressaient sur son chemin. Il élimina de l'armée toutes les têtes « fortes ». Et comme dans toutes les dictatures il s'appuiera sur une armée puissante, fidèle, une police secrète brutale, une élite politique soumise à son autorité et une bureaucratie préoccupée de technocratie (1). »

---

Fereydoun Hoveyda, *La chute du Chah.*

Le garçon timide que j'avais connu en 1947, l'adulte qui doutait de lui et du monde en 1961, était devenu en 1971 un dictateur fou d'orgueil qui ne tolérait plus aucune remarque, et qui n'écoutait personne. Il poursuivait son rêve éveillé tandis qu'autour de lui on se remplissait les poches. Toute une camarilla de princes, de princesses se faisait donner de fabuleuses commissions sur de non moins fabuleux contrats.

L'odeur du pétrole était montée à la tête du souverain. Fort de ses milliards de dollars, il donnait « urbi et orbi » des leçons de « démocratie » alors que la Savak tuait, emprisonnait, torturait, le plus stupidement et le plus sauvagement du monde.

Se sait-il déjà malade, condamné par le cancer, lancé dans une course de vitesse avec la mort ?

Le Shah a commis trois fautes essentielles qui lui coûteront son trône : la plus grave, il a sous-estimé l'Islam chiite. Pour lui Khomeiny n'est qu'un « un obscur agitateur qui s'oppose à la réforme agraire, à l'émancipation des femmes, il le croit sans appui dans le pays » (1). Mais Khomeiny a derrière lui tout le clergé que le Shah a lésé dans ses intérêts en nationalisant ses biens. Il l'a bravé, quand s'étant cru l'héritier de Cyrus, il s'est proclamé Aryen, fils d'Aryen, employant dans ses discours un « langage, des mots qui n'ont plus rien de commun avec l'Islam (2) ».

En 1977, il décide de faire remonter le calendrier non plus à l'Hégire mais à la fondation de l'empire perse par Cyrus.

Le clergé fait feu de tout bois contre lui. Déjà on murmure que le Shah n'est plus musulman, mais qu'il aurait adhéré à la secte hérétique des Bahahys.

Comme je l'interrogeais sur ce sujet, il me répondit : « Toutes les religions se valent, toutes celles qui croient en un même Dieu unique. Qu'importe le nom qu'on lui donne. »

On savait que sa sœur aînée Chams s'était convertie au catholicisme. L'islamisme de Farah Dibah était suspect. La Cour sentait l'hérésie... en plus d'autres odeurs moins saintes.

Le Shah est le diable, le Shah est un impie, hurle dans son gourbi de Nadjaf, l'intraitable Khomeiny que l'on commence à écouter.

Il y a 80 000 mosquées en Iran, 180 000 mollahs qui reprennent les prêches enflammés de l'ayatollah.

Deuxième faute. Le Shah se met à dos la Russie, avec laquelle il entretenait jusqu'alors d'excellents rapports. Le 30 mai 1972, Nixon passe à Téhéran, en compagnie de Kissinger. Il signe avec le Shah un accord secret qui fait de lui le gendarme du Golfe pour le compte de

---

(1) Il écrit dans son livre *Vers la grande civilisation,* paru en 1977 : « La civilisation iranienne dont la grande civilisation sera la forme la plus accomplie est une manifestation prestigieuse de la civilisation aryenne... En elle, la lumière constitue la manifestation supérieure de la création car toute beauté et toute force génératrice y puisent leur source. » On dirait un texte mazdéen des Avestas.

(2) Fereydoun Hoveyda, *La chute du Chah.*

l'Amérique. En échange, il recevra toutes les armes qu'il désire. Mais il les payera en pétrodollars. Une aubaine pour l'Amérique. Les achats d'armes de l'Iran se monteront à 19 milliards de dollars de 1971 à 1978.

La Russie réagit à sa manière. Des radios clandestines attaquent le roi, dévoilant les turpitudes de la Cour et ses trafics. Le parti toudeh, communiste, n'est plus guère utilisable. Le Shah ne cachant pas ses sympathies pour Israël, ce sera par le biais des Palestiniens que seront entraînés dans les camps de Beyrouth-Ouest les guérilleros marxistes qui multiplieront les attentats dans les villes, entraînant une répression de plus en plus violente, de plus en plus aveugle. La Savak en est l'instrument et les Iraniens qui ont facilement peur de leur ombre, s'exagéreront encore sa toute-puissance. Ils la voient partout.

Troisième faute. Pour financer son formidable programme d'armement et sa révolution blanche, le Shah casse les prix du pétrole à l'OPEP. Il est cause d'une formidable flambée des prix, provoquant le désarroi des grandes compagnies et de leurs clients les pays non producteurs. Ce sera le grand boom pétrolier de 1972 qui attirera en Iran comme des mouches tous les affairistes du monde, tant le pot de miel déborde. C'est l'ère des grands travaux et des folles commissions pour la famille royale et les courtisans.

La majorité des crédits vont à l'armée, aux aciéries, aux centrales atomiques et à la pétrochimie — secteurs monopolisés par la Cour. Les millions de dollars s'entassent dans les banques américaines et suisses.

Le Shah est devenu un gêneur pour de très puissants intérêts. Ivre de puissance, confronté avec la maladie et la mort, il n'écoute pas les conseils de modération qu'on lui donne. On serait étonné de connaître le nom de certains bailleurs de fonds de Khomeiny et des raisons qui le firent accueillir en France.

L'augmentation du prix du pétrole n'empêche pas la crise. L'inflation devient galopante : les banques réduisent le crédit. C'est le Bazar qui en souffre, déjà menacé par les grandes surfaces et les supermarchés.

« L'industrie lourde, la pétrochimie et les centrales atomiques demandaient une spécialisation introuvable dans le pays. Pour parer à cette situation, le Shah eut recours de manière excessive aux techniciens étrangers.

« On a souvent répété, au cours des derniers mois du régime, que la rapidité du programme de modernisation a coûté au Shah son trône. En vérité son erreur fondamentale réside plutôt dans la manière dont il l'a appliqué (1). »

Malgré la crise, la corruption ne cesse de croître et les commissions spéciales d'enquête que crée le Shah prêtent à sourire. On sait que tous les grands marchés ne s'obtiennent qu'en passant

_____

(1) Fereydoun Hoveyda, *La chute du Chah.*

par l'intermédiaire des membres de l'entourage du souverain. On sait combien a touché la princesse Achraf, pour tel contrat. La somme est fabuleuse, 20 millions de dollars au moment même où l'on envisage de soumettre le petit commerce à la TVA. C'est le délire. Le Shah est débordé par sa famille qui connaissant son état de santé est pressée de se remplir les poches. Farah Dibah n'y peut rien.

On doit l'un des meilleurs jugements porté sur le Shah à un orfèvre en la matière, un roi menacé comme lui, mais infiniment plus habile, le sultan du Maroc qui l'a accueilli au moment de sa chute.

Il déclara dans une interview au *Figaro Magazine* :

« Le Shah ? Le tout est de savoir ce qui a commencé chez lui, de sa maladie ou de sa mythomanie. Même sans sa maladie, je crains que sa mythomanie ne l'eût entraîné à la situation actuelle. Cela aurait peut-être duré trois ou quatre ans de plus. Mais le résultat final eût été le même. Avant son départ, je lui ai dit : " Si j'étais biographe et si j'écrivais ton histoire, ma conclusion serait que tu as plus aimé l'Iran que les Iraniens... " La grande erreur du Shah fut de vouloir être le premier empereur laïc d'un Etat où la Chia Jaafaria (l'Islam chiite sous sa forme extrémiste) n'avait pas attendu que l'ayatollah Khomeiny rentrât de Neauphle-le-Château pour dominer le pays, d'avoir voulu gouverner avec le glaive mais sans même le goupillon. Napoléon avait été autrement plus sage. Bien sûr, il avait enfermé le pape mais c'était pour se faire couronner par lui. Si le Shah avait accepté de ne pas jouer exclusivement la carte de la laïcité, les imams, dans leur quasi-totalité, l'auraient suivi. »

Et à propos de Khomeiny :

« Si l'on m'assurait que l'ayatollah Khomeiny incarne la religion islamique je me ferais athée. »

Pourtant le roi du Maroc est Commandeur des Croyants et descendant du Prophète. Le roi de Jordanie, Hussein l'Hachémite, héritier des chérifs de La Mecque pense la même chose, comme le souverain séoudien. Qu'ont-ils senti de suspect dans son Islam ? Zarathoustra !

Qui est Ruhollah Mussari Khomeiny, « le Guide Sublime, le Briseur d'Idoles, l'Exterminateur des Tyrans, le Libérateur de l'Humanité, Sa Sainteté l'Ayatollah Suprême, l'Imam » ?

Il serait né en 1900 à Khomeyne, un petit village près d'Ispahan, d'où son nom. Son père, dit-on, aurait été un chaud partisan du mouvement constitutionnel de 1906, ce qui lui aurait valu d'être assassiné par un gouverneur de province trop zélé. On a aussi raconté qu'il aurait été exécuté par le père du Shah, le terrible Reza Khan.

Il est absolument impossible de vérifier ces assertions probablement fantaisistes. Comment démêler la légende de la vérité, le réel du rêve ? C'est en Perse que sont nées les « Mille et Une Nuits ».

On sait seulement que Khomeiny vécut longtemps au Cache-

mire. Ses études théologiques qu'il fit à Koum ne furent pas
brillantes. Ce sont ses prêches d'une folle violence qui le feront
connaître en 1963. Jusqu'alors il était à peu près inconnu. Les autres
ayatollahs comme Shariat Madari ou Milani n'apprécient guère ses
provocations. S'ils obtiennent du Shah sa grâce, c'est bien par
solidarité religieuse.

Libéré, Khomeiny qui s'est engagé à se taire, ne peut résister et
continue d'attaquer le pouvoir, les Américains, la licence des mœurs.
On l'expédie en Turquie. Les Turcs n'en veulent pas. Il s'installe à
Nadjaf, en Irak. Il restera quatorze ans dans la ville sainte des
chiites.

Le clergé iranien est soulagé d'être débarrassé de cet encombrant personnage que la politique intéresse plus que la religion. En
Irak, il est très surveillé ; il ne peut recevoir de visite et ce qui lui
coûte le plus, il doit se taire. Il remâche sa haine de la monarchie et
des Pahlavi. Il n'est pas très intelligent mais farouche, déterminé,
possédé par une idée fixe : établir sur terre le royaume de Dieu,
revenir à l'âge d'or islamique où le Coran serait la seule loi. Mais le
Coran interprété par les guides du peuple, les mollahs et les
ayatollahs et imposé au besoin par le fer et le feu. Il a foi en son
destin ; jamais il ne doute.

Au moment des fêtes de Persépolis, en 1971, alors que tous les
religieux se taisent, il lance de Nadjaf l'anathème :

« Le peuple iranien doit-il fêter celui qui trahit les fondements
de l'Islam ? Celui qui vend du pétrole à Israël ? Celui qui, en 1963, a
fait massacrer près de cent personnes à Koum, plus de 15 000 dans
tout le pays ? Celui qui a envoyé ses gardes-chiourme dans les écoles
religieuses, faisant brûler les turbans, jeter les clercs du haut des
toits, offensant Dieu et les descendants du Prophète ? Doit-on fêter
celui qui a commis les pires ignominies, qui a rempli les cachots de
patriotes et fait mourir sous la torture les fils chéris du peuple ?...
... L'Iran a 150 000 mollahs. Si d'une même voix, ils rompaient le
silence, désapprouvaient ce régime vendu, alors ils triompheraient.

« Eveillez-vous ! Eveillez Najdaf ! »

Se moquant des subtiles hiérarchies de l'Islam chiite, passant
par-dessus elles pour s'adresser directement à la communauté des
fidèles, ce Savonarole en turban parle haut, en son nom, au nom de
Dieu, sans être mandaté que par lui-même.

Pour ne pas rester un ayatollah parmi tant d'autres, pour
accéder au niveau supérieur, à l'Imamat, il lui manque, selon la
tradition chiite, le martyre, infligé à lui-même ou à l'un de ses
proches. Le père « constitutionnaliste » assassiné n'est pas très
crédible.

En 1977, il perdra son fils aîné dans des circonstances que l'on
s'efforcera de rendre suspectes afin de mieux en accuser la Savak.
Enfin il peut brandir un corps supplicié et par cette consécration
macabre supplanter ses rivaux.

Désormais « Khomeiny non seulement est le " très pur ", à
l'image des imams mais il a comme eux, comme l'imam Hussein,

connu les tourments de la mort infligée par les agents du mal, les " injustes ", les " infidèles " » (1).

Chassé d'Irak, refoulé du Koweit, il s'est réfugié en France à Neauphle-le-Château. Le gouvernement français lui aurait, dit-on, donné asile à la demande du gouvernement iranien. Ou des compagnies de pétrole ?

Accroupi sur son tapis, dans le froid humide des Yvelines, il fulmine contre le Diable, le Mal, la Nuit, le Shah au nom de la Lumière, d'Allah... plus prêtre zoroastrien que mollah islamique. Ses prédications passent les frontières sous forme de cassettes, portant l'étiquette « musique orientale ».

Une sacrée musique ! Il prêche la révolte et promet le paradis. Il surprend tellement, qu'on lui prête une profondeur de vues et d'intentions bien surprenante quand on connaît « le Personnage » comme l'appelle le Shah. Khomeiny est porté sur l'action, l'agitation politique, très peu sur la réflexion. Ses écrits sont d'une débilité effarante. Gilles Anquetil écrit : « Son projet d'essence divine est de faire revivre un nouvel âge d'or de l'Islam. En dépit de son impassibilité légendaire, il est en perpétuel état d'urgence : l'urgence religieuse de préparer le peuple chiite d'Iran à la venue de l'imam caché, d'offrir au " Maître du temps " la contemplation d'une société " towhidi " (unie en Dieu) purifiée de ses tares, car bâtie sur les principes divins (2). » C'est lui faire bien de l'honneur.

Khomeiny est un être simple, fruste, violent, décidé. Il veut le pouvoir pour lui et pour le clergé et chasser le Shah. Son seul programme la loi du Coran. Il ne voit pas plus loin. Son entourage de petits jeunes gens, les Bani Sadr, les Yazdi, les Ghotbzadeh qui s'efforce de le rendre « présentable » aux mass media occidentales, n'obtient de lui que quelques grognements, un geste de la main, le plus souvent le silence. Khomeiny n'a qu'une pensée. Il n'en variera pas et se moquant de toutes les contingences, il s'efforcera de le réaliser. Il écrit :

« Si on appliquait pendant une année seulement les lois primitives de l'Islam, on déracinerait toutes les injustices et les immoralités dévastatrices. Il faut châtier les fautes par la loi du talion : couper la main du voleur, tuer l'assassin et non pas le mettre en prison, flageller la femme ou l'homme adultère... 80 coups de fouet à un buveur de vin, 100 coups de fouet à l'homme ou à la femme adultère, lapider la femme adultère si elle est mariée... Tout pouvoir laïc quelle que soit la forme sous laquelle il se manifeste est forcément un pouvoir athée, œuvre de Satan... »

On flagellera le buveur de vin et la femme adultère ; on tuera l'assassin ou prétendu tel ; il ne moisira pas en prison. Il écrit encore : « ... Nous devons tout entreprendre pour renverser les autres gouvernements tyranniques pseudo-musulmans mis en place

---

(1) Gilles Anquetil, *La terre a bougé en Iran.*
(2) Gilles Anquetil, *La terre a bougé en Iran.*

par l'étranger et, une fois ce but atteint, installer le gouvernement islamique universel. »

Il aidera les Palestiniens ; il sera à la fois contre Sadate et les Séoudiens.

Khomeiny dira encore : ... « Vous les femmes de la nouvelle génération, cessez de vous orienter vers la science et ses lois qui ont conduit beaucoup d'entre vous à négliger leurs responsabilités majeures ! Venez à l'aide à l'Islam ! »

Dans les universités que quadrillent les mollahs, les étudiantes se couvriront les cheveux, « ce piège de la luxure », de ridicules fichus de grand-mères tout comme les speakerines de la télévision.

Khomeiny : ... « Toutes les lois approuvées et votées jusqu'ici par les deux chambres du Parlement iranien, sur ordre des agents de l'étranger — que Dieu les châtie —, contrairement aux textes du Coran et à la loi du saint Prophète et de l'Islam sont proclamées nulles et non avenues... »

Elles seront déclarées nulles même les meilleures, même celles qui accordaient à la femme le droit de demander le divorce... alors que selon le Coran seul l'homme pouvait la répudier.

Pêle-mêle le fou de Dieu réclame le port du voile pour la femme, et pour l'homme, la suppression du chapeau « occidental », l'interdiction des écoles mixtes, de la musique occidentale, iranienne ou orientale. Khomeiny n'aime pas la musique. Elle donne des idées impures. La pureté, le sexe l'obsèdent. Une obsession peu islamique mais très zoroastrienne. Ce vieillard avide de pouvoir temporel s'est trompé de Dieu !

Ecoutons Khomeiny, prêtre, mobed d'Ahura Mazda, adorateur du feu, obsédé de pureté.

« Onze choses sont impures : l'urine, l'excrément, le sperme, les ossements, le sang, le chien, le porc, l'homme et la femme non musulmans, le vin, la bière, la sueur du chameau mangeur d'excréments... Le vin et les autres boissons enivrantes sont impurs.

« Si une mouche ou tout autre insecte se pose d'abord sur quelque chose d'impur et d'humide et ensuite sur une chose pure et humide, celle-ci devient à son tour impure si toutefois on est certain que le premier est impur ; dans le cas contraire elle reste pure (1). »

Pour Zarathoustra et les Mazdéens, le monde est un champ de bataille où s'affrontent les forces du bien et les suppôts du Diable. Il s'agit d'y combattre le Mal par l'épée quand l'occasion s'en présente, sous la conduite des prêtres.

---

(1) Ce souci maniaque de la pureté, cette obsession de la sexualité pousseront Khomeiny à préciser dans *Royaume du docte* :

« La mère, la sœur et la fille d'un homme qui a été sodomisé par un autre homme ne peuvent épouser ce dernier même si les deux hommes ou l'un des deux étaient impubères. Mais si celui qui a subi l'acte ne peut pas le prouver, sa mère, sa sœur ou sa fille pourront épouser l'autre homme. »

Il était courant que les mobeds zoroastriens usent pour leur plaisir de leurs jeunes disciples. Les mollahs avaient conservé pieusement cette tradition, ce qui nous vaut ce savant article d'exégèse « khomeinyste ».

Que nous dit Khomeiny ?

« ... Le clergé ne doit accepter de fonctions que religieuses, que pour servir le monothéisme, la vertu, l'enseignement des lois divines et l'élévation de la morale publique. L'armée doit également dépendre du clergé pour être efficace et utile (dans le combat contre le Mal). »

Khomeiny nommera un mollah à la tête de l'armée iranienne.

Le prophète zoroastrien et le mollah de Koum sont aussi impitoyables : « C'est être méchant que d'être bon pour le méchant... Les princes sorciers ont soumis l'homme au joug de leur empire pour détruire l'existence par de mauvaises actions. Ils seront les hôtes de la Maison du Mal ». *(Les Avestas.)*

On pourrait continuer indéfiniment la comparaison.

En face de Khomeiny, déterminé, poussé en avant par une foi ardente, des forces obscures, puissantes, venues du passé, que trouvons-nous ? Le rêveur de la grande civilisation malade, indécis, en pleine paranoïa, qui s'est réservé tous les pouvoirs alors qu'il est incapable de les exercer. Même la Savak lui a échappé. A ses yeux Khomeiny n'est qu'un étranger né aux Indes, un traître à sa patrie d'adoption, un agent de l'Angleterre et de l'Irak.

Plus tard, il fera répandre le bruit qu'il est homosexuel, ce qui en Iran n'a jamais été une tare, et prête plutôt à plaisanterie, surtout quand il s'agit d'un mollah !... Et que sa mère était une danseuse. En être réduit à de telles calomnies quand l'enjeu est si grave et que sur tant d'autres points l'ayatollah était vulnérable !

« Le Shah, sollicité de tous côtés, abattu par son réveil tardif aux réalités, étonné de l'ingratitude des paysans et des ouvriers, sombre toujours davantage dans l'hébétude et l'incertitude..., écrit Fereydoun Hoveyda. La CIA le juge mégalomane brillant mais dangereux. » Un véritable rideau de fer le séparait de la réalité. Il s'était laissé enfermer dans une vision idyllique du pays. Les flatteurs pullulaient dans son entourage.

Durant les huit derniers mois du régime, le Shah ne « fonctionnait » plus. Il écoutait les visiteurs sans les entendre. Il gardait le silence et ne donnait plus d'instructions... Et c'était d'autant plus grave que la dictature du monarque avait habitué les responsables à ne prendre aucune initiative. Chef incontesté du pays jusque-là, le souverain n'était plus qu'un pantin, une girouette qui tournait au gré de ses conseillers.

Farah Dibah, qui n'était guère préparée à ce genre d'activité, devra conduire personnellement les négociations qui aboutiront à la formation du cabinet Chahpour Baktyar... Le Shah en est incapable. Dès le mois de novembre 1978, sa chute ne fait plus de doute pour les esprits avertis. Pourtant la CIA continue d'affirmer que, malgré tout, le régime reste stable. Le KGB semble avoir la même opinion, les deux services secrets se servant aux mêmes sources : la Savak.

Le 16 janvier 1979, après avoir fait couler le sang, lancé ses soldats, mal commandés, contre une foule sans armes, aux poings nus qui acclame Allah, le Shah s'enfuit misérablement. Pour s'en tirer, jouant les Ponce Pilate, il sacrifie à l'opinion publique ses plus fidèles collaborateurs, les transformant en boucs émissaires comme Amir Hoveyda qu'il a fait arrêter et jeter en prison.

Ensuite il mentira quand il affirmera avoir voulu le sauver. On pourrait lui trouver comme excuse la maladie. Mais ce n'est pas la première fois qu'il agit de la sorte.

En six mois le trône des Pahlavi basculera, la dictature d'un homme faible, indécis, sera remplacée par celle d'un prophète fou mais décidé. Cette dictature deviendra plus intolérable que la précédente, précipitant l'Iran vers le chaos, l'éclatement. Le comble du burlesque, de l'absurde, de la confusion sera atteint par la sinistre comédie de la prise en otages des diplomates américains à Téhéran.

Apprenti-sorcier, ce pauvre « taghout », ce pauvre diable de Carter, par sa croisade pour les droits de l'homme, a déclenché le processus. En Iran, c'est exact, on ne les respectait guère ces droits comme en Amérique du Sud, comme en Afrique, comme en Syrie, au Liban, comme en URSS et dans tous les pays de l'Est, comme à Cuba et en Algérie, comme en Irak et au Pakistan...

On pouvait paraphraser la poésie de Chahid de Bactriane.

« Si la torture faisait de la fumée comme le feu,
Le monde entier serait éternellement dans la nuit. »


En Iran une opposition qui se voulait laïque, composée surtout d'intellectuels occidentalisés, disposant de bons juristes, se cherchait un drapeau. Elle se rangea sous celui-là ; elle ne pouvait en trouver meilleur pour émouvoir les cœurs sensibles d'Europe et d'Amérique où ces pratiques répugnaient plus qu'ailleurs. Car si la torture y avait parfois cours, elle n'y était jamais institutionnalisée comme dans les systèmes totalitaires.

Washington en obligeant le Shah à lâcher du lest et à démocratiser son régime le rendra plus vulnérable à la formidable poussée du clergé, des organisations d'opposition dont les éléments les plus dynamiques, les feddayins marxistes et certains moujahedins islamiques, ont été entraînés à la guérilla dans les camps palestiniens du Liban, après certains stages dans des pays de l'Est.

Karim Sandjabi, ancien ministre de Mossadegh, fait renaître de ses cendres un embryon de Front National. Mehdi Bazargan qui deviendra un Premier ministre fantôme, crée avec l'avocat Lahidji, un « Comité pour la défense et la liberté des droits de l'homme ». Cette initiative lui vaudra des ennuis avec le régime du Shah, de plus graves avec celui de Khomeiny et de ses mollahs.

Le Shah interdit la torture, mais il y a déjà longtemps que la Savak n'en fait plus qu'à sa tête, agissant souvent pour son propre profit. Ce n'est plus une police secrète, mais un racket où tout le monde se remplit les poches.

Vient le mois sanglant du Moharam, le mois du deuil chiite. Malgré le couvre-feu les fidèles défilent la nuit, vêtus du linceul blanc des martyrs.

L'armée tire : 60 morts, 60 martyrs.

Les nuits suivantes, il seront des centaines ; la rumeur publique en fera des milliers.

Khomeiny et le Shah sont face à face. Les Toudehs, les feddayins de toutes origines ne font que suivre. Ce combat les dépasse. Ils parlent de démocratie, de marxisme, de liberté alors qu'on s'empoigne au nom de Dieu. Grève des ouvriers du pétrole. L'Amérique amorce son lâchage.

Le 11 et le 12 décembre, pour la commémoration de l'assassinat de l'imam Hossein, une foule immense envahit Téhéran, brandissant des portraits de Khomeiny, de Mossadegh, et des banderoles proclamant « Mort au Shah, Mort au chien américain ».

Le Shah ne prend plus aucune décision. L'armée s'interroge et commence à douter de lui. Le 18 décembre elle refuse de tirer sur les manifestants de Tabriz. Ce sera le premier abandon ; d'autres suivront.

Les manifestations se succèdent. Chaque fois le sang coule, le sang des martyrs dont les chiites nourrissent leur foi.

Chahpour Baktyar accepte de former le nouveau gouvernement à condition que le souverain s'en aille. Les Américains jouent la révolution gagnante, celle de Chahpour Baktyar. Le général Huyser, commandant-adjoint de l'OTAN, sans en avertir le Shah débarque à Téhéran, fait le tour des popotes pour dissuader les militaires iraniens de tenter un coup d'Etat et les préparer à un changement de régime.

Il les incite même à prendre contact avec Bazargan.

« Le général Huyser, écrit le Shah *(Réponse à l'histoire)* est resté sur place plusieurs jours après mon départ. Que s'est-il passé ? Tout ce que je peux dire, c'est que, lors de la parodie de procès qui précéda son exécution, le général Rabi, commandant en chef de l'armée de l'air iranienne, devait déclarer à ses " juges " : " Le général Huyser a jeté le roi hors du pays comme une souris morte. " »

Le 16 janvier, c'est la fuite du roi : « Shah raft », le Shah a foutu le camp, hurle la foule où bourgeois et déshérités, riches et pauvres, bazaris, technocrates et « cols blancs », victimes et enfants chéris du régime, communient dans la même joie.

On a exorcisé le Mal ; le sang a coulé. Il le fallait.

A Neauphle-le-Château, Khomeiny ne s'estime pas satisfait. Après le Shah, il exige le départ de Baktyar, qui a tout pour lui déplaire, qui ose proclamer que les mollahs doivent retourner dans leurs mosquées. C'est un impie, marié à une chrétienne, partisan d'une république laïque et démocratique.

S'estimant investi par Dieu (mais quel Dieu ?) et par le peuple, un peuple surexcité qui n'a plus sa raison, Khomeiny proclame la république islamique et il nomme Bazargan chef du gouvernement. Parce qu'on lui a dit qu'il était pieux.

Peu lui importe qu'il ait servi Mossadegh contre le Shah, ce qui compte, à ses yeux, c'est uniquement sa foi. De ses idées politiques il n'a que faire. Mossadegh, encore un de ces fantômes impies qu'il est bien décidé à chasser pour régner seul. Au nom de Dieu.

Et l'on verra, au fil des jours, disparaître les effigies du vieil homme. Son petit-fils Matin Daftari sera même obligé de s'enfuir pour s'être un peu trop bruyamment réclamé de la révolution qu'amorça son ancêtre au nom de la justice et qu'il arrêta au nom de la sagesse et de la raison.

Le 1ᵉʳ février, Khomeiny débarque à Téhéran. De l'aéroport de Mehrabad jusqu'au cimetière de Behecht Zahra, où sont enterrés les « martyrs », sur 33 kilomètres, plus d'un million de personnes l'acclament lui donnant enfin ce titre dont il avait tant rêvé : Imam.

Là, parmi les tombes il proclame sa république de Dieu et il promet que la vengeance sera impitoyable pour les Impurs, les Serviteurs du Mal et du Diable, les sectateurs maudits d'Ahriman contre lesquels tonnait trente siècles plus tôt Zarathoustra, qui déjà les accusait de s'enivrer comme des porcs et de forniquer comme des singes.

Chahpour Baktyar, compagnon de Mossadegh, qui avait connu les geôles du Shah et la torture mais qui s'était fait une idée trop occidentale de son pays, qui avait oublié le Coran et les Avestas, pour la Déclaration des droits de l'homme et le code Napoléon, afin de sauver sa peau, doit filer en catastrophe. Il sera aidé par ses vieux compagnons du Front National qui même s'ils l'avaient soutenu n'auraient pu changer grand-chose.

Ce qu'il reste de l'armée se rallie à la république. Ses chefs ignorent qu'ils vont être, selon l'antique formule persane, « les premières bêtes sacrifiées » de cette stupéfiante révolution qui allait à l'encontre de l'histoire en quête d'un dieu mort et d'un passé aboli depuis vingt siècles.

Khomeiny, en moins d'un an, au nom de Dieu, détruira l'Iran, se livrant au même travail de sape que ses prédécesseurs les mobeds mazdéens qui mirent quand même deux siècles pour venir à bout d'un des grands empires de l'Asie, vainqueur de Rome.

Les mages, les disciples de Zarathoustra, par leur intolérance, leurs règles archaïques avaient fait place nette pour l'Islam ; les mollahs de Khomeiny remplissent le même office pour les communistes de Moscou. Avec la même ardeur et la même inconscience.


Quand je revins à Téhéran, six mois s'étaient écoulés depuis le renversement de la dynastie des Pahlavi. Cette révolution, de loin, m'avait semblé un règlement de comptes doublé d'une course de vitesse entre les religieux qui rêvaient d'un retour impossible aux sources de l'Islam afin de retrouver un pouvoir qu'ils n'avaient jamais eu, sauf avant l'Islam, et un régime monarchique, dictatorial, appuyé sur une jeune technocratie et une armée puissante. Ce régime désirait lui aussi l'impossible : arracher l'Iran à son passé, le lancer dans la vie moderne, en faire un nouveau Japon grâce au pétrole.

Ce fut un échec pour le Shah qui voulut aller trop vite et trop loin ; ce fut un échec pour Khomeiny et ses mollahs qui n'apportèrent que confusion, désordre, surtout pas la liberté. On ne change pas le tempérament d'un peuple en vingt ans ; on ne peut non plus en quelques mois le ramener plusieurs siècles en arrière. Khomeiny et ses partisans ont été capables de renverser un roi inquiet et qui doutait de lui ; ils se sont révélés incapables d'exercer le pouvoir. Ils l'ont cependant conservé jusqu'à ce jour au risque de perdre leur pays.

Partout dans la capitale iranienne, j'ai rencontré le désenchantement, la peur de l'avenir. Il ne restait plus grand-chose de l'exaltation des journées de janvier. Ce n'était que confusion, désordre : on ne savait plus qui commandait et à qui. Les lendemains de révolution donnent souvent la gueule de bois. Pas à ce point-là.

Téhéran était une ville laide, sans âme, mais je ne pensais pas la retrouver aussi triste, avec ses grues immobiles surplombant des buildings qui ne seront jamais terminés, avec des excavations qui ne seront jamais rebouchées, des cinémas aux vitrines noircies par les incendies, des magasins éventrés parce qu'ils appartenaient à des juifs, qu'ils vendaient de l'alcool ou des fanfreluches. Les hôtels sont vides ; on n'y sert que du coca-cola et d'infâmes nourritures. On parle toujours à voix basse comme si la Savak était encore là pour écouter. La Savak est toujours présente ; elle a seulement changé de nom.

J'ai cherché partout la Révolution ; je la voyais comme une luronne joyeuse et libre aux lèvres chaudes, toujours prête à donner un baiser et trousser ses jupes. Je n'ai trouvé qu'une vieille bigote, portant tchador noir, qui ne savait plus ni rire ni chanter, seulement geindre sur le passé. Ou dénoncer le voisin qui avait bu du vin, caressé une femme qui n'était pas la sienne à des mollahs barbus, enturbannés qui, le Coran sous le bras, commandaient à des pelotons d'exécution.

Je remonte en taxi l'ancienne avenue Shah Reza devenue avenue Mossadegh, nos Champs-Elysées. Il est 5 h 30 du soir, un vendredi — un dimanche chez nous. De part et d'autre de la chaussée, des Gardiens de la Révolution se canardent au pistolet et au fusil-mitrailleur. D'autres gardiens d'une autre révolution apparaissent plus haut, en tenue de combat, prêts à intervenir. Les voitures, pour échapper aux balles perdues, foncent droit devant elles et s'emboutissent. Coups de klaxon et bruit de tôles froissées. Chaque nuit, on assiste à des règlements de comptes entre bandes rivales qui empiètent sur le territoire de l'une ou de l'autre ; chaque nuit on perquisitionne dans les maisons en quête d'armes, d'ennemis de Dieu ou de la Révolution, de « Savakys ». Quand on ne trouve rien, on part en emportant les tapis et le mobilier. A bord de mystérieuses voitures, des commandos tout aussi mystérieux font des cartons sur les barrages de miliciens.

On a fusillé trois prostituées coupables d'avoir reconstitué un réseau de call-girls au bénéfice d'étrangers. Pauvres filles ! Je me demande où elles ont bien pu trouver des clients ! Un importateur de livres et de films pornos a été exécuté en même temps qu'elles. Il portait un nom arménien : Begherian. On a profité de l'occasion pour le transformer en agent sioniste tant les charges qui pesaient sur lui étaient minimes.

Il suffit d'aller traîner un soir dans le quartier Sud pour découvrir la Cour des Miracles : Sodome et Gomorrhe ; les drogues les plus dures en vente libre : héroïne et cocaïne. L'opium n'en parlons pas. Il y aurait deux millions d'intoxiqués dans la seule province de Téhéran. Mais le Coran ne proscrit que l'alcool. La révolution islamique, on n'y croit plus. On voit moins de tchadors. En insistant, on peut se faire servir de la vodka dans certains petits restaurants. Les Gardiens de la Révolution vous proposent des caisses de whisky à des prix encore prohibitifs, ce qui prouve bien que toutes les bouteilles n'ont pas été brisées.

On ne buvait pas tellement de vin en Iran. Il était trop lourd, trop liquoreux, bien qu'une légende voulût qu'il y soit né, à Chiraz. En revanche, on usait et on abusait de la vodka. Il m'arriva de me trouver en compagnie de mollahs et d'ayatollahs qui levaient gaillardement le coude après m'avoir expliqué que le péché venant de la première goutte d'alcool, il suffisait de l'enlever du bout du doigt. Ce fut en Perse où l'on chanta le mieux le vin. Omar Khayyam, ivrogne mystique, compagnon de beuverie des rois et vizirs de son temps, en 1979 passerait devant un peloton d'exécution de Gardiens de la Révolution. Pour le convaincre de son impiété, il suffirait de lire devant ses juges abrutis, le visage caché par des cagoules, ce poème qu'il écrivit, après qu'un coup de vent ait renversé sa cruche de vin.

> *Seigneur, tu as brisé mon flacon de vin,*
> *Seigneur, tu as refermé sur moi la porte du bonheur.*
> *Tu as répandu mon vin sur le sol.*
> *Que je meure ! Mais serais-tu ivre par hasard, Seigneur ?*

« Si le régime de Khomeiny et de ses ayatollahs doit durer, et il en prend le chemin, l'Iran cessera bientôt d'exister. Livré à l'anarchie, sans armée, sans police, sans pouvoir central, il perdra vite ses provinces périphériques : au nord l'Azerbaïdjan et le Kurdistan ; le Guilan, sur les bords de la Caspienne qui fut en 1920 une république soviétique, la steppe turkmène ; au sud le Khouzistan et son pétrole, le Baloutchistan, seul accès à la mer d'un Afghanistan soviétisé. Quoi qu'en pensent les religieux ou les intellectuels fumeux genre Bani Sadr, on ne peut comme au Cambodge envoyer les habitants des villes dans les campagnes, retourner à une économie de subsistance, alors que nous n'avons même plus de quoi nous nourrir. Et cela après avoir connu, même dans ses délires, une société de consommation qui ne déplaisait pas à tous, surtout pas aux ouvriers qui profitèrent d'elle. »

L'homme qui me tenait ces propos désabusés avait été l'un des proches de Mossadegh, un des dirigeants du Front National. Il avait connu la prison et l'exil, puis un pouvoir éphémère auquel il renonça avant qu'on le chasse. Il était bon musulman, mais il estimait que la religion, si elle pouvait parfois inspirer la politique, n'avait surtout pas à la diriger.

Un ingénieur de la société nationale des pétroles, la NIOC, au Khouzistan, me tint les mêmes propos : « Si Khomeiny et ses mollahs conservent le pouvoir une seule année, perdant leur temps à appliquer la loi du Coran à un peuple sorti du Moyen Age, nous irons vers la catastrophe. Comme en 1942, nous assisterons à un partage de l'Iran en deux zones d'influence : le nord allant aux Russes, le sud aux Américains. Ils mettront en place des gouvernements fantoches à leur solde. L'Iran avait été réunifié par Reza Khan Pahlavi, le père, autour de son armée et de sa personne. Le fils, après quelques hésitations, a suivi la même voie. Le Shah est parti ; l'armée n'existe plus et l'Iran retourne à ses querelles d'ethnies et de tribus. Il éclatera, suscitant autour de lui de telles convoitises qu'une nouvelle guerre mondiale pourrait en naître. »

Ces mêmes propos m'ont été tenus par des leaders de minorités arabe ou kurde : « Si Khomeiny ne comprend pas nos légitimes aspirations à l'autonomie nous prendrons de force notre indépendance. S'il s'obstine il perdra l'Iran, et nous perdra tous. »

Je me suis rendu, dans la province la plus menacée, limitrophe de l'Irak, le Khouzistan, où se trouvent tous les gisements de pétrole, pour savoir si l'Iran de Reza Khan allait voler en éclats, et si ce pétrole, la dernière ressource de la République islamique, resterait longtemps iranien.

Des torchères qui flambent dans un ciel ocre, couleur de ce sable que le vent brûlant soulève : Abadan par 50 degrés à l'ombre.

Le Khouzistan borde l'Irak à l'est, le Golfe au sud. Il recèle sur son pourtour, au pied des montagnes, toutes les gisements. Selon les Arabes, il serait peuplé aux deux tiers d'Arabys ; selon les Persans, ces « Arabys » seraient largement minoritaires, tout juste un tiers, à peine un million. En ce domaine encore, les chiffres varient selon les passions, le camp auquel on appartient, personne ne se souciant de la vérité. Quant aux statistiques, elles sont inexistantes ou trafiquées.

La nuit dans mon hôtel désert, j'avais été réveillé par une forte explosion suivie de rafales de mitraillette. La bombe avait explosé dans l'enceinte de la raffinerie, la plus grande du monde. Avant la révolution des ayatollahs qui renvoya chez eux techniciens et spécialistes étrangers, elle produisait 600 000 barils par jour. La production après leur départ avait baissé de 200 000 barils, mais les Iraniens n'avaient pas été mécontents de se retrouver entre eux. Ce sanctuaire du pétrole jusqu'alors avait été respecté. Nationalisée depuis Mossadegh, la raffinerie fait partie du complexe de la NIOC (National Iranian Oil Company), comme les puits, les stations de pompage, les pipe-lines. Après d'interminables grèves, qui valurent aux employés un brevet de patriotisme et de substantiels avantages une fois le Shah parti, raffinerie et puits furent remis en route cahin-caha. Mais les installations ne sont même plus gardées. Ne sont occupés que quelques bureaux à air conditionné où se vautrent des « barbudos » islamiques ou marxistes qui se surveillent le doigt sur la détente de leur fusil d'assaut. Sur des dizaines de kilomètres, le long des pipe-lines, dans les stations de pompage, je n'ai rencontré âme qui vive.

Les employés de la NIOC constituent une caste privilégiée. Ils jouissent de hauts salaires, de villas de fonction, de clubs, de magasins spéciaux. A peu près exclusivement iraniens, enviés du reste de la population qui est arabe, ils se sont officiellement rangés sous la bannière de l'ayatollah Khomeiny. Politisés de longue date, bien organisés, ils pensent à gauche, vivent à droite et défendent farouchement leurs privilèges. A côté de ces nantis du pétrole, une population misérable, logée dans des huttes en torchis ou des bidonvilles de tôles, les Arabes. Ces Arabes espéraient tout de la révolution islamique ; ils n'en ont rien reçu. Ils se retrouvent en chômage, plus pauvres qu'avant, si c'était possible, furieux d'avoir été floués, prêts pour toutes les aventures. Et on leur en propose une mirifique : former au sud de la Perse une sorte d'émirat indépendant, un Arabistan qui disposerait de ressources fabuleuses, qui serait plus riche que le Koweit lui-même.

Toutes les entreprises étrangères ont plié bagage, les Américains, les Français, les Japonais, les Allemands, laissant en plan cimenteries, raffineries, complexes pétro-chimiques qui ne seront jamais terminés. Les grues immobiles depuis cinq mois rouillent au milieu des containers qui n'ont pas été ouverts et des sacs de ciment éventrés. L'étrange lumière du désert les transforme en ruines fantastiques de cités perdues. Dans une étendue grise et pelée, formant un immense cirque de plusieurs kilomètres carrés, serrés les uns contre les autres, des milliers de camions-remorques aux plates-formes vides. Le port de Khoramchar, à côté d'Abadan, où certains cargos devaient attendre des mois avant de décharger est vide aujourd'hui. J'ai compté trois caboteurs de petit tonnage. Les camionneurs n'ont plus rien à transporter. Pour passer le temps, pour recharger leurs batteries, ils font tourner à vide les moteurs de leurs camions, puis ils s'installent sous un morceau de toile de tente, fument en rond du hasch ou de l'opium sans que personne vienne les déranger.

J'ai rendu visite au Comité islamique qui, officiellement, détient l'autorité sur les deux villes jumelles Abadan-Khoramchar : barbes à la mollah, tricots de corps sales, blue-jeans, pistolets, fusils-mitrailleurs, grenades à la ceinture, ces « Feddayins » n'ont de farouche que l'aspect. Ils vont, ils viennent, ils signent des papiers, ils boivent du thé. Mais au moindre bruit, ils sursautent, comme s'ils s'attendaient à être attaqués. Personne ne lâche son arme.

— Ils sont inquiets, me dit mon guide-chauffeur-interprète. Ils ont peur que les Irakiens ou les Arabes du port et des bidonvilles ne leur tombent sur le dos et en fassent de la pâtée.

En vain, je cherche un responsable de ce Comité. Ils sont tous responsables. De quoi ? Ils n'en savent rien. J'arrive enfin à comprendre que le « patron » serait un certain Madani, lequel est en même temps amiral, gouverneur civil de la province et chef suprême de toute la flotte du golfe Persique. Il se trouve à Ahwaz, la capitale de la province, à 120 kilomètres de là.

Un marché misérable à la sortie de Khoramchar. Quelques sacs de concombres, des petites pommes rabougries dont en France on ne voudrait pas pour faire du cidre, deux moutons qu'on égorge au milieu de la chaussée, des gosses au crâne rasé, des femmes en tchador noir, des hommes qui portent en guise de coiffure une sorte de keffieh à carreaux. Nous sommes en plein dans la ville arabe. Soudain, tout le monde se fige sur place. Les femmes les premières reprennent vie et ramassent leur marmaille. Des portes, des contrevents qui claquent, des silhouettes qui s'aplatissent contre le mur, des armes qui surgissent. Mon chauffeur écrase l'accélérateur et la voiture bondit.

— Ils vont se tirer dessus, me crie-t-il.

Deux vieilles jeeps chargées de barbudos islamiques sont apparues à un bout du marché. Sentant le traquenard, elles ont fait demi-tour et rien ne s'est passé. Depuis quelques semaines, les Arabes sont armés. Des milliers de Kalachnikov ont passé la frontière irakienne que personne ne garde plus du côté iranien.

Il y a moins d'un mois, la population arabe se soulevait. Les dockers s'en prenaient aux compagnies de navigation et d'affrètement ; ils détruisaient et incendiaient systématiquement les magasins et entrepôts. Les Comités islamiques de Khomeiny furent vite débordés. On dut faire appel à l'armée, enfin à ce qu'il en restait. Une troupe étrange où les officiers ne donnaient pas d'ordres et qui était contrôlée par des Comités de soldats et de sous-officiers. En ce mois de juin 1979, on se retrouva comme au temps de la guerre des Turkomans. Les Comités de soldats n'acceptèrent de marcher contre les Arabes que si on les payait d'avance. Et ils furent payés. Il y eut entre cent et deux cents morts. Impossible encore de savoir la vérité. Les Arabes n'avaient pas d'armes et firent appel à l'Irak qui envoya deux Migs bombarder quelques villages iraniens. En toute impunité car le coûteux réseau radar qui couvrait tout le Golfe ne fonctionnait plus. Les fabuleux avions du Shah, les F 14 à géométrie variable, n'étaient plus capables de prendre l'air. On se défiait des pilotes et les réservoirs étaient à sec. Quant à l'équipement au sol, il n'existait plus.

Pour éviter d'intervenir directement dans cette épineuse affaire les Irakiens passèrent contrat avec les Palestiniens, pas « les bons », ceux d'Arafat, dont le visage figurait sur tous les murs à côté de Khomeiny, mais les « mauvais », ceux de Georges Habache et du FFLP. Armes et instructeurs déferlèrent sur le Khouzistan.

J'allai voir à Ahwaz, le docteur-amiral Madani. Un étonnant personnage comme peuvent en sécréter de pareilles révolutions. Il fit d'abord carrière dans la marine, devint contre-amiral, puis vice-amiral. En 1967, il démissionne pour protester contre la corruption qui régnait dans l'entourage du Shah. Il devient professeur d'économie politique à la faculté de Téhéran et fut l'un des organisateurs de la sanglante manifestation, place Jaleh. Il devient ministre de la Défense du premier gouvernement Bazargan, s'entend mal avec le chef d'état-major, le général Gharani, qui sera plus tard assassiné. Il démissionne et se retrouve, par on ne sait trop quel miracle, car personne ne l'a nommé, responsable de la province du sud de l'Iran, de ses richesses et de ce qui restait de sa marine.

Le bâtiment qu'il occupe était tenu par les habituels membres des Comités islamiques, sales, barbus, armés jusqu'aux dents. Je fis antichambre avec quelques mollahs, des ouvriers du port, des filles en blue-jeans et d'autres en tchador. Enfin je fus reçu par un charmant petit monsieur, élégamment vêtu, mais en civil. Ce ne pouvait être mon amiral. C'était bien lui. Je lui demandai s'il était exact que les Palestiniens d'Habache se trouvaient dans la région. Il me confirma la nouvelle, laissa entendre qu'il n'ignorait rien de leur activité ni du lieu où ils s'étaient installés. Il me le montra sur une carte. Il avait affaire à un gigantesque complot de la subversion internationale. On voulait voler le pétrole de l'Iran mais il saurait faire face. Je lui demandai où se tenait son armée car je n'en avais vu guère. Il n'y avait même pas un planton en uniforme devant son bureau. Il m'affirma disposer de troupes suffisantes, ces fameux commandos de la marine installés en face de Khoramchar, dans une île. Sa flotte était toujours en état d'intervenir dans n'importe quelle partie du Golfe. Je hasardai : le détroit d'Ormuz ? Il me sourit comme un professeur satisfait de son élève. Mais il n'alla pas plus loin dans ses confidences. Un magnétophone tournait sur la table et derrière il y avait un mollah.

Tout était vrai et faux. Les bateaux existaient, même ces fameux hover-crafts qui pouvaient permettre d'intervenir sur les hauts fonds du Golfe. Mais les équipages n'en faisaient qu'à leur tête et chaque opération devait se négocier avec eux comme l'achat d'un tapis.

L'amiral-docteur Madani me parut mal à l'aise. Malgré ses farouches déclarations, il se disait de taille à lutter contre toute invasion venant de la mer, je crus comprendre qu'il se rallierait volontiers à ces providentiels envahisseurs s'ils étaient appuyés par la VIe flotte américaine. Sa garde débraillée et les mollahs qui le contrôlaient lui paraissaient indignes de sa position et de l'idée qu'il s'en faisait.

L'amiral Madani espérait beaucoup de l'après-révolution.

Il fera acte de candidature à la présidence de la République et obtiendra 20 % des voix, ce qui est très honorable quand on sait comment ces élections furent organisées. Il se retrouvera en prison pour complot... bien sûr contre Dieu puis au Parlement, député du Khouzistan. A la suite de quelles cabrioles.

Il ne me restait plus qu'à rencontrer le leader des Arabes de la province, l'ayatollah Tahar Alshabir Khaghani. Il m'a reçu, adossé à des coussins, entouré d'une petite cour respectueuse. Le visage fin, jouant avec grâce de ses mains, il me parut peu concerné par les agitations de ce bas monde. Ce ne fut pas facile que de l'interroger. Il ne parlait ou affectait de ne parler qu'arabe. Il fallut passer par le truchement de deux interprètes avant d'en arriver à l'anglais. Il m'entretint longuement de Dieu, de la séparation des pouvoirs que prône le véritable Islam. Il lança quelques pointes fielleuses contre Khomeiny qu'il n'aimait pas et laissa entendre que son titre d'imam était usurpé. Il se lissa longuement la barbe avant de répondre à la question que je ne cessais de lui poser : « Oui ou non, des Palestiniens étaient-ils venus entraîner et armer les Arabes du Khouzistan comme le prétendait l'amiral Madani ? » Peut-être, me dit-il enfin, des gens de l'extérieur ont cru bien faire en nous apportant une aide que nous ne leur avions pas demandée. Si les Iraniens reconnaissaient nos droits, nous n'aurions pas besoin de telles interventions.

J'insistai : « Quels droits ? Droits à l'autonomie, droits à l'indépendance. » Je ne pus rien en tirer de plus, sinon un geste vers le ciel, un geste gracieux, lent, calculé, comme celui d'un danseur de Béjart dans un ballet oriental.

Le lendemain de mon départ, les techniciens du docteur Habache faisaient sauter deux pipe-lines et un oléoduc. Ils n'avaient eu que l'embarras du choix.

Autre province, autre ethnie prête à se soulever, les Kurdes.

La légende raconte que lorsque Alexandre le Grand, l'Iskandar des Perses et des Arabes, demanda le libre passage pour ses armées à travers le Kurdistan, ses habitants, les Carduques des Grecs, les Kurdes d'aujourd'hui, lui envoyèrent en guise de réponse un moineau, un mulot mort et une flèche brisée.

Ce qui signifiait : « Si tu ne te fais pas oiseau pour franchir nos montagnes, si tu ne te fais pas mulot pour passer dessous, alors nos flèches te tueront. »

Ces guerriers redoutables qui exigeaient un tribut des grands rois achéménides, ne pouvaient rien contre Alexandre, Iskandar qui les tailla en pièces et jeta les survivants dans les précipices. Comme eux-mêmes l'avaient fait avec les hoplites de Xénophon quand ils retraitaient vers la Grèce.

On vous dira en Asie qu'Iskandar après avoir pris le Thibet et soumis l'empire des Ténèbres commandait à des légions de génies et de démons ce qui expliquerait sa victoire sur les Carduques.

Khomeiny n'est pas Alexandre. Ses pouvoirs magiques se limitent aux imprécations qu'il lance de Koum contre « ces Kofars », ces infidèles de Kurdes, ces sataniques agents de l'impérialisme américain et du sionisme. Il arrive aussi qu'il les traite de communistes.

Le leader du parti démocrate kurde, qui contrôle aujourd'hui la rébellion dans trois provinces iraniennes, Ghassemlou, condamné à mort par le Shah, condamné à mort par Khomeiny et pour les mêmes raisons, me disait à Téhéran après que l'ayatollah avait refusé de le recevoir :

— Je crois que Khomeiny ne comprend pas très bien la situation. Nous lui demandons l'autonomie quand nous sommes en mesure d'exiger l'indépendance. Nous faisons preuve de modération. Il nous envoie des Palestiniens dont nous n'avons que faire. C'est avec lui et son gouvernement que nous voulons discuter, pas avec ces Arabes qui ne viennent même pas au rendez-vous qu'ils nous fixent.

Ce fut la première fois que j'entendis parler des Palestiniens en Iran. Ils avaient aidé à la révolution, ils avaient entraîné des feddayines dans les camps du Liban. En récompense on leur avait abandonné l'ambassade d'Israël, qu'ils avaient occupée. L'attaché militaire israélien leur avait glissé de justesse entre les doigts. Mais pourquoi se mêlaient-ils de cette épineuse question kurde ? Voulaient-ils jouer les intermédiaires ? Entre qui ? Le gouvernement iranien et les Kurdes ? Ou les Soviétiques avec lesquels ils entretenaient les meilleures relations ?

Que préparaient-ils ? A toujours vouloir se mêler de ce qui ne les regardait pas, à vouloir coiffer toutes les révolutions du Moyen-Orient, ils ne récoltaient que des ennuis. Qu'espéraient-ils de la révolution iranienne ? Comment pouvait-elle les aider à obtenir cette reconnaissance internationale à laquelle ils tenaient tant ?

Nous étions dans le restaurant désert du Park Hôtel, buvant faute de mieux — du dough — du lait aigre. Ghassemlou s'en consolait. C'était, paraît-il, la boisson traditionnelle des Kurdes.

Manifestement il cherchait à s'y retrouver dans les déclarations de l'ayatollah de Koum qui voyait partout la main de Satan tantôt rouge, tantôt blanche, tantôt russe, tantôt américaine mais invariablement sioniste.

— Nous autres Kurdes, me disait-il encore, nous sommes en majorité musulmans et sunnites, comme vous êtes en France catholiques, sans aucun fanatisme. Notre principal chef religieux, le sheik Ezzedine Husseini pense qu'il ne faut pas mélanger religion et politique. Khomeiny n'en veut pas. Parce qu'il est sunnite, kurde ou socialiste ? Allez savoir !

« Nous sommes un parti laïque où il y a place pour tous les Kurdes et peu nous importe leur confession. Pour conquérir nos droits nationaux, mettre au pouvoir un gouvernement qui les prendrait en considération, nous avons fait la révolution contre le Shah. Nous voulions aussi accéder à une certaine forme d'autonomie où nous serions maîtres de notre destin dans le cadre d'un pays qui ne serait plus rigide, centralisé comme avec les Pahlavi, qui deviendrait une sorte d'Etat fédéral. D'autres minorités, Turcs d'Azerbaïdjan, Turkmènes, Baloutches... pourraient suivre notre exemple.

— Et l'Iran éclaterait ?

— Oui, si on ne nous accorde pas ces libertés et parce que nous n'aurons pas d'autre choix. Nous avons appris à être prudents, à ne pas trop exiger.

« On nous promettait la lune, l'indépendance, le Grand Kurdistan, on se servait de nous comme l'ont fait le Shah, les Américains, les Russes. Puis on nous laissait tomber, et nous nous retrouvions avec nos villages incendiés et nos chefs se balançant au bout d'une corde.

« Nous autres Kurdes iraniens nous sommes décidés cette fois à nous montrer raisonnables. Nous ne voulons que l'autonomie. Mais nous ne tolérerons plus d'être grugés. »

Si l'on s'en tenait au programme des Kurdes et si l'on faisait entrer en ligne de compte leur tempérament et leur histoire, cette autonomie irait quand même très loin.

Les Kurdes abandonnaient certes au gouvernement central les Affaires étrangères et la défense des frontières. Mais sous certaines conditions ; que « l'ancienne armée impérialiste, réactionnaire et anti-populaire soit épurée, que les garnisons soient transférées des centres d'agglomération du Kurdistan vers les zones frontalières, que jamais elle ne s'immisce dans les affaires intérieures de la province ». Par contre, la police, la gendarmerie ou toute force pouvant les remplacer dépendraient de l'autorité des régions autonomes.

Etonnant personnage que ce Ghassemlou qui parlait un français excellent ; il avait été trois ans professeur à l'Ecole des Langues orientales à Paris. Grand, mince, brun, distingué, il s'efforçait désespérément de paraître « raisonnable ».

Mais il était à l'image de tous les grands chefs de clan de son pays comme le fameux Simko, sheik Mahmoud et plus près de nous Mostapha Barzani. Il savait bien que les Kurdes tiraient leur force de leurs rêves « déraisonnables », et qu'ils continueraient à être déraisonnables jusqu'à ce qu'ils réalisent ces rêves ou qu'ils soient entièrement exterminés.

Soudain il me propose :

— Voulez-vous un char d'assaut de 40 tonnes ou même trois chars ?

— Pardon ?

— Je vous les échange contre un verre de « dough »... contre rien... Des « Chieftains », me précise-t-il. Excellent matériel britannique. Nous pouvons joindre au lot une dizaine de canons, des mortiers lourds, des mitrailleuses et des tonnes de munitions. Tout cela se trouve dans le camp au-dessus de Mahabad, que tenait une brigade blindée. Les officiers sont partis les premiers, puis les soldats, nous abandonnant ce matériel dont nous ne savons que faire.

Le lendemain je partais à Mahabad.

Que sont les Kurdes ? Des Indo-Européens, frères des Iraniens dont ils parlent un dialecte très proche ? des cousins des Arméniens, des Géorgiens qui se seraient iranisés ?

On parle déjà d'eux au VIᵉ siècle avant J.-C. au moment de la chute de Ninive. Semi-nomades, batailleurs, éleveurs, chasseurs au besoin ils s'installent par petites principautés entre la mer Noire, la Méditerranée et le golfe Persique.

Ils serviront ou combattront les Parthes, les Sassanides, les Romains. La majorité se convertira à l'Islam lui donnant l'un de ses plus fameux califes, Saladin, dont les Croisés firent un modèle de vertus chevaleresques. D'autres groupes comme les Assyriens resteront chrétiens ou comme les Yezidis, baptisés les adorateurs du diable, resteront attachés à d'obscures croyances.

Déchirés par de sanglantes querelles, des vendettas interminables, farouchement individualistes et toujours prêts à faire parler la poudre, les Kurdes n'arriveront jamais, au cours de leur longue histoire, malgré leur nombre et leurs qualités guerrières, à se constituer en nation. Si bien que les Ottomans de la Sublime Porte pourront réprimer leurs incessantes révoltes en les utilisant les uns contre les autres. Au XIXᵉ siècle les Kurdes vivaient encore en plein Moyen Age, et leurs chefs, leurs Sheiks, retranchés dans des châteaux fortifiés, se faisaient la guerre entre deux récoltes, d'une vallée à l'autre.

On utilisera beaucoup les Kurdes et parfois pour de sales besognes. Poussés par les Turcs, ils massacreront les Arméniens, « leurs frères de terre et d'eau » avec lesquels ils avaient longtemps cohabité. Pour se faire ensuite massacrer par ces mêmes Turcs.

Les femmes kurdes ont toujours joué un grand rôle jouissant d'un statut très libéral même parmi les musulmans.

Elles ne furent jamais voilées. Elles menèrent souvent la vie dure à leurs maris mais firent le coup de feu à leurs côtés et devinrent parfois chefs de tribu. Basile Nikitine cite les cas de deux femmes-chefs, dans la région de Pichder dont la mémoire est restée chère à tout le peuple : Pura Halim de la tribu Kafourouchi et Qaha Nerkiz de celle de Chouvon. Durant des années, elles combattirent les armes à la main la domination ottomane.

Une coutume kurde veut que l'on donne à l'enfant le nom de sa mère si elle a été vaillante et guerrière et si le père n'a pu l'égaler. Ainsi par exemple l'émir, fils du chef de la tribu de Reman, porte le nom de sa mère Péritian et non celui de son père.

La femme kurde se substitue souvent à son mari disparu. C'est la mère qui est chargée de l'éducation de la jeune fille. Elle lui apprend les chants nationaux, la danse, l'équitation tout comme à ses frères. La jeune fille choisit son mari. La poésie lyrique kurde est en majorité d'inspiration féminine. Une grande partie des chansons et des romances sont d'ailleurs écrites par des femmes. (*Les Kurdes*, Editions d'Aujourd'hui.)

En 1946, au Kurdistan, dans le fin fond de la montagne, il était dangereux pour un hôte européen de sortir du gourbi fortifié où il était reçu, le Kurde d'en face le prenant pour cible. Non qu'il eût contre lui le moindre grief. Mais en le tuant il entachait l'honneur de son hôte avec lequel il avait toujours un compte à régler.

Les tsars leur mettront en tête de constituer un Grand Kurdistan qui s'étendra de la Méditerranée au golfe Persique et qu'ils protégeraient. Et ils croiront aux tsars.

En 1920, le leader kurde, Sharif pacha, obtiendra par le traité de Sèvres la création d'un Kurdistan indépendant.

Personne n'appliquera le traité. De 1925 à 1937, Turcs, Iraniens et Irakiens feront disparaître les dernières principautés kurdes et écraseront toute velléité d'indépendance.

En 1941, quand les Soviétiques occupent le nord de la Perse, reprenant la politique des tsars, ils redonneront vie au mythe de l'indépendance kurde.

Un Grand Kurdistan sous contrôle russe présenterait un énorme intérêt stratégique. Ce serait non seulement l'accès aux mers chaudes mais le contrôle à plus ou moins longue échéance des gisements de pétrole de l'Irak, du sud de l'Iran et du Golfe.

Les frères Ghazi, nationalistes sincères, se laissèrent berner par ces promesses. Ils créèrent un gouvernement démocratique kurde, avec un embryon d'armée et un Parlement... de treize membres, à Mahabad. Mais ils se heurtèrent partout au « particularisme » ou à la défiance de leurs compatriotes.

Quand les Russes se retirèrent du nord de la Perse, leur mouvement s'effondra. Floués, les frères Ghazi refusèrent comme le leader azerbaïdjanais Pichevari, de se réfugier de l'autre côté de la frontière. Arrêtés, ils seront pendus à Mahabad devant leur maison en présence de leurs femmes et de leurs enfants, tandis que l'armée iranienne se livrera à une répression extrêmement dure.

Je me trouvais alors dans le Kurdistan iranien, et je puis témoigner de la façon dont se conduisit cette armée qui, quelques semaines plus tôt, décampait devant les maquisards de Mostapha Barzani qui n'étaient qu'un millier.

Je me souviens des rues vides de Kermanchah où s'engouffrait un vent glacé, de ses habitants misérables, affamés, dépouillés de leurs biens, réduits à mendier, soumis à toute sorte de vexations. Ils n'avaient pas le droit de marcher sur le même trottoir que les soldats iraniens. La possession d'un seul poignard coûtait la corde.

Et de cette parole désabusée d'un leader kurde : « Le seul parti auquel nous finissions toujours par nous rallier, est celui du malheur. »

En Irak, les Kurdes allaient pourtant trouver le chef militaire et politique qui leur avait tant manqué, mollah Mostapha Barzani décidé, sûr de lui, têtu comme un mulet, mais remarquable chef de guerre !

De 1943 à 1945 avec les gens de sa tribu, il combat le gouvernement irakien, protégé par les Anglais. Il remporte des succès, mais doit s'enfuir en Iran où il rejoint la république de Mahabad des frères Ghazi.

Réaliste, quand il voit la partie perdue, Barzani bouscule l'armée iranienne et gagne l'URSS. Il y restera de 1947 à 1958. Il y fera une école militaire et obtiendra, dit-on, le grade de général. Des photos de lui en grand uniforme circulent dans tout le Kurdistan. J'ai eu l'une d'elles entre les mains.

En réalité, il n'aurait été promu général qu'à titre honoraire, par Staline, qui cherchait à se faire pardonner de l'avoir laissé tomber après lui avoir fait quantité de promesses.

Quand, à Bagdad, la monarchie hachémite est renversée par le général Kassem, pro-soviétique, Mostapha Barzani accourt avec les guerriers de sa tribu, les Barzan. Le Parti démocratique kurde est reconnu officiellement.

L'alliance sacrée ne dure que quelques mois. Mostapha Barzani en est bientôt réduit à rejoindre la montagne. Et c'est la guerre.

L'aviation irakienne détruit à la bombe et au napalm cinq cents villages kurdes. Les maquisards de Barzani menacent les champs de pétrole de Kirkouk. Cette rébellion durera jusqu'à nos jours, les Kurdes d'Irak étant soutenus par le Shah puis par les Américains, lâchés par eux, repris, puis lâchés par les Soviétiques.

Le Shah s'entend avec l'Irak, les Soviétiques ferment les yeux tandis que Mostapha Barzani désespéré, abandonné de tous, meurt d'un cancer aux Etats-Unis.

Ghassemlou disait de cet homme rude, inculte à qui tout l'opposait :

« Ce que les intellectuels n'ont pas compris, ce que les politiciens n'ont pas compris, ce que moi-même je n'ai pas compris à certains moments, c'est que Barzani est le seul qui ait su unir le petit peuple kurde comme on peut le voir dans ses villages sous-développés et illettrés et la direction politique du mouvement nationaliste kurde. »

Le poète kurde Kadri Jan écrivit une poésie que tous chantent aujourd'hui dans le Kurdistan qu'il soit turc, iranien, irakien :

> *Qui est-ce qui fait la guerre en été, en hiver ?*
> *C'est Barzani, c'est Barzani...*
> *Quand il en a envie, il passe en Irak*
> *Et quelquefois devient une flèche*
> *Et passe en Iran,*
> *Et ces Iraniens fumeurs d'opium*
> *Disent " C'est Barzani, c'est Barzani*
> *Preneur des âmes*
> *Qui arrive... (1)*

Les Kurdes turcs sont solidement tenus en mains. En Turquie, 120 morts et 350 blessés dans une seule manifestation où ils avaient

_____

(1) Cité par Kris Kutschera, *Le mouvement nationaliste kurde*, Flammarion éd.

osé se dire Kurdes et non Turcs. Ils obtiendront cependant quelques concessions dans le domaine culturel : le droit d'écrire des poèmes à condition d'utiliser l'alphabet turc.

Autant que l'on puisse se fier à des chiffres que contestent les uns et les autres, il y aurait actuellement 3 500 000 Kurdes en Irak, 5 millions en Iran, de 8 à 9 millions en Turquie, quelques centaines de milliers en Syrie et en URSS. Ils seraient à peu près 20 millions dans le monde, peuple sans patrie mais non sans terres, possédant une langue, une culture, héritier d'une longue histoire, peuple divisé et en même temps possédé par la même espérance : devenir enfin une nation.

Mais cette nation ne pourrait se faire qu'aux dépens de l'Iran, de la Turquie, de l'Irak et bouleverserait la carte de l'Asie.

A qui profiterait l'opération ? A personne pour l'instant.

D'où la prudence des leaders kurdes et les audaces de Khomeiny qui sait qu'au moins sur ce point il ne risque rien des pays voisins.

Quand j'arrivai à Mahabad, par Tabriz, c'était un vendredi, jour férié. Dans les campagnes environnantes au bord des rivières on pique-niquait. Des filles en robes aux couleurs vives jouaient au ballon, dévoilées et sans fichus avec des garçons en jeans. Des promeneurs paisibles, le fusil à l'épaule ; les enfants jouaient sur les trottoirs à la marelle avec des cartouches en guise de cailloux.

A l'entrée de la ville une sorte de marché s'était installé au pied d'une colline. Comme il en venait de nombreux coups de feu, j'ai cru que l'on s'y battait, et j'allai voir. On vendait simplement des armes. Tout acheteur, avant de faire son choix, les essayait sur la butte voisine, où des boîtes de conserves avaient été disposées en guise de cibles. Des Kurdes portant de vastes braies, bardés de cartouchières, moustachus, foulard sur la tête, assis sur des caisses, offraient à d'autres Kurdes un choix complet d'armes et de munitions. Il y avait des pistolets, des fusils, des fusils-mitrailleurs, en général d'origine américaine ou provenant de l'armée du Shah, plus quelques Kalachnikov neuves, sortant des caisses, encore enduites de graisse, qui venaient d'arriver. Des prix défiant toute concurrence ! Pour quelques milliers de rials, pour quelques centaines de francs, on pouvait s'équiper de pied en cap : pistolets, fusils d'assaut avec cinq chargeurs et un choix de grenades.

J'eus toutes les peines du monde à ne pas me transformer en « pashmarga » kurde, encombré d'un véritable arsenal.

Le Kurdistan était pratiquement indépendant. On y buvait du vin ; on n'y voyait aucun portrait de Khomeiny et le seul ayatollah barbu que j'y découvris, collé à une vitrine, était Karl Marx.

Je n'aime pas Karl Marx, ce bourgeois allemand acariâtre, déplaisant et illisible, mais je le préfère encore à Khomeiny. Au passage je le saluai de la main.

J'ai bu à Mahabad de l'excellent vin de Rézaieh. On me

déconseilla la vodka. Elle était de fabrication locale et la mixture qui se fabriquait n'était pas très au point.

Le lendemain j'étais reçu au siège du Parti démocratique kurde, le PDK, installé au premier étage d'un bâtiment administratif neuf, propre et laid. Il était gardé par des maquisards moustachus, bardés de cartouchières, armés selon leurs goûts de fusils-mitrailleurs neufs de l'armée iranienne, ou de kalachnikovs soviétiques.

Tous arboraient le costume national : turban à franges, petit gilet, vaste pantalon dont le fond arrivait à hauteur du genou. Il était taillé dans de magnifiques tissus de l'armée américaine, dont ils découvrirent, avec les armes, un stock dans le camp voisin. C'est ce camp que les Khomeinystes voulaient reprendre car il commandait la région.

Je fus accueilli par le responsable militaire du Parti, membre du Comité central : Ghani Boulourian.

En 1954, en pleine répression, il animait avec Ghassemlou un « comité », tout ce qui restait du Parti démocratique kurde et il publiait le journal *Kurdistan*. La police saisira l'imprimerie clandestine installée à Tabriz ainsi que le directeur de la publication. Boulourian connaîtra la prison. En 1959, à la suite d'une dénonciation, il sera repris avec tous les cadres du parti, 250 en tout. Ghassemlou pourra filer en Europe, mais Boulourian croupira vingt ans dans les prisons du Shah, jusqu'à l'année dernière. Il connaîtra toutes les tortures de la Savak. Son corps en porte les marques.

Ce n'est pas un de ces faux torturés que l'on ramasse à Téhéran dans le quartier Sud parmi les mendiants et les éclopés professionnels et que l'on présente aux journalistes et aux commissions d'enquête de l'ONU. Il n'a aucune envie de retomber entre les pattes de certains comités islamiques chargés de la sûreté où, m'affirme-t-il, se retrouvent les spécialistes de l'ancienne police.

Il est souriant, affable, sûr de sa cause et de la victoire. La prison, la souffrance donnent à certains hommes de qualité une authentique sérénité.

Ghani Boulourian me dit qu'il ne croit pas à une offensive prolongée de l'armée iranienne. Selon lui, elle est « tout juste capable » de donner un coup de poing, de bombarder des villes et des villages. Elle ne se risquerait pas dans une longue lutte contre des maquisards entraînés, motivés, quand elle-même ne sait plus où elle en est, ni à quel Islam se vouer. Ses officiers ne tiennent pas à servir un régime qui les a couverts de honte.

Un mois plus tard les choses se gâtaient.

A Téhéran, la populace, en pleine crise d'hystérie, réclamait l'exécution de Ghassemlou qui sagement avait pris le large et du sheik Husseini, le chef religieux sunnite qui n'avait pas quitté Mahabad.

L'imam sommait son armée dont il avait fait fusiller les généraux, limogé quantité d'officiers et envoyé la majorité des soldats dans leur foyer, de rétablir l'ordre au Kurdistan, dans les vingt-quatre heures. Sinon il prendrait contre elle des « sanctions révolutionnaires ».

Ubu-gribouille réclamait à des gens qui se noient un parapluie pour se protéger lui-même de l'averse.

Boulourian sert-il aujourd'hui une mitrailleuse dans la montagne, en compagnie de ses « pashmargas » qui voulaient tant en découdre. Khomeiny a lancé contre le Kurdistan une véritable offensive. De violents affrontements ont opposé « pasdars » islamiques et « pashmargas » kurdes.

Les Kurdes auraient abattu un Phantom et un hélicoptère. Les deux appareils pilotés par des apprentis se seraient eux-mêmes écrasés sur une montagne. On parla de centaines de morts, de garnisons encerclées à Sanandja, où des femmes auraient été prises en otages... quand il ne s'y passait rien. Khomeiny dut interdire « toute grève » dans son armée, ce qui laisse supposer le peu d'enthousiasme qui règne, et à tout observateur étranger de se rendre sur place.

Accumulant les fautes, ne supportant pas d'être contrarié, ivre de pouvoir, l'imam envoie sur place le sinistre ayatollah Khalkali, procureur général des tribunaux islamiques, ancien pensionnaire d'un asile d'aliénés. Il fait exécuter douze Kurdes qui auraient participé aux combats. Ce sont des étudiants, des instituteurs et un médecin, étrangers à l'affaire, qui n'étaient pas armés et dont le seul crime avait été de se trouver sur le passage du bouillant inquisiteur.

Du coup les Kurdes, traditionnellement divisés, se retrouvent dans un front uni, féodaux à côté des démocrates, feddayins marxistes (mais kurdes) avec les Barzanis, la tribu des Chakkak, et les socialistes (kurdes) irakiens.

Le très prudent M. Sandjabi, leader du Front National qui collabora avec Khomeiny et fut même son ministre des Affaires étrangères, se souvenant soudain qu'il était kurde, passait à l'opposition.

Khomeiny fait appel aux Etats-Unis pour retaper son armée. Les Russes pourraient en prendre prétexte pour s'intéresser aux Kurdes et leur fournir cet armement lourd qui leur manque.

S'il n'y avait eu l'Afghanistan, ils s'en seraient certainement mêlés. Ils le feront un jour ou l'autre.

Khomeiny, sorti brutalement de ses songes pan-islamiques, a-t-il cru, s'il laissait l'autonomie au Kurdistan que les autres minorités ethniques ou religieuses suivraient. Ces minorités qui refusaient sa révolution et constituaient un tiers de la population et occupaient les deux tiers du territoire national. Le plus souvent elles se trouvaient à cheval sur deux frontières. L'Irak, l'URSS, le Pakistan, l'Afghanistan pouvaient leur venir en aide.

D'où cette mobilisation brouillonne, ces appels au meurtre et en même temps à l'union sacrée.

Le mollah Nasreddin de la fable iranienne avait deux veaux. L'un brisa sa corde et s'enfuit dans le désert. Au lieu de le poursuivre, Nasreddin prit un bâton et frappa à coups redoublés sur le deuxième veau resté sagement attaché à son piquet.

Comme on lui demandait les raisons de son étrange comportement il répondit : Avant que mon deuxième veau ne fasse comme le premier, je le punis. Comme ça l'idée de filer lui sortira de la tête.

Khomeiny, comme Nasreddin, punit-il les Kurdes de vouloir l'autonomie parce qu'il redoute que tout le pays, se rendant compte qu'il le conduit à sa perte, ne le renvoie, lui et ses mollahs, dans leurs mosquées et dans leurs « madrassés » d'où ils n'auraient jamais dû sortir ?

Les 60 000 mollahs chiites abrités dans des milliers de mosquées avaient admirablement réussi leur opération contre les Pahlavi, car ils haïssaient encore plus le père que le fils. Ils se révélèrent capables de lancer contre les gardes du Shah et leurs blindés des foules de plus en plus nombreuses, sans armes. Les mitrailleuses les fauchaient et ils hurlaient le nom d'Allah. C'étaient des gens du peuple, leur clientèle, mais on y trouvait aussi des étudiants et leurs professeurs qui se disaient ou se croyaient marxistes et qui, stupéfaits, s'entendaient acclamer Dieu. Même les bourgeois des beaux quartiers, enfants chéris du régime, étaient gagnés par cette frénésie.

Allah Akbar. Que Dieu était grand en ces premiers jours de la révolution !

Ils se firent tuer jusqu'à ce que l'armée, pourtant fidèle au régime mais écœurée, se mutine. Elle n'était pas faite pour ces besognes. Encore si on lui avait tiré dessus, elle aurait eu l'impression de se défendre. Elle combattait des foules désarmées qui en appelaient à Dieu. Une position insoutenable pour des soldats qui avaient la même foi, qui appartenaient au même peuple. La Savak avait déconsidéré le régime. Ce n'était pourtant qu'une baudruche, un organisme tentaculaire, inefficace, cruel, mal renseigné, qui volait, qui pillait et qui torturait à tort et à travers, un monstre fou qui n'avait aucune ligne de conduite. Même pas une Gestapo, encore moins un Guépéou. La Savak s'était trompée d'ennemi. Elle s'acharna sur les gauchistes, les communistes, et ne s'attaqua que rarement aux religieux, le vrai danger, le seul groupe organisé contre lequel le pouvoir ne pouvait rien, ou pas grand-chose.

Un tortionnaire de la Savak que l'on interrogeait avait dit à ses juges islamiques :

— Mais je ne vous ai jamais rien fait ; je ne m'en suis pris qu'aux Toudehs, aux communistes, ceux-là mêmes qu'à votre tour vous attaquez, que vous arrêtez, que demain peut-être vous fusillerez, comme nous l'avons fait.

Il fut quand même exécuté. Quelques semaines plus tard, il aurait été gracié, et réembauché dans les polices parallèles que mettent sur pied les Gardiens de la Révolution.

Après trois semaines, je fis le bilan de la révolution islamique.

Le Bazar, ayant obtenu ce qu'il désirait, souhaitait que Khomeiny et ses mollahs se limitent à leur fonction de religieux, ne se mêlent plus de politique et encore moins d'économie. Le rial s'effondrait sur tous les marchés. Il avait perdu la moitié de sa valeur. Si l'on continuait à payer les ouvriers et les fonctionnaires à ne rien faire tout en les augmentant la crise ne pourrait que s'accentuer. Les « bazarys » savaient que cette plaisanterie ne durerait pas longtemps. Et qu'ils risquaient d'en faire les frais.

La bourgeoisie avait peur, les technocrates pleuraient sur le passé et le monde ouvrier était inquiet.

On ne savait même plus qui détenait le pouvoir.

Officiellement, ce serait le gouvernement provisoire de Bazargan mais seulement à Téhéran et ce pouvoir est de pure forme. Bazargan, homme intègre et cultivé, ne représente rien que lui-même et une classe politique sans clientèle. Il existe parce que le vieil homme de Koum le tolère. Et il se plie à tous les caprices, démissionne tous les matins, reprend sa démission tous les soirs.

L'imam Khomeiny, à l'ombre de la mosquée sainte de Koum décide de tout, touche à tout, conseillé par un comité secret où se retrouvent une majorité d'ayatollahs et de docteurs de la loi dont la moyenne d'âge tourne autour de soixante-quinze ans. Tous intégristes et vivant hors de leur temps.

L'imam se perd dans les détails, règle la tenue des femmes qui prennent des bains dans la Caspienne, mais ignore l'essentiel : un pays qui se défait entre ses doigts décharnés.

Parmi tous les ayatollahs il était le moins ouvert, le moins cultivé. Il venait très loin derrière un Taleghani, un Milani ou un Shariat Madari, ne serait-ce que pour l'importance de la clientèle. Il n'avait rien appris, rien compris au cours de son exil. Il ne voulait que régler son compte à la monarchie iranienne ; une imposture, disait-il, qui durait depuis deux mille cinq cents ans. Mais étant le plus obstiné, le plus décidé, le plus intraitable, ce fut lui que l'on suivit.

Le troisième pouvoir se trouvait dans la rue et n'obéissait ni à Bazargan ni à Khomeiny. Il était en majorité « islamique » mais dans certains qartiers marxiste, un terme qui englobe les communistes toudehs très discrets et les gauchistes qui le sont moins.

Tous souhaitaient aller plus loin dans le désordre, les règlements de compte, faire vraiment cette révolution qui selon eux n'a été qu'ébauchée.

Derrière eux, les Palestiniens, appartenant aux mouvements extrémistes manipulées par le KGB.

Toutes les conditions étaient réunies pour que réussisse un coup d'Etat militaire qui remettrait de l'ordre dans cette chienlit et empêcherait gauchistes et islamiques d'en venir aux mains.

Mais il n'y avait plus d'armée et quand elle subsistait dans de lointaines provinces, elle n'avait plus de chefs.

Pourtant je l'ai cherchée, et je n'ai trouvé que des stocks d'armes et de matériel abandonnés. Près des dômes bleus d'Ispahan, soigneusement rangés, épinglés chacun sur son tertre, comme les monstrueux insectes d'une collection d'entomologiste, aussi morts que s'ils avaient été trempés dans le formol, incapables de jamais reprendre l'air, des centaines d'hélicoptères parmi les plus modernes du monde. Des engins fabuleux ! Ils étaient la fierté du Shah et avaient coûté des milliards de dollars. Aucune autre unité ne lui était comparable à l'exception de la 1re division de cavalerie américaine dont le Congrès avait trouvé qu'elle coûtait trop cher. Mais le roi, qui n'avait de comptes à rendre à personne, estimait que rien n'était assez beau pour équiper sa « Sky Cavalry Brigade ».

Appareils de tous modèles : Cobra effilés comme des squales, équipés de canons ultrarapides AHIJ : engins de combat fabuleux armés des fusées téléguidées et dont l'Iran dut financer la mise au point, ces gros porteurs ventrus à double rotor pouvant transporter des canons de 155, des chars, ou une section d'intervention de trente hommes avec armement et équipement et cela à plusieurs centaines de kilomètres de leurs bases.

Cette brigade d'hélicoptères n'était pas seulement un jouet, mais l'instrument de la politique de grandeur du Shah, l'arme suprême du gardien du Golfe et de ses richesses.

Les commandos héliportés de la brigade contrôlaient le détroit d'Ormuz et sa noria de pétroliers géants ainsi que les îlots d'Abou Moussa à la sortie du Shott el Arab. Ils étaient intervenus victorieusement contre les rebelles communistes du Dhofar. L'Irak avec ses larges plaines ne pouvait risquer ses chars contre de tels engins. Il s'était incliné, et le Shah avait aidé les Irakiens à venir à bout de la rébellion des Kurdes qu'il avait lui-même encouragée. Une décision qu'il avait prise en une nuit à Alger sans consulter personne.

Le Koweit, les émirats, l'Arabie saoudite avaient dû composer avec les humeurs et les ambitions de celui qui se voulait l'héritier de Cyrus et de Darius, le Shahinshah, le roi des rois.

Son épée rouillait aujourd'hui dans les sables d'Ispahan.

Depuis six mois, depuis le départ des techniciens américains qui les entretenaient, aucun appareil n'avait pris l'air, aucun rotor n'avait tourné. Les rafales de vent, le sable, le soleil brûlant avaient rongé les magnifiques machines. Ce n'était plus que des carcasses vides tout juste bonnes à figurer dans l'ultime parade d'une armée fantôme.

Une trentaine de spécialistes américains seraient revenus secrètement à Ispahan et ils n'auraient pu que constater le désastre. A peine 2 % du matériel était récupérable.

J'ai demandé autour de moi :

— Mais où sont les pilotes ? les mécaniciens ? Ils étaient plusieurs milliers, tous compétents, formés aux Etats-Unis à grands frais et bien payés.

On a haussé les épaules :

— Raft. Ils sont partis. Les uns sont rentrés chez eux ; d'autres ont eu des ennuis. Ils sont en prison ou ils ont été chassés de l'armée. Les mécaniciens ont trouvé à se caser dans des garages. Les comités de soldats et de sous-officiers sont incapables, sans leurs officiers, de faire fonctionner pareilles machines. Quelques-uns s'y sont essayés et se sont cassé la figure.

« Plus de pièces détachées ; plus d'essence. Le réseau radar et les tours de contrôle ont cessé de fonctionner.

« Depuis le départ du Shah, on n'a touché à rien. Il n'y a eu ni sabotage, ni destruction, simplement abandon. Voyez comme tout est en ordre mais bon pour la ferraille.

De l'armée iranienne, il ne resterait que quelques unités perdues à Rezaieh, à Piranshar, à Shapour, le long de la frontière turque et irakienne. Elles disposeraient encore de chars qui roulent et d'hélicoptères qui volent. Mais les officiers, suspects d'avoir servi le régime, ne sont plus obéis par les soldats groupés en comités. Certains chefs arrivent encore à maintenir un semblant d'autorité mais ils ne le doivent qu'à leur prestige personnel ou en donnant à fond dans la démagogie et la mode du moment.

L'armée paye la politique militaire du Shah. Par peur d'un putsch, se souvenant du général Razmara, il mis à sa tête des courtisans qui ont disparu.

Il en va de même de la gendarmerie. On ne la voit plus. Son rôle est tenu par des comités qui, selon les régions, sont islamiques, gauchistes ou autonomistes. La gendarmerie avait pour mission de lutter contre les mouvements séparatistes et de contrôler les tribus. Elle en est bien incapable et cherche à se faire pardonner d'avoir trop brutalement rempli les tâches qui lui étaient imparties en cessant toute activité.

La police ! On reconnaît un policier à ce qu'il fout le camp quand se produit un accident. Il ne veut plus se mêler de rien, car il sait que, quoi qu'il fasse, quoi qu'il dise, il recevra les coups.

L'Iran, en ce mois de juillet 1979, n'est plus qu'un bateau ivre. A la barre, un vieillard obstiné, qui cherche sa route dans le Coran, ignorant cartes et boussoles qui sont invention du diable. L'équipage : armée, police, gendarmerie, administration, a disparu, remplacé par des milices, des comités, qui font n'importe quoi et parfois s'entre-tuent pour de sordides questions d'intérêt. La coque est rongée par moisissures. Les passagers, terrorisés, se calfeutrent dans leurs cabines, tandis que les vents mauvais poussent le navire vers les récifs. Les naufrageurs ont allumé de grands feux et attendent qu'il sombre pour s'en partager les dépouilles.

Seul un miracle peut le sauver. Qu'un homme compétent, qui ne soit pas grisé par l'odeur du pétrole et la flatterie de ses courtisans comme le Shah, qui ne soit pas un fou de Dieu comme l'imam Khomeiny, un amiral d'opérette comme Madani, une « taupe » soviétique ou quelqu'autre produit des camps palestiniens, reprenne la barre, que l'équipage retourne à ses postes de manœuvre et qu'on enferme milices et comités dans les cales. Mais où trouver cet homme ? D'où viendra-t-il ? Chahpour Baktyar aurait pu tenir ce rôle. Pour avoir sous-estimé l'Islam et voulu appliquer les règles de la Constitution, pour avoir été trop occidental, il fut écarté du pouvoir et même condamné à mort. Quand j'étais à Téhéran, on le disait dans sa tribu. Allait-on le voir apparaître à la tête d'une troupe de cavaliers baktyars ? Reza Khan avait pris l'Iran avec une brigade de cosaques, mais ces temps étaient révolus. Il aurait fallu l'intervention de divisions blindées et que Russes et Américains se soient mis d'accord pour l'autoriser.

Après avoir longtemps hésité, les Russes se sont décidés à se mêler des affaires iraniennes. Ils jouent fort habilement sur deux tableaux, les mouvements séparatistes qu'ils encouragent et qu'ils arment, utilisant différents intermédiaires comme les Palestiniens dans le sud, et l'armée qu'ils s'efforcent de noyauter à travers les Comités de soldats et de sous-officiers. Tout en rassurant les officiers dont ils exaltent les sentiments nationalistes, leur goût de l'ordre et de la discipline. Déjà, ils avaient failli réussir leur opération au temps de Mossadegh. Khomeiny vient enfin d'accorder une amnistie à tous les militaires qui ont servi le Shah. Les communistes toudehs, simple courroie de transmission du Kremlin, offrent infiniment plus à cette armée : sa réhabilitation, une occasion de reprendre le pouvoir, de régler leur compte aux religieux et aux gauchistes. A condition, bien sûr — les Russes y veilleront —, de jouer fidèlement, la partie de Moscou.

Les Américains semblent vouloir contrer les Russes, et si l'armée leur échappe, à jouer à fond les religieux qui pourtant les chargent de tous les péchés. Mais que ne ferait-on pas pour quelques millions de barils de pétrole !

Et puis, si leur affaire se gâte, ils pourront toujours s'entendre avec les Russes, provisoirement, pour parer au plus pressé et obtenir une part du gâteau.

Les mosquées ont été transformées en dépôts d'armes par les milices islamiques ; communistes et gauchistes ont fait des universités de véritables arsenaux. Rien qu'à Téhéran, des milliers d'armes de tous calibres attendent de servir. Tout est prêt pour la guerre civile, et pour une révolution qui ne sera plus seulement un règlement de comptes entre Dieu et le Diable.

A Téhéran, dans les milieux politiques, on ne s'occupait que de l'élection d'une commission d'experts qui devrait étudier le projet de la future Constitution. De vieux messieurs très dignes du Front national espéraient naïvement qu'ils seraient consultés et que, grâce à leur intervention, elle serait démocratique et pas trop islamique. Mais aucun ne se souciait un seul instant de savoir qui pourrait l'appliquer.

Les politiciens sont incorrigibles. En Iran, malgré la ruée des mollahs sur tous les postes de responsabilité, ils n'avaient pas encore compris que Dieu avait toujours été brouillé avec la démocratie. Ruhollah Khomeiny, ses ayatollahs et ses mollahs régnaient en son nom, n'ayant de comptes à rendre qu'à lui seul.

Quatre mois plus tard, quand je revins à Téhéran, les cartes étaient définitivement brouillées et il n'était surtout plus question de démocratie.

# V

PALESTINE :
OTAGES DE DIEU OU DE MARX

*« La différence entre le révolutionnaire et le terroriste
réside dans les raisons pour lesquelles l'un et l'autre
combattent. Ceux qui luttent pour une juste cause,
pour défendre la liberté et l'indépendance de leur
patrie contre l'invasion, l'occupation, la colonisation
ne peuvent être en aucune façon qualifiés de terroristes. »*

Discours prononcé par Yasser Arafat le 13 novembre 1974
devant l'Assemblée générale des Nations Unies, à
New York. La salle croule sous les applaudissements.

La résistance palestinienne compte neuf organisations parfois
alliées souvent rivales, presque toujours manipulées par les uns et
les autres. La plus importante, la plus représentative est l'OLP de
Yasser Arafat. Officiellement ne professant aucune idéologie, elle est
soutenue par l'ensemble des pays arabes. L'OLP fait partie du Front
du refus qui est opposé aux accords de Camp David.

Le FPLP de Georges Habache et de Waddi Haddad est marxiste
léniniste, extrémiste, partisan de la révolution totale, proche du
KGB dont il est souvent un agent d'exécution. Comme dans
l'attentat contre La Mecque. Le FDLP de Nayeff Hawatmeh est un
parti d'intellectuels marxistes et communistes, une carte de
rechange aux mains des Soviétiques.

Le Front de libération arabe dépend du Ba'th irakien comme la
Saïka, le mouvement le plus important après l'OLP, du Ba'th syrien.
Le FPLP-Gouvernement général de Jabril parfois pro-syrien puis

pro-libyen est comme certains protozoaires, en état permanent de scission.

Pour ce qui nous intéresse, la prise en otages à Téhéran de cinquante diplomates américains par de pseudo-étudiants islamiques, nous aurons surtout à traiter des partisans d'Arafat et des Iraniens formés dans des camps d'entraînement de l'OLP. Plus tard viendra le tour des Palestiniens d'Habache et de leurs disciples, ceux dont Moscou tire les ficelles.

Le 3 novembre, de sa retraite de Koum, Khomeiny avait demandé aux étudiants et à tout le peuple iranien de manifester contre les Etats-Unis, coupables d'avoir accueilli le Shah. Atteint d'un cancer, le souverain déchu avait été hospitalisé dans une clinique de New York.

Le lendemain 200 « étudiants islamiques » armés, pénétraient dans l'ambassade américaine. Ils prétendirent plus tard appartenir à la Faculté de Théologie mais aussi à l'Ecole Polytechnique, à l'Université technique et technologique où domine l'influence des marxistes. Mais ils s'estiment insultés quand on leur demande leur carte d'étudiant. A peine 20 % d'entre eux peuvent se prévaloir du titre. Les plus dégourdis, ceux qui savent tenir une arme et semblent mener la danse, parlent arabe. Où l'ont-ils appris ? Au Liban ? En Irak ?

Les Marines, ayant reçu l'ordre de ne pas tirer, se laissèrent faire prisonniers ainsi que tout le personnel.

Déjà le 14 février l'ambassade avait été occupée et les 200 diplomates et membres du personnel, sous la menace des mitraillettes, avaient été alignés dans le parc, les mains sur la tête. Mais l'incident s'était réglé dans la journée. Yazdi, ministre des Affaires étrangères du gouvernement Bazargan, était venu présenter ses excuses.

Les Américains réduisirent leur représentation. Neuf mois plus tard, au moment de la prise de l'ambassade, elle ne comportait plus que cinquante-sept personnes en plus des différents plantons, cuisiniers et secrétaires recrutés sur place.

Khomeiny, à la surprise générale, approuve l'action des étudiants et leur donne sa bénédiction. Une prise d'otages dans une ambassade, ce n'était pas nouveau, mais c'était bien la première fois dans l'histoire contemporaine qu'un gouvernement, sur son propre territoire, au mépris de toutes les conventions internationales, se faisait le complice de terroristes, s'attaquant à une mission étrangère.

Bazargan désavoué n'avait plus qu'à s'en aller, ce qu'il fit. N'avait-il pas rencontré à Alger avec Yazdi, son ministre des Affaires étrangères, l'envoyé du diable, Brzezinski, le conseiller du président Carter.

On sort Bani Sadr de sa boîte. Porte-parole du vieillard de Koum, il devient super ministre tandis qu'une crise d'antiaméricanisme submerge le pays.

Opération intérieure remarquablement réussie.

Khomeiny et ses conseillers, au moment où allait être publiée une constitution aberrante qui donnait tous pouvoirs à l'imam et à ses mollahs, par cette manœuvre ralliaient à eux tous ceux qui ne pouvaient admettre un tel pouvoir ; les gauchistes, le Front National, les libéraux, et tout le bon peuple de Téhéran qui n'en revenait pas de son audace : avoir bravé la toute-puissante Amérique. En une seule journée, l'opposition était balayée.

A l'exception de la Libye, qui plus tard changea d'avis, le monde entier condamnait l'Iran.

A peine débarqué à Téhéran, je me rendis devant l'ambassade, sur la grande avenue Takh-e-Jamshid, baptisée depuis du nom de feu l'ayatollah Taleghani. Le ciel était clair, lumineux, l'air vif et piquant. Je m'attendais au drame, l'ambiance était à la kermesse. Marchands ambulants de beignets, de betteraves rouges que l'on enrobe de sucre, comme des pommes d'amour, marchands de brochettes, de sodas et de Coca-Cola !

Dans de grandes marmites, sous des feux de bois, cuisait la soupe des vaillants gardiens de la révolution. C'était le Bazar qui payait, qui fournissait les fèves et le mouton, un Bazar qui devient de jour en jour plus réticent. Car s'il croit en Dieu et en l'imam son prophète, il commence à compter ses sous... On trouve au marché noir, c'est-à-dire chez tous les changeurs, du rial à moitié prix de son cours officiel. Le dollar est roi ; encore plus le franc.

Mais le Bazar doit suivre puisqu'il a pris à son compte la folle entreprise des étudiants bénie par l'imam.

On ne s'intéressait guère ce matin-là aux affiches blanches placardées sur tous les murs de l'ambassade, plantées sur des perches, pendant comme du linge à sécher et formant entre le trottoir et le mur une longue haie.

On y réclamait le Shah, mort ou vif ; on y maudissait Carter et l'impérialisme américain ; on se déclarait prêt à mourir pour la République islamique. J'ai remarqué un panneau affiché sur un immeuble faisant face qui représentait la statue de la liberté cuisant sur son flambeau une colombe de la paix enfilée sur un tourne-broche, avec dans le bec, un brin d'olivier en guise de persil. Et deux ou trois effigies d'Arafat, le keffieh de travers.

Les distractions à Téhéran se font rares ; jadis la ville était morose, aujourd'hui elle est sinistre. Plus de bistrots, plus d'alcool, et les Téhéranys ne crachaient pas sur la vodka. Plus de dancings, plus de boîtes de nuit, plus de musique sinon islamique... Et je n'ai encore jamais pu savoir en quoi elle consistait.

Les rares cinémas ouverts passent des films édifiants ; une télévision totalement insipide où entre deux prêches interminables de mollahs, on donne quelques images d'une machine à tisser ou d'un soudeur armé de son chalumeau.

Alors que faire un vendredi, jour férié ? Après la prière, le prêche d'un ayatollah réputé comme Montaderi qui rassemble sur le campus de l'Université 200 000 personnes, le Téhérany fait un tour à l'ambassade. On discute un brin à travers les grilles avec un étudiant farouche, barbu et armé jusqu'aux dents.

Parfois, l'étudiant oublie le rôle qu'on lui a donné à remplir ou qu'il s'est attribué lui-même et il daigne sourire. On apporte des fleurs qui ont des allures de couronnes mortuaires. Cette révolution est d'une infinie tristesse comme la religion dont officiellement elle se réclame.

Le Téhérany rentre chez lui, après s'être fait offrir un verre de thé dans une cantine en plein air. Et alors seulement, dans le plus grand secret, tout enthousiasme islamique et révolutionnaire retrouvé, il se dit que tout cela finira mal.

Je revins en fin d'après-midi.

Braillements des haut-parleurs, chants patriotiques. Le ton a changé, la foule s'agglomère et se soude. Les poings se dressent, les acclamations répondent aux slogans de plus en plus violents. Cette foule, tout à l'heure si paisible, s'enfle et gronde. Elle n'a plus qu'un seul visage, elle n'est plus qu'un seul cri infiniment répété « Allah Akbar », Dieu est grand ! Tout se confond dans une masse sombre : les tchadors noirs des femmes, les marchands du Bazar col ouvert, mal rasés, souvent ventrus, les étudiants qui se laissent pousser la barbe à la mollah, car c'est la mode.

Quand l'excitation est à son comble, on présente un otage misérable, entravé, les poignets liés, les yeux bandés. La foule menace de tout emporter, elle va s'en saisir, le lyncher. Lentement, savamment, le meneur de jeu la calme. Après lui avoir donné ce bain de haine on rentre le pauvre bougre vacillant, représentant de la nation la plus riche, la plus puissante du monde. Un spectacle ignoble et fascinant !

Le burlesque se mêle au tragique, l'improvisation style Mai 1968 à des scènes qui paraissent mieux montées, mieux organisées. Comme s'il y avait deux troupes, l'une d'amateurs chargée de meubler les temps morts, l'autre de professionnels jouant avec habileté de toutes les passions de la foule.

Les journalistes du monde entier se relaient devant les sept sorties de l'ambassade par où pourraient passer les otages dont on annonçait l'imminente libération.

Le froid tombe très vite avec la nuit. On s'emmitoufle et de grands feux s'allument où l'on va se chauffer les mains. On sait pourtant qu'il ne devrait rien se passer mais tout est tellement imprévisible. Le théocrator de Koum, le vieil homme, l'imam qui règne sur cette étrange révolution a fait savoir qu'il était fatigué, qu'il avait besoin de se reposer, de réfléchir, de s'entretenir avec le seul maître qu'il se reconnaisse encore, Dieu. Jusqu'au 5 décembre, il ne parlerait pas et ne recevrait personne.

Comme on insistait, qu'on lui demandait comment il se tirerait de cette épineuse affaire il fit cette réponse :

« Nous avons déjà entrepris des actions sans en connaître l'issue à l'avance. Dieu a tout arrangé. »

Dans la soirée de vendredi Bani Sadr, qui est tout à la fois ministre des Affaires étrangères, de l'Economie, du Pétrole, mais surtout « la parole » de l'imam, arrivait non sans mal à forcer sa porte. Après une très longue discussion, il obtenait enfin de lui qu'il acceptât le principe de relâcher au moins quelques otages.

L'imam daigna sortir de son silence pour déclarer :

« Les femmes et les Noirs seront remis au ministère des Affaires étrangères pour être immédiatement expulsés d'Iran, étant donné que l'Islam attribue aux femmes des droits particuliers (?) et que les Noirs ont été toujours sous le joug américain et ne se trouvent dans ce pays que contre leur propre gré. Que soient donc libérés et les femmes et les Noirs, à condition qu'il soit prouvé que ni les uns ni les autres n'aient eu aucune activité d'espionnage. »

Bani Sadr revint triomphant à Téhéran.

Il est temps de présenter le personnage. Charmant garçon portant lunettes et moustache, affable, doux, c'est un de ces vieux étudiants iraniens comme on en rencontre tant à Paris. Il s'intéressa pendant quinze ans (jusqu'à trente-six ans) à l'économie, au droit, à l'ethnologie, se souciant peu des peaux d'âne mais faisant surtout de la politique à la Closerie des Lilas d'où nous viennent la plupart des jeunes leaders de la République islamique.

Il professait un marxisme utopique et proposait pour l'Iran une solution à la cambodgienne mais sans les mitraillettes car c'est un pacifique. Fils de religieux, il est croyant et pratiquant.

On viderait les villes par la douceur et la persuasion pour remplir les campagnes. On casserait l'ancien monde ; on supprimerait l'Etat et on serait heureux avec la bénédiction de Dieu et de J.-J. Rousseau.

Le Coran et le Contrat social !

Et voilà que soudain lui, l'étudiant longtemps famélique que ses camarades iraniens ne prenaient pas au sérieux, faisait les grands titres de la presse internationale et par la grâce de l'imam Khomeiny se trouvait désigné comme l'interlocuteur du président des Etats-Unis. Son ascension ne s'arrêtera pas là. Il deviendra président sans pouvoirs d'une république qui n'existe pas.

Sa chance fut d'avoir fait partie de l'entourage de Khomeiny à Neauphle-le-Château. Il était devenu l'intermédiaire privilégié entre le vieux mollah, confit dans son rêve religieux et archaïque, sa haine viscérale du Shah et un monde étranger peuplé d'infidèles, incompréhensible, et que surtout il ne voulait pas comprendre. Bani Sadr avait ensuite remplacé le président du conseil, Bazargan, pour les mêmes raisons, parce que, comme à Neauphle-le-Château, l'imam avait besoin d'un intermédiaire docile avec ces autres infidèles, les Américains.

Bazargan, disciple de Mossadegh, avait encore des idées modernes sur la façon de gouverner un grand pays au XXe siècle ; il croyait en la nécessité des règles internationales, à la séparation de l'Eglise et de l'Etat même si l'Etat devait s'inspirer d'un certain esprit religieux.

Bani Sadr n'était que le reflet changeant des humeurs, des foucades du vieil imam.

Samedi en fin d'après-midi nous étions tous devant l'ambassade pour assister à la libération des femmes et des noirs : sept femmes et six Noirs, les Noirs étant des Marines. La foule était nombreuse, dangereuse, surexcitée. On lui donna en pâture un mannequin représentant le Shah qui fut déchiqueté ; un autre représentant Carter qui eut le même sort. Puis on brûla un drapeau américain.

Les Gardiens de la Révolution, faisant la chaîne, avaient peine à la contenir. Tout était prêt pour le grand « show » : présentation des otages et leur libération.

Il ne se passa rien. Les étudiants firent savoir qu'ils devraient examiner soigneusement chaque cas. Car on peut être nègre et espion américain, femme et appartenir à la CIA.

— Il faut comprendre ces pauvres étudiants, me fit remarquer un confrère que leurs comédies commençaient à agacer. Sans les otages ils ne sont plus rien ; avec les otages ils sont tout. Pourquoi les lâcheraient-ils ? Ils ont pris goût à la télévision, à la radio. Ils font le complexe de la vedette. En plus ils sont iraniens, donc exhibitionnistes et follement vaniteux.

La mauvaise humeur de ce confrère était excusable. Depuis trois nuits il faisait le pied de grue devant l'ambassade. Pour rien.

Combien étaient les otages ? Soixante-deux Américains, une quarantaine de Pakistanais, de Philippins et de Sud-Coréens.

Mais les gros poissons avaient échappé aux étudiants : le chargé d'affaires Bruce Laingen et deux autres diplomates, absents au moment de la prise de l'ambassade, s'étaient réfugiés au ministère des Affaires étrangères.

Quel était leur statut ? Hôtes ou prisonniers ? Seul put les rencontrer le correspondant du *Monde* « l'ayatollah » Eric Rouleau qui avait partout ses entrées. Il était devenu le « gourou » de Bani Sadr, qui dévotieusement, comme il se doit, pendant ses longues études, avait tous les jours lu *Le Monde*. Aujourd'hui, le quotidien rapportait avec le plus grand sérieux ses propos contradictoires et fantaisistes.

Mais les diplomates refusèrent de se laisser interviewer. L'avaient-ils pris pour un Palestinien ou le responsable d'un comité islamique ?

Les « étudiants » avaient des raisons d'être grisés. Parlant au nom d'un pays qui allait à vau-l'eau, qui n'avait plus ni police, ni armée, dont l'économie sombrait, et d'un vieillard représentant sur terre un Dieu du Moyen Age, ils pouvaient pourtant se permettre de réclamer, en échange d'une centaine d'otages, non seulement qu'on leur livre le Shah malade, même sur une civière, mais que la toute-puissante Amérique confesse publiquement ses péchés.

Devant ces grilles d'où pendent des banderoles, dans les hurlements hystériques d'une foule qui hier acclamait Mossadegh, puis le Shah, aujourd'hui Dieu et son imam, se jouait le sort d'une élection présidentielle aux Etats-Unis, qui concernait le monde entier.

Dimanche après-midi, conférence de presse des étudiants qui devaient nous présenter les otages. Puis ils changent d'avis, et décident qu'ils seront jugés par un tribunal populaire. D'otages, les voici criminels de guerre.

Enfin, dans la soirée entre 8 h 30 et 9 heures, sur un terre-plein devant un hangar, se déroulera la cérémonie de présentation non pas des dix otages prévus mais de trois d'entre eux : une secrétaire, Katie Gross, bonne fille rebondie au sourire « télévision » et deux Noirs, sergents des Marines. L'un maigre, vif, a refusé de signer la pétition réclamant l'extradition du Shah, parce qu'on n'a pas à juger son pays, l'autre, moins déterminé, a accepté pour se tirer de ce guêpier.

Les étudiants forment la chaîne autour des journalistes entassés sur trois rangées de chaises. Ils chantent un air patriotique ou islamique, on ne sait plus très bien, et alors seulement commence l'interview des otages.

Katie Gross dit qu'elle a été bien traitée, qu'elle comprend les motifs des étudiants, que le Shah est peut-être bien un criminel... mais qu'elle est quand même restée seize heures pieds et poings liés. Ils étaient à trois ou quatre par pièce, toujours étroitement surveillés ; ils n'avaient pas le droit de se parler.

Les Marines, les sergents Ladell Maples et William Evarles, racontent qu'ils étaient complètement isolés dans différents bâtiments, par mesure de sécurité en cas d'une attaque surprise. Quand on leur demandait ce qu'ils faisaient : « dormir », répondent-ils.

A 7 heures ce matin, les otages sortaient de l'ambassade escortés par trois voitures qui prenaient la direction de l'aéroport. Dans l'une, le fils de Khomeiny. Sans bagages, sans papiers, ils embarquaient dans le premier avion, un appareil de la KLM, en partance pour Copenhague.

Khomeiny avait été obéi. Il était bien le seul maître après Dieu.

En jouant les sentinelles devant l'ambassade des USA, me revenaient en mémoire des images de prises d'otages par les Palestiniens quand ils donnaient dans le grand terrorisme international, quand Yasser Arafat, pistolet au côté, ne jouait pas encore les politiciens convenables. Les otages, pieds et poings liés, étaient rigoureusement isolés les uns des autres et n'avaient pas le droit de communiquer. Une technique bien connue de démoralisation ! Pour prouver qu'ils étaient en vie, qu'ils restaient une monnaie d'échange, on les présentait les yeux bandés puis on les escamotait. Pendant toute leur détention ils étaient soumis à un endoctrinement dispensé par des « feddayins », anciens étudiants formés à la dialectique et à la propagande. Moitié par la force, moitié par la persuasion, ils obtenaient de leurs prisonniers qu'ils signent des appels condamnant le sionisme et l'impérialisme américain.

Les otages de Téhéran avaient été présentés les yeux bandés. Bien qu'ils se soient montrés prudents dans leurs propos, ils nous laissèrent entendre qu'ils avaient eu des contacts « humains » avec certains étudiants parlant l'anglais et possédant une culture politique.

Trente-trois d'entre eux avaient même été convaincus de signer une lettre au président Carter lui demandant l'extradition du roi pour crimes contre l'humanité. Par la suite, les otages avaient eu d'autres gardiens, franchement détestables, depuis qu'un certain mollah ou ayatollah Monsavi Khoeny était devenu le véritable maître de l'ambassade occupée. Représentant personnel du vieil homme de Koum, il fut bientôt rejoint par le fils de l'imam. Les slogans débités par les haut-parleurs, plus religieux, plus fanatiques enflammaient une foule qui avait aussi changé de visage. Les traits étaient durs, marqués par la misère ; les tchadors des femmes cachaient le plus souvent des haillons.

Qu'est-ce qui ne collait pas dans ce scénario jusqu'alors bien monté et qui soudain dérapait ?

Je fis part de ces réflexions à ceux que j'appellerais « les Iraniens de la nuit ». Car il existe aujourd'hui à Téhéran et probablement dans toutes les villes importantes deux sortes d'Iraniens qui peuvent être les mêmes mais tenir un langage totalement différent selon que le soleil brille ou qu'il est couché, qu'ils se savent en sûreté entre amis, chez eux ou, au contraire, face à un public devant lequel ils feront les gestes qui conviennent pour ne pas avoir d'ennuis. C'est une très ancienne pratique dans laquelle les Persans sont passés maîtres. Cela s'appelle « faire ketman ». Nous en avons parlé à propos des Alaouites.

Cette nuit-là, après avoir fait ketman toute la journée, applaudi Khomeiny, juré de répandre jusqu'à leur dernière goutte de sang pour défendre la révolution islamique, ils en avaient assez. Autour d'une bouteille de whisky achetée quarante dollars à un Gardien de la Révolution qui en faisait commerce, ils me parlaient le langage de la nuit.

L'un d'eux, qui était proche du pouvoir, me dit :

— Tu n'as pas deviné ? Ce sont les Palestiniens qui ont monté l'occupation de l'ambassade américaine et la prise d'otages. Enfin ceux que nous appelons ici les Palestiniens, mais qui sont Iraniens. Ils ont vécu au Liban, ils ont été formés à toutes les techniques du terrorisme dans les camps d'entraînement de Beyrouth-Ouest. Leurs chefs de file se nomment Ghotbzadeh, responsable des mass media, de la radio, de la télévision, demain de la presse, et surtout Mochram, patron des Gardiens de la Révolution et de l'armée, enfin de ce qu'il en subsiste.

« D'accord avec Yasser Arafat dont ils partagent les idées, qui leur accorda aide et abri, par reconnaissance aussi, Mochram et Ghotbzadeh ont monté cette affaire. Sans se mouiller directement eux-mêmes car ils sont très malins, surtout Ghotbzadeh qui est tellement « zareng », tellement subtil qu'on ne sait même pas pour qui il travaille, les Russes, les Américains ou seulement pour lui-même. A moins que ce ne soit pour les trois.

« Le premier jour, tout s'est parfaitement déroulé. Le

4 novembre, répondant à un appel de Khomeiny, deux cents étudiants pro-palestiniens, instruits à Beyrouth, occupent l'ambassade. Ils ont répété cette manœuvre plusieurs fois au Liban. Les Marines, comme ils en ont reçu l'ordre, se laissent faire prisonniers. Les otages sont ficelés et isolés. Pas de bavures, pas la moindre écorchure. Les radios, les télévisions, les journaux du monde entier lancent aussitôt la nouvelle. En même temps la délégation de l'OLP, à Téhéran, propose ses bons offices. Yasser Arafat, au moment où va s'ouvrir la conférence inter-arabe de Tunis, s'offre en médiateur. Il fera rendre les otages et Carter ne pourra, en remerciement, que reconnaître l'OLP. Le tour serait joué. Mais c'était oublier le Vieux !

Ce fut un autre « Iranien de la nuit » qui prit la parole. Je crus comprendre qu'il était juif ou Bahaï, ce qui ne l'empêchait pas bien qu'il fût « maudit » de fort bien connaître ce qui se passait dans le Saint des Saints de Koum.

— « Agha djoun », cher ami, me dit-il, il faudrait peut-être t'expliquer comment fonctionne actuellement le pouvoir en Iran. Il est entièrement concentré entre les mains tremblantes de l'imam Khomeiny. Que son père soit brûlé ! Dans sa petite bicoque, il se tient accroupi sur un mauvais tapis râpé, avec une couverture marron en guise de coussin. De vieux mollahs, des docteurs de la loi l'entourent, opinant de la barbiche à tout ce qu'il dit. Les jeunes loups qui avaient misé sur lui et qui constituaient sa cour à Neauphle-le-Château, à tour de rôle, viennent le visiter. Rarement ensemble car ils se haïssent. Le Vieux qui est fou mais malin, joue de leurs rivalités. Il est au courant de toutes leurs combines et tantôt à l'un, tantôt à l'autre, accorde ou retire sa faveur, comme un calife des Mille et Une Nuits à ses vizirs. Hier Yazdi était le favori. Devenu ministre des Affaires étrangères, il se prit pour Kissinger. N'était-il pas comme lui naturalisé américain ? Aujourd'hui le petit Bani Sadr a la cote, un louveteau plutôt qu'un loup. Il ne se sent plus et raconte n'importe quoi. Il est l'écho d'un maître qui lui ne dit rien.

« Ces petits jeunes gens de Neauphle-le-Château servent de trait d'union entre le vieillard et le reste du monde, celui des païens ils connaissent les mœurs et coutumes diaboliques. Khomeiny, les yeux fermés, les écoute. Il les laisse proposer ceci ou cela. Il n'approuve ni ne désapprouve. C'est ainsi que Bazargan et Yazdi, son ministre des Affaires étrangères, après l'en avoir averti, rencontreront à Alger Brzezinski, l'envoyé du président Carter. L'Iran était aux prises avec la rébellion des Kurdes à l'ouest et des Arabes au sud dans le Khouzistan ; le pétrole était menacé. Seuls les USA pouvaient fournir les armes et remettre en état un matériel qui n'était plus entretenu, livrer aussi du riz et du blé. 90 % du riz et 67 % du blé viennent d'Amérique. Quand ils revinrent fort satisfaits des accords qu'ils avaient passés, ce fut pour être précipités dans la trappe. Ils furent accusés d'avoir pactisé avec le diable. Il y avait eu entre-temps prise d'otages, une crise que ni l'un ni l'autre ne pouvait résoudre, car elle avait été montée par leurs rivaux Mochram et

Ghotbzadeh. Bani Sadr a dû aussi y fourrer son long nez. Il le met partout.

« Il faut que tu te mettes bien dans la tête ceci : l'imam veut le Shah pour le juger et le pendre. C'est son idée fixe ; rien ne l'en fera démordre. Les crimes qu'il a couverts, la Savak et les tortures, ce qu'il a volé lui et les siens, il s'en moque. Le Shah doit être châtié à la place de son père, le grand cosaque, qui a défié le pouvoir de Dieu et de ses prêtres en voulant faire de l'Iran un pays laïque, un pays moderne, à l'image de la Turquie d'Ataturk. Et pour avoir poursuivi la même politique. Le chiisme refuse toute forme de monarchie ou de khalifat depuis que les Omeyyades firent massacrer Hussein le fils d'Ali, gendre du Prophète, et toute sa famille. Nous commémorons en Iran du 21 au 30 novembre cette passion. C'est l'Achoura, une fête de deuil, de sang, d'exaltation, de sacrifice. Pendant la procession on se flagelle avec des chaînes ; on se mutile avec des poignards. Nous sommes dans ce mois du Moharram, à l'ambiance tellement explosive et dangereuse. D'où cette montée de haine contre l'ancien Shah, rendu implicitement coupable du crime du Calife contre les descendants d'Ali. Cette baisse s'étend à ses protecteurs américains.

« Khomeiny passe de longues heures dans la solitude, accroupi sur son tapis, vieillard terrible, obsédé par sa foi qui est devenue démence. Pour lui le Shah est vraiment le diable. Il a suffi qu'on lui suggère qu'il y avait encore pire dans la hiérarchie du Mal, Carter, le grand " Taghout ", le Grand Satan qui protège, qui a accueilli à New York l'ancien souverain. Qu'importe qu'il soit malade ! Dans sa haine, l'imam engloba du même coup l'Amérique déjà coupable d'avoir réinstallé Reza Shah sur son trône quand Mossadegh l'en avait chassé.

« L'imam est très autoritaire, justifiant cette autorité du fait qu'il la tient de Dieu. Vivant dans un complet dénuement mais fou de Dieu et d'orgueil !

Mon premier interlocuteur l'interrompit :

— Revenons à nos Palestiniens, dit-il. L'ambassade est prise, Arafat est prêt à bondir sur la scène internationale tel le sauveur. Patatras ! tout ce beau projet tombe à l'eau. Le Vieux a-t-il été mis au courant de l'opération ? Probablement mais sans qu'on lui en précise les détails ni les buts poursuivis. Soudain il se fâche ; il estime qu'on a agi dans son dos pour l'obliger lui le Saint, le Pur à pactiser avec le grand " Taghout ", ce pauvre Carter si pieux, si convenable.

« Les Palestiniens, il n'en a rien à faire. Ce sont de mauvais croyants. Il y a parmi eux des chrétiens et Arafat boit du whisky. Il ne les soutient qu'au nom d'une certaine solidarité islamique et parce qu'ils jurent de reprendre aux Juifs Jérusalem qui est un des trois lieux saints de l'Islam.

« Notre ami disait tout à l'heure que Khomeiny était borné ce qui ne l'empêche pas d'être rusé comme un renard. Il sentait que sa révolution islamique s'essoufflait, qu'il aurait du mal à faire passer son projet de constitution théocratique. Les laïques, l'opposition de gauche, les libéraux relevaient la tête. A Koum, dans son fief, un autre octogénaire, un ayatollah comme lui infiniment plus ouvert et plus intelligent, Shariat Madari, l'attaquait au nom de Dieu. Il affirmait que cette constitution ramenait l'Iran avant l'Islam, au temps où les mages zoroastriens régnaient sans partage sur le peuple et les rois et qu'elle n'avait rien d'islamique. Shariat Madari tenait le bazar de Téhéran, donc l'argent et tout le nord du pays, dont l'Azerbaïdjan d'où étaient parties toutes les révolutions.

Shariat Madari et ses amis — je suis l'un d'eux — ont senti le danger. Cette fois ce ne seraient plus les cavaliers d'Allah mais les chars soviétiques que les Iraniens accueilleraient avec des fleurs, las d'un régime à ce point intolérant et insupportable.

Khomeiny est perdu. Mais il trouve la parade ; il couvre la prise d'otages sans se soucier des conséquences internationales. Il dispose, rien qu'à Téhéran, d'une clientèle à tout moment mobilisable, 200 à 300 000 déshérités que ses mollahs entretiennent, nourrissent et prêchent. Ce sont ses « feddayins », ses fidèles, ses inconditionnels qui vivent dans le quartier Sud et dans les bidonvilles misérables. Ils sont prêts à tout car ils n'ont rien à perdre. Laissés-pour-compte de la grande révolution blanche du Pahlavi, les déracinés des campagnes, ils sont venus se prendre au piège des villes. Ils ont gagné en quelques semaines plus qu'en un an dans leurs villages. Puis on les a rejetés ; on n'avait plus besoin d'eux. Mais ils ne sont jamais repartis.

« Khomeiny met en branle son réseau de mollahs et de gardiens de la révolution islamique. Les premiers occupants de l'ambassade sont submergés. Les Palestiniens sont priés sèchement de se mêler désormais de ce qui les regarde. Et tout sombre dans cette folle marée d'antiaméricanisme. Le clan pro-palestinien, pour se faire pardonner, en rajoute.

« Tu as écouté ce que racontaient les Palestiniens de Téhéran, cet après-midi dans leur conférence de presse. Tu as vu la tête qu'ils faisaient ? Ils ont réaffirmé qu'ils appuyaient la Révolution islamique de l'imam Khomeiny, sans plus. Puis leurs dirigeants ont sauté dans le premier avion en partance pour le Golfe, la Syrie ou le Liban. Les Palestiniens venaient de perdre une mise fabuleuse, à cause de l'entêtement d'un vieillard qui ne voyait pas plus loin que sa barbe. Et les Israéliens, à cause de ce même vieillard qui les haïssait presque autant que le Shah, avaient remporté une victoire inespérée. »

J'avais pu lire dans l'après-midi le projet de Constitution qui serait proposée à la ratification du peuple iranien et probablement adoptée, comme la République islamique, à 98 % (1), si la tension, la folie qui règnent actuellement en Iran se maintenaient.

---

(1) Elle a été adoptée. Mais seulement à 97 % des voix. On a jugé inutile de préciser le pourcentage des votants.

Elle ressemble étrangement à la constitution soviétique où deux pouvoirs cohabitent : le peuple et ses représentants, le Parti. Mais le Parti a tous les droits et le peuple seulement celui de se taire et d'applaudir. En Iran, le rôle du Parti sera tenu par l'imam et les religieux. L'Assemblée nationale élue au suffrage universel dépendra d'un « Comité de Surveillance » composé de six docteurs de la loi islamique choisis par l'imam. En outre, il nommera aux plus hautes fonctions judiciaires (article 87), il assumera le commandement général des Forces armées et des Gardiens de la Révolution, il nommera et révoquera le commandant en chef, il pourra seul décider de la guerre et de la paix et il choisira sur une liste les candidats à la présidence de la République. Ce président révocable à tout moment par lui ou le Conseil de surveillance, bien qu'élu au suffrage universel pour quatre ans, ne sera plus qu'une marionnette entre les mains du pouvoir religieux.

Enfin, si après Khomeiny on ne trouve pas « un ayatollah digne de lui succéder à la tête de la nation pour ses connaissances en matière de religion, pour sa vertu, sa perspicacité politique et sociale, pour son courage, sa puissance comme ce fut le cas de l'ayatollah suprême l'imam Khomeiny », 3 ou 5 guides religieux rempliront sa fonction jusqu'à ce que se dégage la personnalité d'un nouvel imam inspiré par Dieu. »

J'avouai à mes hôtes ma stupéfaction. Comment ce pays où j'avais vécu deux ans, que j'avais connu sceptique, frondeur, où les mollahs, comme jadis nos moines paillards, étaient en butte à toute sorte de plaisanteries pour leurs mauvaises mœurs, leur paresse, leur ignorance et parfois leur ivrognerie, portait au pouvoir ces mêmes mollahs et sombrait dans un sinistre puritanisme ?

Un médecin me répondit :

— L'Islam chiite, m'expliqua-t-il, est comme le tchador de nos femmes. Il cache ce qu'il y a dessous, une profonde, une violente crise de xénophobie, la haine de l'Occident qui nous a séduits puis trompés. Nous lui demandions une règle de vie, il nous a donné des gadgets. Quand nous l'avons compris, nous nous sommes réfugiés dans un Islam auquel nous ne croyons plus mais qui restait le symbole d'un passé dans lequel, enfants perdus, nous espérions nous retrouver. Quand nous crions « A bas l'Amérique », ne t'y trompe pas, nous crions aussi à bas l'Allemagne, l'Angleterre, l'Italie, la Russie, à bas la France et tout l'Occident. Le jour, nous rejetons cette partie de nous-mêmes qui vient de vous, qui ne nous a apporté que le désespoir. Et la nuit nous la retrouvons car nous ne pouvons nous l'arracher. Ce matin, devant l'ambassade des Etats-Unis, je t'insultais toi et tout ce que tu représentes de mal, ta société de profit et de consommation, sans règles, sans lois morales où les politiciens se conduisent en gangsters et les femmes...

Il s'arrêta, hésita et continua :

— Mais cette nuit, « agha djoun », je voudrais te serrer dans mes bras pour tout ce que tu nous a apporté de tolérance, d'invention, d'intelligence...

« Il n'y a pas de révolution islamique en Iran, voilà la vérité mais ce qui se passe est infiniment plus grave.

— Khomeiny, dit un autre, est fou comme pouvait l'être un prophète de la Bible. Il peut très bien donner l'ordre de juger les otages et de les exécuter. Selon la doctrine chiite, quand viendra l'heure du Jugement dernier, alors apparaîtra le Madhi, l'imam caché. Que lui importe que les Américains déchaînent sur l'Iran le feu du ciel, détruisent Koum ou Téhéran. Ils prouveront ainsi que lui Khomeiny, qui n'est même pas un ayatollah, qui n'a pas subi les examens nécessaires, à qui l'on donna le titre pour lui éviter la prison, est bien l'imam caché, le dernier, celui qui dans la hiéarchie céleste vient immédiatement après Allah et Ali.

« Oui, je sais, tout cela est fou.

— Et comme tout ce qui est insensé, conclut le Juif ou le Bahaï, tout peut sombrer dans un drame sanglant, ou tourner à la farce.

Je me séparai de mes amis à l'aube quand ils reprirent leurs masques d'Iraniens du jour, avant que je ne devienne leur ennemi.


Je quittai Téhéran pour Beyrouth afin de vérifier la véracité de ce complot palestinien. Je me défiais des Iraniens qui, surtout la nuit, ont beaucoup d'imagination.

Les Palestiniens au Liban faisaient grise mine mais se taisaient. L'imam, disaient-ils, conduisait à Téhéran sa révolution comme il l'entendait. Ça ne les regardait plus.


Au Liban vivent un million de chiites. Il y a une vingtaine de jours, un violent affrontement opposait Palestiniens et Syriens à des chiites groupés dans l'organisation paramilitaire AMAL. Il faisait une quarantaine de morts. Le jour de mon arrivée, nouvel affrontement à la périphérie de Beyrouth. Un officier palestinien était tué, un autre blessé.

Dans tout le quartier de Kaldeh proche de l'aéroport et peuplé de chiites, d'immenses affiches représentaient côte à côte les deux imams Khomeiny et Moussa Sadr.

En cette fin de matinée la foule ne cessait de s'amasser. Elle venait de la Bekaa, du sud, des camps de réfugiés. Elle était plus misérable encore que les Palestiniens. Mais presque aussi bien armée. Beaucoup de jeunes arboraient des Kalachnikovs dont la crosse de bois frais était à peine teintée. Ils étaient très excités, ils conspuaient Kadhafi qui remplace ici Carter dans le rôle de « Grand Satan », et ils insultaient les Palestiniens qu'ils mettaient dans le même sac.

Le Sheik Shamssedin, vice-président du conseil islamique suprême, remplaçant l'imam Moussa Sadr, me déclara d'une voix douce :

— Nous avons attendu quinze mois pour savoir ce qu'était devenu notre chef spirituel l'imam et nous n'avons reçu aucune réponse de Kadhafi. Nos fidèles sont exaspérés et je ne pense pas que nous puissions les calmer plus longtemps.

La sœur de Moussa Sadr m'affirma que son frère avait été enlevé par des hommes de Kadhafi, qu'il avait été transporté en Libye. Selon certains renseignements, il serait prisonnier dans un camp proche de Tripoli ; selon d'autres sources, il aurait été exécuté.

A Koum, une partie de la famille de Moussa Sadr faisait la grève de la faim, avait été reçue par Khomeiny. Il lui avait promis de faire toute la lumière sur cette étrange disparition.

Le résultat ne s'était pas fait attendre. Kadhafi, pressé de questions, après avoir applaudi à la prise d'otages de Téhéran, changeait de camp et la réprouvait hautement.

Pour la même raison, toujours à cause de Moussa Sadr, les Palestiniens de l'OLP qui avaient monté la prise d'otages de l'ambassade américaine de Téhéran, se brouillaient à mort avec le Lybien.

Kadhafi n'hésita pas à proclamer, lui le champion de l'Islam :

— Après avoir eu à faire avec le Fath ces derniers jours, je comprends que certains Libanais qui ont subi des provocations intolérables ont préféré s'allier à notre ennemi israélien, que le gouvernement irakien ait combattus et que le roi Hussein ait chassés de Jordanie.

— Il est fou, il est fou, clamait partout Arafat. A cause de lui, parce qu'il a enlevé Moussa Sadr, nous avons sur le dos un million de chiites du Liban. En plus des chrétiens. En Iran, Khomeiny se défie de nous parce qu'il nous croit complices de cet énergumène.

En revenant à mon hôtel, il s'en fallut de peu que j'assiste à un meurtre qui aurait aussitôt entraîné une fusillade et marqué le début d'une nouvelle guerre civile. Sur la route du bord de mer, un soldat palestinien veut interdire à un camion de manifestants de franchir un barrage. Derrière lui un jeune chiite saute du véhicule et arme sa kalachnikov. Sur un toit voisin, d'autres Palestiniens braquent une mitrailleuse lourde. Le Palestinien hésite, baisse son arme et laisse passer le camion hérissé de drapeaux et de mitraillettes. A mon grand soulagement. Mon propre véhicule risquait fort d'être transformé en passoire.

L'enlèvement de Moussa Sadr avait été l'une des causes de l'échec du plan palestinien à Téhéran. Khomeiny avait exigé des Palestiniens, avant de leur permettre de rendre les otages aux Américains, qu'ils obtiennent de Kadhafi la libération du chef religieux libanais.

Kadhafi avait refusé, soit qu'il voulût garder son prisonnier soit qu'il l'ait déjà tué. Khomeiny avait alors rompu les négociations avec les Palestiniens.

La famille de l'imam Moussa Sadr originaire de Maaraki près de Tyr, avait quitté le Liban depuis plus d'un siècle. Lui-même était né à Koum où il a fait toutes ses études religieuses. Il avait toujours été très proche de Khomeiny.

Il n'apparaît au Liban qu'en 1959. La communauté chiite est en plein désarroi ; elle n'a pas d'imam. Pour les chiites, l'imam est à la fois « le guide spirituel de la communauté, la représentation vivante de la prière et la personnification de son espérance dans le retour de l'Imam caché ».

Moussa Sadr a du prestige étant ayatollah de Koum. Il est de grande taille, de fière allure, il sait parler au peuple. Enfin, il dispose pour son action de sommes importantes.

Il aurait reçu de Kadhafi 40 millions de dollars afin de pousser les chiites libanais dans les bras des Palestiniens.

Moussa Sadr, habile, très politique, utilise les fonds pour créer le « Mouvement des déshérités » qui connaît un grand succès. Mais il comprend vite que sa clientèle venue du Sud-Liban est anti-palestinienne. Elle rend l'OLP responsable de tous ses malheurs en provoquant les représailles israéliennes.

Pour conserver sa clientèle, pour l'accroître, Moussa prend ses distances avec les Palestiniens et les amis de Kadhafi. Furieux, estimant qu'on l'avait joué, qu'on s'était servi de ses dollars pour faire une politique contraire à la sienne, Kadhafi fait enlever l'imam par des hommes de main. On l'embarque dans un avion en direction de Tripoli. Et là, il disparaît.

Verra-t-on les chiites, brandissant l'effigie de Khomeiny, lutter aux côtés des chrétiens des Phalanges, aidés par Israël pour libérer le Liban des Palestiniens de plus en plus mal supportés, ces mêmes Palestiniens qui se disent les défenseurs de la nation arabe contre le sionisme, soutenus par l'impérialisme américain et avec lequel ils étaient hier prêts à traiter. A travers les otages de Téhéran.


Les otages sont toujours prisonniers. De qui ? On ne le sait plus. Le petit Bani Sadr, devenu président de la République, après l'échec de la Commission internationale d'enquête qui ne put rencontrer « les espions », devait le 12 mars 1980 faire cette déclaration :

« Malheureusement, les étudiants islamiques se laissent parfois influencer par certains groupements politiques favorables à l'URSS comme le parti communiste toudeh, qui ont intérêt à isoler l'Iran sur la scène internationale afin de l'empêcher de réagir comme il convient à propos de l'Afghanistan. »

Les communistes seraient-ils devenus les maîtres de l'ambassade ?

Bani Sadr ne représentait pas grand-chose. Il avait été investi à la sauvette dans l'antichambre de la clinique où était soigné Khomeiny. Le vieil imam écroulé sur son fauteuil dormait à moitié. La télévision était absente, on manquait de films.

L'imam condamna d'une voix éteinte l'agression soviétique, mais la radio resta muette sur ce point et on continua à manifester contre l'agression... américaine. A la demande d'étudiants de moins en moins islamiques.

Le nouveau président de la République se révélait incapable de venir à bout de ces énergumènes qui récusaient son autorité, n'acceptant d'ordres que de l'imam.

Ces étudiants semblaient exercer un contrôle de plus en plus direct sur tous les mass media : la radio, la télévision, les journaux. Une manifestation de soutien à leur cause groupa 600 manifestants. Ils devinrent par la grâce des radios et de la presse 100 000, 200 000, 1 million.

L'imam sombre inexorablement dans la nuit.

Il n'a gardé d'intacte que sa haine de Reza Shah et de tous les Pahlavi. Cette obsession sénile explique son acharnement aveugle à précipiter l'Iran dans le chaos, la confusion et le malheur, par son refus de rendre les otages. Malgré les supplications de Bani Sadr devenu président de la République, de Ghotbzadeh, devenu ministre des Affaires étrangères, malgré les promesses qu'il leur a faites, au dernier moment, repris par sa haine, il se range du côté des « étudiants ». Et voilà par terre les subtiles combinaisons mises sur pieds par Washington, Téhéran et le secrétaire général des Nations Unies.

Les Russes empêtrés en Afghanistan ont fait donner d'autres Palestiniens, ceux de Georges Habache, qui conseillent les gauchistes et les feddayins marxistes plus les membres officiels ou clandestins du parti communiste Toudeh qui est à leur botte. Ce sont ces « étudiants » nouvelle cuvée qui aujourd'hui tiennent l'ambassade et ses otages, ce sont eux qui empêchent qu'en les rendant, le gouvernement iranien ne se réconcilie sur leur dos avec les Etats-Unis.

Ils sont servis par l'imam et sa folie, par les jalousies au sein du gouvernement et du Conseil de la révolution qui est un deuxième gouvernement. Dans ce Conseil un certain ayatollah Béhesti, intégriste à tous crins, ne se remet pas qu'on lui ait préféré le petit Bani Sadr comme président. Il sape son pouvoir, il contrarie toutes ses décisions. A Koum il a installé dans le proche entourage de Khomeiny ses mollahs fanatiques. Ce sont eux qui interprètent ou provoquent les oracles contradictoires et embrouillés de la vieille idole qu'on ne sort même plus pour qu'elle ne prenne pas froid.

Ce sont eux les chefs religieux mollahs ou ayatollahs qui manipulent le vieil homme, et, après chaque visite de Bani Sadr ou de Gotzabeh, le font revenir sur les promesses qu'il leur a faites. Les deux compères n'étant pas mollahs eux-mêmes représentent le pouvoir civil, l'exécration pour les héritiers des mages zoroastriens. Aucun parti, aucun homme ne paraît susceptible de remplacer l'imam, qu'il se réclame comme lui de l'Islam, ou de la démocratie, ou de la raison, aucun dirigeant ne peut enrayer l'inexorable dégradation de l'Iran. Après les « Arabys » du Khouzistan, les Kurdes et les Turkmènes, ce sont les Baloutches du Golfe Persique qui se révoltent. Comme on n'avait pas d'armée à envoyer contre eux, on paya leurs chefs. Un expédient provisoire car avec cet argent ils achèteront des armes. En plus de celles qu'ils recevront gratuitement des Soviétiques.

Quand sera oubliée l'invasion de l'Afghanistan, quand la confusion en Iran sera à son comble, que Dieu sera mort des excès de son clergé, les nouveaux cavaliers d'Allah, les tankistes de l'Armée Rouge, n'auront plus qu'à attendre l'appel au secours des « masses » iraniennes. Comme chacun sait, elles s'expriment exclusivement par la voix d'un petit noyau d'activistes sachant ce qu'ils font, où ils vont, toujours dans le sens de l'histoire, une histoire qui se fait, se refait, et se contrefait à Moscou.

A condition que l'Afghanistan ne devienne pas le Vietnam de la Russie, que les américains ne se conduisent pas comme les Russes en Extrême-Orient, que les dirigeants soviétiques ne commettent pas l'infime erreur, ne déclenchent pas l'imprévisible engrenage qui entraînerait une guerre. Ils ne pourraient que perdre, mais après avoir dévasté la planète.

# VI

## ISRAËL : LE PROPHÈTE DE BROOKLYN

> « *Yaveh dit à Abraham dans une vision : Lève les yeux au ciel et dénombre les étoiles si tu peux les dénombrer. Telle sera ta postérité...*
>
> « *A ta postérité je donne ce pays, du Torrent d'Egypte au Grand Fleuve, le fleuve d'Euphrate... A toi et à ta race après toi je donnerai le pays où tu séjournes, tout le pays de Canaan, en possession, à perpétuité et je serai votre Dieu.* »
>
> La Genèse

En Israël, je devais encore me cogner à Dieu, Yaveh, cette fois, que les musulmans adoraient sous le nom d'Allah. Son prophète, c'était « papa Hemingway ». Il en avait la stature puissante, la démarche chaloupée d'un gros ours, la barbe poivre et sel, la voix profonde mais l'accent de Brooklyn. Bottes et chemise à carreaux des pionniers de l'Ouest mais, accrochée sur le haut du crâne, la petite calotte brodée des « religieux ».

— Au nom de Dieu, me dit-il.

Le cauchemar continuait.

En Iran, l'imam Khomeiny, au nom de Dieu, voulait qu'on jugeât comme espions et suppôts du diable les diplomates américains pris en otages par de pseudo-étudiants islamiques de plus en plus manipulés par Moscou. Au Liban, toujours au nom de Dieu, les chiites, longtemps traités en bétail, relevaient la tête et préparaient de sanglantes vêpres dont seraient victimes les Palestiniens, ces nouveaux Juifs d'une récente diaspora. A moins que les Palestiniens ne prennent les devants et ne tuent les premiers. En Syrie, on s'égorgeait au nom de Dieu : quatorze morts à Alep où les sunnites orthodoxes traquaient ces « païens » d'Alaouites, qui tenaient le pays. On s'entre-tuait entre sunnites et chiites à La Mecque, dans le lieu le plus saint de l'Islam, autour de la Kaaba, ce petit édifice carré qu'aurait construit Abraham, l'Ancêtre commun de tous ces fous de Dieu. Et il avait fallu que les gendarmes français y viennent remettre de l'ordre.

Je me trouvais cette fois en Samarie, dans les territoires occupés par Israël, à Elon More, près de Schrem, la Naplouse des Arabes, dont le maire venait d'être jeté en prison, entraînant la démission de tous les autres maires arabes de Cisjordanie. Une maladresse d'un général israélien qu'on s'efforçait de rattraper. Difficile dans ce climat de passion religieuse !

Accrochées sur quelques rochers gris qui trouaient une terre argileuse où rien n'avait jamais poussé et ne pousserait, une vingtaine de baraques préfabriquées, sortes de roulottes posées sur des caisses en bois. La terre appartenait à un Arabe. La Haute Cour de Jérusalem lui avait donné raison et, selon la loi, les responsables de cette occupation sauvage devaient déguerpir. Mais ils apparte-naient au « Bloc de la Foi ». Ils n'étaient que quelques milliers de fanatiques alors que la majorité de la population israélienne refusait l'annexion des terres arabes privées. Mais ils parlaient au nom de Dieu et tous les Juifs, croyants ou incroyants, pour justifier leur retour sur la terre de leurs ancêtres, se réclamaient, eux aussi, d'une promesse divine.

Dans la pluie et le vent qui soufflait en rafales, un Juif me tenait les mêmes propos que Khomeiny dans son gourbi de Koum ou que le sheik Shamseddin, chef des « déshérités » chiites du Liban, dans sa « zaïra » de Kaldé. Ainsi devaient parler les prophètes de la Bible qui, au cours des siècles, rendirent la vie impossible au peuple d'Israël. Cet homme de Dieu s'appelait Robbins Baruch. Quand il vivait à New York et qu'il se bagarrait avec des gosses de son âge, les « gentils », disait-il, employant l'antique expression biblique pour désigner les « goys », ceux-ci lui disaient : « Retourne chez toi. » Son père était né en Autriche, sa mère en Pologne où ils avaient entendu les mêmes propos. Il était alors venu en Palestine. Il avait dix-huit ans et il avait milité dans l'Irgoun. (De M. Begin précisait-il, qui, pendant trente-deux ans n'avait cessé de proclamer que la Cisjorda-nie, l'ancienne Judée, faisait partie intégrante d'Israël.) Il était retourné aux Etats-Unis, il avait travaillé dur et fait fortune, il avait épousé une solide Québécoise qui lui avait donné sept enfants. Trois servaient aujourd'hui dans l'armée d'Israël. En 1969, il venait s'installer définitivement sur la Terre promise avec tous les siens et devenait le disciple du rabbi Zvi Yehuda Kooch, un très vieux « mollah » intégriste qui ne reconnaissait comme règle de vie et comme loi que la Bible.

Robbins avait vendu sa belle villa de Tel-Aviv pour suivre le rabbi. Dans sa mauvaise baraque préfabriquée, il faisait penser à un fauve enfermé dans une cage trop petite. Il tonnait :

— Je n'ai jamais entendu dire que cette terre ait appartenu à des Arabes. Ce n'est que très récemment qu'on l'a prétendu. Un avocat gauchiste a poussé des Arabes à la réclamer. Cette terre est juive depuis 4 000 ans. Quel nom porte Schrem (Naplouse) dans la Bible ? Elon More. C'est ici qu'Abraham, notre ancêtre, le premier des Juifs, s'est rendu sur l'ordre de Dieu. Et ici, Dieu lui a donné cette terre. Pour cette raison, nous sommes revenus nous établir à Elon More afin d'accomplir la prophétie de la Bible.

Je lui objectai :

— Mais Abraham est aussi l'ancêtre des Arabes ?

— Elon More fut donné à Isaac, le fils de Sarah la Juive et non à Ismaël, le fils d'Agar la servante égyptienne.

Peu lui importait que, par cette initiative inconsidérée, il compromette la paix difficile que son gouvernement s'efforçait de conclure avec l'Egypte de Sadate. Robbins Baruch ne croyait pas à toutes ces palabres d'Orientaux, à ces traités qu'on déchire à peine signés. Mahomet n'avait-il pas agi ainsi quand il avait massacré les Juifs de Médine après leur avoir promis la paix ? Il n'avait foi qu'en la Bible qui fixait les limites d'Israël de la rivière Litani au Sud-Liban jusqu'au Nil, de la Méditerranée jusqu'à l'Euphrate. Pour lui, la Bible ne pouvait mentir car « tout ce qu'elle avait promis, disait-il, s'était réalisé ».

L'affaire, apparemment, paraissait simple. Il n'y avait qu'à exécuter la sentence de la Haute Cour. Mais Begin hésitait. Son gouvernement ne conservait la majorité que grâce aux voix du parti religieux qui soutient le Bloc de la Foi. Le ministre de l'Agriculture, représentait ce groupe au sein du gouvernement, n'était autre que le général Eric Sharon. Il avait transformé en victoire la défaite subie par les Israéliens, sur les rives du canal de Suez, les premiers jours de la guerre du Kippour. Et il y avait tout le passé de Begin, qu'on lui jetait au visage et qu'il ne pouvait complètement renier. Il devait traiter, composer, obtenir du rabbi Kooch qu'il persuadât ses fidèles d'abandonner les rocailles d'Elon More pour une autre implantation qu'on leur offrait.

— Nous ne partirons pas, m'affirma Robbins Baruch. Nous avons déjà rendu le Sinaï avec son pétrole au risque de faire faillite.

« Par temps clair, de ces collines de Samarie, on peut voir toute la côte, de Haïffa jusqu'à Ashkalon. N'importe quel vieux canon de la Première Guerre mondiale peut, de cette position, tirer sur les deux tiers du territoire d'Israël. Si ces collines deviennent palestiniennes, les Russes seront là vingt-quatre heures plus tard et Israël sera rayé de la carte. Un tiers de l'eau qui irrigue Israël provient de Samarie. Au mieux, les Palestiniens nous la couperont. Plus de pétrole, plus d'eau. Hier, une résolution des Nations Unies condamnait la paix israélo-égyptienne et Arafat, les poches bourrées de grenades, le pistolet au côté, se faisait applaudir par tous les délégués. Il n'y a pas, il n'y a jamais eu de nation palestinienne. Quel mensonge ! On n'a commencé à en parler qu'en 1967. Il n'y a que des Arabes. Ce sont les Romains, après la destruction du Temple par Titus, qui ont changé le nom de Judée en celui de Palestine. Les Anglais, beaucoup plus tard, ont repris le terme. Les Arabes ont vingt-deux pays où y vivre, un huitième de l'univers. Ils ont le pétrole, ils sont riches, ils ont tout l'argent du monde et ils nous tiennent à la gorge. Pour nous autres Juifs, Israël est le seul coin de terre que nous réclamons, à peine 1 % du territoire arabe. Et on voudrait nous l'arracher !

« Laissez-moi vous dire ceci : le monde a besoin de pétrole, il en a un besoin absolu, c'est certain. Nous autres, Juifs, nous avons sacrifié notre pétrole à cette prétendue paix à laquelle je ne crois pas parce qu'elle ne pourra pas durer. Aucun pays n'agirait aussi stupidement. Mais, si on nous accule au départ, nous ferons le nécessaire pour qu'il n'y ait plus de pétrole pour personne. Nous ne voulons pas connaître un nouvel holocauste. Nous détruirons chaque puits du Moyen-Orient. Aucun peuple n'a souffert comme le nôtre. Ni le pétrole ni les Palestiniens ne sont le vrai problème. Les Palestiniens sont fous, les Américains ne valent pas mieux. La vérité, nous la connaissons enfin. L'Occident chrétien nous hait pour avoir tué Jésus, inventé le capitalisme et le marxisme. Ils nous voient tels des diables cornus, comme Michel-Ange a représenté Moïse. Pourtant, aujourd'hui, nous sommes les seuls qui pouvons sauver l'Occident grâce aux positions stratégiques que nous tenons dans le Moyen-Orient.

Ce fut un soldat, un aviateur qui me parla enfin le langage de la raison, sans mêler Dieu aux affaires des hommes, le général Ezer Weizman, ministre de la Défense.

Ezer Weizman fut longtemps l'enfant terrible d'Israël. Son oncle, le grand Weizman, avait été avec Ben Gourion le fondateur du nouvel Etat et son premier président. A cause de ce nom, on passait à Ezer ses foucades et ses éclats. Né en 1924 à Haïffa, Ezer Weizman fut d'abord pilote dans la RAF. En 1948, il acheminait de vieux coucous de Tchécoslovaquie jusqu'aux terrains clandestins de la Haganah. Il fut le véritable créateur de l'aviation israélienne qu'il commanda de 1958 à 1966 et à laquelle il donna son esprit et inculqua ses méthodes. Sur ses instructions et sur ses plans, en 1967, au début de la guerre des Six Jours, l'aviation égyptienne fut clouée au sol, ce qui décida de la victoire. Il retourna ensuite à la vie civile. Il fut ministre, il se lança dans toutes sortes d'activités plus ou moins couvertes par le secret. Depuis l'arrivée au pouvoir de Begin en 1977 dont il assura la campagne électorale, il est ministre de la Défense. C'est un colosse goguenard et impétueux, au nez cassé de boxeur, connu pour ses folles colères et ses enthousiasmes tout aussi violents. Il passait pour un faucon. Une seule rencontre avec Sadate le transforma en colombe. Quand Sadate vint à Jérusalem, s'étant cassé une jambe, le général Weizman devait garder le lit. Il se fit transporter à l'Hôtel King David pour voir de près « ce sacré Egyptien dans son fabuleux coup de poker ». Il le salua de sa béquille. Il le félicita pour le courage de ses soldats pendant la guerre du Kippour et pour avoir risqué, quatre ans plus tard, une telle mise.

Weizman devint l'avocat passionné de la paix avec l'Egypte.

Estimant que les implantations sauvages des religieux compromettaient cette paix en l'empêchant de s'étendre à tout le monde arabe, il les combattit avec sa violence coutumière. Il se détacha de Begin qui n'avait pas franchement condamné ces empiètements, qui n'arrivait pas à choisir entre son passé, qui était fait de guerre à outrance, de violence, et l'avenir qui était la paix avec l'Egypte. Une paix avec tout ce qu'elle comportait, dont une solution au problème palestinien. Begin est aujourd'hui malade, fatigué, indécis. Elon More peut précipiter sa chute et il est possible que ce soit le général Weizman qui le remplace à la tête du gouvernement.

Ezer Weizman nous reçoit au ministère de la Défense. Aux murs de son bureau, des cartes du Moyen-Orient sur sa table, des téléphones dont l'un, dit-on, lui permet de communiquer directement avec Haddad, le chef des milices chrétiennes du Sud-Liban, l'autre avec son homologue égyptien. En effet, les rapports se font de plus en plus étroits entre l'armée égyptienne et l'armée israélienne ainsi que leurs différents services. Les Israéliens auraient prévenu Le Caire que des troubles importants risquaient d'éclater en Arabie Saoudite. Du Caire, le renseignement fila à Ryad. Les Saoudiens prirent leurs précautions, chassèrent ou arrêtèrent 30 000 étrangers suspects. Partout les émeutes furent facilement réprimées, sauf à La Mecque qu'ils croyaient inviolable. A moins, disent les mauvais esprits, que les Israéliens n'aient pas mentionné La Mecque comme l'un des objectifs des rebelles afin de prouver que l'Islam étant incapable de défendre ses lieux saints, il était préférable de laisser Jérusalem à la garde des Juifs.

Je demandai à Ezer Weizman :

— Croyez-vous, mon général, à la paix avec l'Egypte ? Une paix sincère et durable qui s'étendra au reste du monde...

— Si je crois en quelque chose, j'y crois à fond, exactement comme je suis capable du contraire. Je crois sincèrement, profondément, à une dynamique de la paix qui dépasse aujourd'hui Sadate, le peuple israélien et le peuple égyptien. Je crois que le monde entier va vers la paix, mais par des chemins différents en dépit de Khomeiny. Khomeiny, à mon avis, ne signifie pas grand-chose. C'est une réaction démodée, une réaction d'une autre époque qui s'oppose en vain à cette marche universelle vers la paix. C'est bien ce qui explique l'embarras des Etats-Unis et de la Russie devant un phénomène de ce genre qui va à l'encontre de tous leurs désirs. Je ne cesse de faire des va-et-vient depuis deux ans entre Le Caire et Jérusalem. En dehors de Sadate que je vois très souvent, avec lequel je me suis lié d'amitié, j'ai rencontré un éventail complet de la population : petits et grands commerçants, officiers, soldats, gens du peuple, artisans. Tous sont pour la paix.

— Quelle paix ? Une paix entre dirigeants de deux pays, entre vous et Sadate ou entre Israël et l'Egypte ?

— Entre l'Egypte et Israël. Je crois qu'après Sadate, la paix durera, qu'elle n'est pas liée à des personnes. Un accident peut se produire bien sûr. Mais je crois que l'Egyptien, par son caractère, son tempérament, son histoire, est profondément différent de l'Iranien par exemple. Il est d'un caractère heureux, il a de l'humour, on peut s'entendre avec lui. Certes, l'Egypte est en proie à de graves problèmes intérieurs : surpopulation, pauvreté. Mais Sadate, dans son rôle de président et de leader, incarne profondément le caractère du peuple égyptien.

— Contrairement à Nasser ?

— A Nasser mais surtout au Shah. Le Shah, en se tenant éloigné, s'était coupé de son peuple. Sadate est beaucoup plus ouvert. Il se promène dans les rues du Caire. Il parle facilement avec les uns et les autres. Il comprend ses concitoyens infiniment mieux que bien des chefs d'Etat. La paix est en marche. Deux ans depuis que Sadate est venu à Jérusalem, huit mois depuis que nous avons signé les accords de Camp David. Voyez où nous en sommes. Cette paix reste encore fragile. Nous devons la protéger, la soigner comme une fleur infiniment précieuse.

— Sur le plan stratégique, qu'apporte la paix à Israël ?

— Pourquoi toujours parler de stratégie ? Stratégie est un terme de guerre. Nous avons des tas de raisons non militaires pour cohabiter, Egyptiens et Israéliens : une configuration géographique analogue, le même besoin de produire à tout prix de la nourriture, de faire fleurir le désert, d'utiliser l'eau pour cela. Je n'emploierai pas le mot stratégie, je dirai plutôt que nous avons en commun des problèmes et des solutions pour les résoudre, ce qui nous destine à vivre ensemble dans de meilleures conditions.

— Que pensez-vous de ce qui se passe à Elon More ?

— On a donné à cette méchante affaire bien trop d'importance. Elle n'en méritait pas tant. Je me refuse de souscrire à toute loi interdisant à un Israélien de s'installer légalement en Cisjordanie. Mais je refuse que ces mêmes Israéliens, au nom de Dieu ou au nom du diable, confisquent à leur profit une propriété privée appartenant à un Arabe cisjordanien.

— Mais c'est pourtant Dieu qui parle à Elon More et il donne sacrément de la voix dans tout le Moyen-Orient...

— Quel Dieu ? Ce n'est jamais le même Dieu. Chacun utilise ce mot pour dire et faire n'importe quoi. Laissons-le de côté et parlons en hommes raisonnables. Comprenez bien que, si nous avons accepté, après bien des hésitations, d'abandonner tout le Sinaï à l'Egypte, c'était que nous voulions sincèrement la paix, que nous estimions que le Sinaï faisait partie intégrante de l'Egypte. Le Sinaï, d'accord. Gaza pose un autre problème. Gaza ne fait pas partie de la Jordanie. Les Egyptiens ont occupé dix-neuf ans Gaza. Pourquoi n'en ont-ils pas fait un Etat palestinien ? Il doit bien y avoir une raison. Les Jordaniens ont occupé dix-neuf ans la Cisjordanie et, eux non plus, n'ont pas créé d'Etat palestinien. Pourquoi ?

— En Iran, la révolution est-elle vraiment islamique ?

— Il n'existe pas de véritable révolution islamique, ni en Iran ni dans le reste du monde. En Iran, c'est un habit islamique qui recouvre tout autre chose : un tchador. Il s'agit d'une réaction contre un mode d'existence qui était devenu insupportable aux Iraniens. Ce n'est pas moi qui ai déclaré que ce qui se passait dans ce pays était criminel. C'est Sadate, un bon musulman. L'Irak s'en inquiète et je ne suis pas sûr que les Syriens s'en réjouissent. Le monde islamique est aussi vaste qu'il est désuni. Il va de l'Arabie jusqu'au Pakistan, de l'Indonésie jusqu'à l'Afghanistan. L'Egypte, même musulmane, ne risque pas un tel choc. C'est un très vieux pays qui a 6 000 ans d'histoire, qui a connu des hauts et des bas.

— L'Iran aussi a une très vieille histoire.

— Pas la même. L'Iran a toujours connu des problèmes de tribus, de minorités et, le plus souvent, a été gouverné par des dynasties étrangères. Tout le monde parle en Iran de révolution islamique. Une conclusion bien trop hâtive ! C'est tout simplement une révolution iranienne à parfum islamique. Les communistes finiront par prendre le relais et on s'apercevra que c'était en réalité une révolution communiste.

— Après la révolution iranienne qui bouleverse toutes les données politiques et stratégiques du Moyen-Orient, quelle est aujourd'hui la situation d'Israël ?

— Notre principal problème, la paix avec l'Egypte, reste inchangé. Mais je pense très sincèrement que cette révolution en Iran est une bonne chose pour nous. Je la regrette, je ne l'aurais jamais déclenchée mais il en est ainsi. Cette révolution prouve malheureusement, et une fois encore, la désunion de tous les musulmans et aux Américains que le monde n'est ni complètement noir ni totalement blanc, qu'il comporte des ombres comme le terrorisme. Ted Kennedy a dit que s'il était Israélien, jamais il n'engagerait de pourparlers avec les Palestiniens de l'OLP. L'affaire iranienne est salutaire car elle marque la fin du complexe vietnamien des Etats-Unis. C'est encore plus important que Pearl Harbor. Je le répète, je regrette ce qui se passe en Iran. Le pays se modernisait, se civilisait, avançait sur la voie du progrès. Il va connaître un inexorable retour en arrière. Mais, ce qui nous intéresse, nous autres Israéliens, c'est la position des Etats-Unis, le changement de climat qui s'est produit à la suite de cette révolution iranienne.

— Alors, dans l'immédiat, guerre ou paix dans cette partie du monde ?

— Impossible de fournir une réponse précise. Rien n'est blanc et rien n'est noir. Tout tient à cette cinquantaine d'otages, « de mâles de race blanche », enfermés dans l'ambassade des Etats-Unis à Téhéran et de la solution qui sera donnée à cette affaire. Cela regarde les Etats-Unis. Mais, à leur place, je m'efforcerais de consolider la paix dans tous les autres pays arabes que cette affaire ébranle dangereusement.

— Que vont faire les Russes ?

— Je ne pense pas qu'ils tiennent pour l'instant à provoquer un éclatement du Moyen-Orient, ni à créer des ennuis aussi bien à l'Amérique qu'à Israël ou à l'Egypte. Les dirigeants de la Russie sont très malades et les jeunes qui se préparent à les relever ont tous au moins soixante-quinze ans. Pas le genre d'hommes à vouloir la guerre.

— Alors, fermeté ou laisser courir la situation ?

— Une action directe, une intervention décisive n'est guère possible. Et il y a le pétrole. J'espère que les Etats-Unis, l'Angleterre et la France trouveront d'autres ressources pétrolières qu'au Moyen-Orient, en mer du Nord, en Alaska, au Mexique, que sais-je... Il y a partout du pétrole mais les grandes compagnies préfèrent ne pas l'exploiter pour faire beaucoup d'argent avec le pétrole arabe. C'est à l'Occident de décider : recommencer à vivre comme au Moyen Age, être assujetti à des peuples étrangers, ou inventer de nouvelles ressources.


Après mon entretien avec Ezer Weizman, j'obtins l'autorisation de visiter dans le Sinaï, la grande base israélienne d'Etam, près d'El Arish qui devait être rendue aux Egyptiens. Mais selon les accords de Camp David elle ne pourra plus être utilisée à des fins militaires. A moins que...

Etrange cette base en plein désert. On en voit à peu près rien, tout étant soigneusement camouflé et enterré.

Il en existe d'autres de ce genre à Etzin, à Sharm-el-Sheik, toutes conçues selon un modèle mis au point par les Américains et qui peuvent chacune abriter cent appareils, leurs services de guidage et d'entretien.

Les Etats-Unis venaient d'envoyer dans le Golfe deux porte-avions nucléaires géants et leur formidable escorte. Un troisième se préparait à les rejoindre. Les Russes déroutaient leur flotte de l'océan Indien vers ce point chaud.

Le colonel israélien commandant Etzin m'expliqua combien ces bases présentaient d'avantages sur les porte-avions.

— Un porte-avions, dit-il, utilise à 60 % ses appareils embarqués pour assurer sa propre défense. Seuls 40 % sont disponibles pour être engagés dans les opérations.

« Sur une base, 100 % des appareils sont opérationnels. Du Sinaï, les chasseurs et les chasseurs-bombardiers peuvent couvrir toute la zone stratégique du Golfe, le sud de l'Iran et ses pétroles.

« Plus besoin d'une base en Iran, plus besoin de risquer dans le goulet du Golfe avec ses hauts-fonds dangereux des bâtiments extrêmement vulnérables et qui, coulés, fermeraient la route du pétrole.

« Il suffirait pour cela qu'Israéliens et Egyptiens se mettent d'accord avec les Américains et que ceux-ci payent le prix qu'il convient.

« L'Egypte comme Israël ont une grande faim de dollars. L'inflation en Israël, pour 1979, dépassera 120 %.

« Les Américains assureraient la défense d'Israël qui aurait les mains libres au Sud-Liban et celle de l'Egypte qui aurait tout loisir de régler son compte à Kadhafi et de protéger le Soudan contre la poussée soviétique.

« Le bloc Égypte-Israël-Etats-Unis deviendrait vite un centre d'attraction pour les pays arabes modérés. Nous verrions s'étendre les accords de Camp David à tous ceux qui les refusaient du bout des lèvres.

« Le réveil américain, s'il se confirme, obligera Carter à une autre politique, la défense des droits de l'homme passant après celle, plus réaliste, de défense des zones d'influence. Une stratégie que comprennent fort bien les Russes.

J'aimais bien le colonel. Il raisonnait correctement, logiquement, en bon Occidental. Mais il oubliait tous les fous de Dieu qui encombraient le monde : Khomeiny, les Frères musulmans, les Phalangistes chrétiens de Gemayel, les Alaouites d'Assad... et, en Israël, le prophète d'Elon More avec son bel accent de Brooklyn.

## VII

## AFGHANISTAN : LA NUIT DE KABOUL

> « *Une ambition désordonnée, immense, une de ces ambitions qui ne peuvent germer que dans l'âme des opprimés et ne se nourrir que du malheur d'une nation entière, fermente au cœur du peuple russe.*
>
> « *Cette nation, essentiellement conquérante, avide à force de privations, expie d'avance chez elle, par une soumission avilissante, l'espoir d'exercer la tyrannie chez les autres ; la gloire, la richesse qu'elle attend la distraient de la honte qu'elle subit et, pour se laver du sacrifice impie de toute liberté publique et personnelle, l'esclave à genoux rêve de la domination du monde... »*
>
> Marquis de Custine, *Lettres de Russie*, 1839.

Je ne connais pas l'Afghanistan. Je n'ai fait que le traverser il y a fort longtemps. Je me souviens d'un poste frontière où s'agglutinaient quelques camions, des caravanes de chameaux poilus, des visages maigres, aux barbes en broussaille, des douaniers soupçonneux dont il fallait attendre indéfiniment le bon plaisir, puis d'un désert balayé par des vents qui soulevaient une poussière ocre. C'était, me dit-on, le « vent des cent vingt jours ».

A l'ambassade d'Angleterre on fêtait la première année où aucun diplomate n'avait été assassiné.

Nostalgiques de la Khyber Pass des « Trois lanciers du Bengale » et des romans de Kipling, quelques vieux gentlemen levaient leur verre à ces souvenirs. Et faisaient leurs valises.

L'Inde devenue indépendante, l'Angleterre n'avait plus aucun intérêt à se maintenir dans cette marche d'un empire qui avait cessé d'exister.

— Les Russes nous remplaceront, dit l'un d'eux. Ils en crèvent d'envie depuis si longtemps. Je leur souhaite bien du plaisir. Dans ce foutu pays il n'y a rien à prendre que des coups. Quoi que nous disions, quoi que nous fassions, nous resterons des « Kafirs », des infidèles. Les Afghans n'arrivent pas à s'entendre entre eux sauf sur notre dos et ils ignorent leurs frontières. Ces gueux qui se croient les seuls authentiques musulmans de l'Islam sont plus fiers que des grands d'Espagne ; ils poussent le sens de l'honneur et le culte de la virilité jusqu'à la folie. Enfermés depuis des siècles dans leurs citadelles de montagne, ou parcourant des steppes glacées, ils vivent encore en plein Moyen Age. Oui, je leur souhaite bien du plaisir aux Russes. Et d'y perdre autant de plumes que nous.

Hélène Carrère d'Encausse me disait :
« Quand les Russes parlent de paix, ce n'est pas seulement un thème à propagande ; la paix, c'est un mot magique qui se relie à la plus ancienne tradition. La Russie est une terre d'invasion ; les Russes ne sont pas un peuple d'envahisseurs mais d'envahis. Je crois au poids de l'histoire quels que soient les régimes. »
Et comme j'objectais : « L'Afghanistan ? », elle me répondit : « L'Afghanistan fait traditionnellement partie de la sphère d'influence russe et déjà au temps des tsars elle se heurtait aux Britanniques. C'est un terrain de déploiement historique de la Russie, donc un phénomène qu'il faut analyser à part. Elle a une frontière commune avec lui et il fait partie de son glacis. »
Malheureusement, l'Iran au même titre que l'Afghanistan faisait lui aussi partie de ce « terrain de déploiement ».
Les Anglais ont connu de grands déboires en Afghanistan.
En 1840, au temps de la reine Victoria, quand le soleil ne se couchait pas sur son empire, une armée de 23 000 Britanniques et Indiens y fut entièrement détruite. Il n'y eut qu'un survivant, le chirurgien Brydon qui arriva à bout de forces jusqu'au fort britannique de Djelalabad pour annoncer le désastre. Tous avaient péri : hommes, femmes, et enfants.
Les Russes tenaient alors le nord, toute l'Asie centrale ; les Anglais s'installèrent à Peshawar et l'Afghanistan fut abandonné à ses querelles intestines.
Le terrible émir Abd er Rahman y fait régner l'ordre à sa manière. Il suspend les bandits sur les bords des routes, dans des cages de fer où ils crèvent lentement de faim et de froid ; il coupe la main droite des voleurs, cloue par l'oreille les commerçants malhonnêtes au mur de bois de leur boutique. Il fait rôtir dans leur four les boulangers qui trafiquent sur la farine et trancher la langue de ceux qui parlent trop.
On empale, on décapite les ministres. L'émir meurt en 1901 et on raconte que des flammes sortent de sa tombe, preuve qu'il est bien en enfer !
Son successeur qui passe pour mauvais musulman est assassiné. Amanoullah qui vient ensuite s'emploie ouvrir son pays au progrès.

Se méfiant à la fois des Anglais et des Russes, il s'adresse aux Français et aux Allemands.

Les archéologues français découvrent les grottes de Bamyan, l'art gréco-bouddhique. Les jeunes nationalistes rêvent à cet Afghanistan pré-islamique où passèrent les hoplites d'Alexandre le Grand, d'Iskandar, puis les missionnaires de Bouddha.

Amanoullah voyage beaucoup. Gagné comme Reza Khan l'Iranien par la folie du progrès, il précipite les mesures d'occidentalisation... et quadruple les impôts.

Aux prises avec les tribus et les tout-puissants mollahs, Amanoullah doit s'enfuir dans sa belle Rolls-Royce que poursuivent les cavaliers d'un bandit qui se proclamera roi, Batcha-Sakao, fils de porteur d'eau.

Un cousin d'Amanoullah, Nader, prend Kaboul avec l'aide des tribus auxquelles il a fait de folles promesses. Il fait fusiller Batcha-Sakao et devient Shah. Il sera assassiné.

Zaher Shah son fils lui succède. C'est un homme discret et effacé qui abandonne le pouvoir à son oncle puis à son cousin et beau-frère, le prince Daoud.

Daoud, en mauvaises relations avec le Pakistan allié des Etats-Unis, se lie avec l'URSS et, en 1955, il reçoit Khrouchtchev à Kaboul. Les Russes se répandent dans le pays, ils ouvrent des routes, construisent même des mosquées, mais ils se remboursent en s'octroyant tous les gisements de gaz du Turkestan afghan.

Inquiet de la dépendance de plus en plus étroite de l'Afghanistan à l'égard de l'URSS, le roi Zaher rompt avec son indolence, chasse Daoud et prend en mains le gouvernement.

Il se réconcilie avec le Pakistan, les Etats-Unis puis, en pleine famine, s'en va prendre les eaux en Italie.

Aidé par l'armée, encadrée de conseillers soviétiques, le prince Daoud renverse le régime et s'empare du pouvoir. Ce sera la fin de l'influence occidentale et américaine. Elle aura duré dix ans.

Daoud proclame la république.

Il finira, massacré, ainsi que les 1 200 membres de sa puissante famille pour avoir osé prendre contact avec l'Occident afin de ne pas rester seul face aux Russes. On en parla peu en Occident. Simple révolution de palais !

« Pour dîner avec le diable, dit un proverbe qui pourrait être afghan, il faut une longue cuillère. » Celle de Daoud n'était pas assez longue.

L'Afghanistan compte de 10 à 12 millions d'habitants, dont 2 millions de nomades. Ils sont Tadjiks, Pashtous, Hazara, descendants des hordes de Gengis Khan. Le relief est extrêmement tourmenté, propre aux embuscades.

Le 25 décembre 1979, à la sortie de Kaboul dans le vieux palais inconfortable des anciens rois d'Afghanistan transformé en forteresse, en pleine nuit, un général-ministre soviétique de haut rang, Viktor Papoutine, s'écroula, le corps scié en deux par une rafale de kalachnikov tiré par une garde du corps d'Hafizullah Amin, chef de la république populaire et secrétaire général du PC afghan.

Depuis dix ans, l'empire soviétique faisait flotter son drapeau sur toutes les mers, sur tous les continents. Ses conseillers russes, ses mercenaires cubains et est-allemands, ses experts bulgares, tchèques et hongrois contrôlaient une partie de l'Afrique noire à partir de l'Angola et du Congo-Brazzaville. Ils étaient installés en Ethiopie, au Yémen, en Libye, en Algérie. Les terroristes palestiniens à sa solde et les partis communistes arabes avaient mis le feu au Moyen-Orient. On s'était battu à La Mecque dans les lieux saints et au Liban. L'Afghanistan était tombé dans sa mouvance ; l'Iran serait bientôt à prendre si l'on savait être patient et on le serait. L'Arabie Saoudite, les émirats du Golfe et leurs richesses étaient à portée de la main. Leurs gisements pouvaient être sabotés à tout moment par les organisations du Front populaire de Libération, de Georges Habache, dont le KGB tirait les ficelles.

A l'autre bout du monde, armé, équipé, conseillé par l'Armée Rouge, le Grand Vietnam digérait ses conquêtes : le Laos, le Cambodge. Malgré les avertissements de la Chine, des guérillas pro-vietnamiennes s'infiltraient en Thaïlande. Au nom du Laos annexé, Hanoi réclamait les dix-sept provinces du Nord qui auraient appartenu au royaume du Lane-Xang.

Les missiles et les divisions blindées du Pacte de Varsovie tenaient l'Europe à la gorge, une Europe déjà menacée en Afrique où elle risquait d'être coupée de ses approvisionnements en matières premières, au Moyen-Orient où son pétrole était menacé. Croiseurs lance-missiles, sous-marins nucléaires russes et cargos espions, du Pacifique à l'océan Indien, de l'Atlantique à la Méditerranée et à la mer Rouge, comme dans une gigantesque partie de barres, marquaient chaque navire des Etats-Unis et de leurs alliés. Les diplomates du Kremlin parlaient haut et fort. Les chefs des partis communistes alignés comme Marchais se donnaient des allures de « gauleiter ». Le président Carter était en proie aux affres de sa bonne conscience... et à des problèmes électoraux. A Téhéran, une bande de pseudo-étudiants, pour libérer les otages qu'ils détenaient, lui demandaient de battre sa coulpe et de reconnaître ses crimes. Tout juste s'ils n'exigeaient pas qu'il vienne les supplier en chemise, la corde au cou, comme les bourgeois de Calais dont heureusement ils ignoraient la mésaventure.

La *Pravda* le morigénait tel un enfant naïf et gaffeur. Après lui avoir bien frotté les oreilles, on lui faisait miroiter la détente et la signature d'accords Salt II qui serviraient surtout les intérêts soviétiques. Mais on lui interdisait de donner à l'OTAN les missiles Pershing à moyenne portée dont disposaient en abondance les troupes du Pacte de Varsovie.

Inquiète, en pleine crise économique, l'Europe libre était prête à tous les lâchages, à toutes les concessions pour peu qu'on la rassurât, qu'on lui promette quelques années de paix. Le seul homme politique qui fasse preuve de caractère était une femme, Mrs Thatcher, qui se demandait si l'Angleterre n'avait pas intérêt à prendre ses distances avec une Europe désunie, hésitante, à la diplomatie incertaine, pour demeurer une île sous parapluie américain.

La politique ondoyante de Giscard se ressentait de ses préoccupations électorales.

En une nuit, à cause de ces fichus Afghans et de leur caractère intraitable, le vainqueur allait se trouver en position de demandeur. Sa formidable armée prise dans un guêpier, Brejnev sollicitait la compréhension de Carter et demandait aux Européens de convaincre le président américain de sa bonne foi et de ses intentions pacifiques. Déjà l'Amérique n'était plus celle du Watergate. La gifle de Téhéran lui avait fait oublier son complexe du Vietnam. Les dirigeants d'Hanoi, par leur orgueil, leurs maladresses, leur mépris du droit des peuples, leurs conquêtes sauvages et leurs camps de la mort, avaient beaucoup contribué à cette guérison.

Après l'assassinat de Daoud et le massacre des siens, les Russes avaient installé au pouvoir un instituteur sectaire et borné, Taraki, authentique marxiste-léniniste formé dans les écoles de cadres du Parti.

Il était le secrétaire général de l'un des deux partis communistes croupions, le Parcham, on le contrôlait par son rival Hafizullah Amin qui animait le Khalq. Les pères spirituels soviétiques de ces partis n'ignoraient pas que le nationalisme afghan pouvait à tout moment l'emporter sur la foi marxiste la mieux trempée et qu'il était sage de prendre ses précautions. Taraki ne connaissait plus rien à son propre pays. Par ses réformes brutales, son mépris de l'Islam, sa méconnaissance du peuple afghan, par ses exécutions massives d'opposants, en quelques mois, il dressa tout le pays contre lui. Les Russes endossèrent de mauvais gré cette impopularité qui contrariait leurs desseins secrets : faire de la marche d'Afghanistan une république soviétique du genre Mongolie extérieure. Quoi qu'ils racontent aujourd'hui, ils laissèrent égorger Taraki par son rival, le bouillant Amin. Hafizullah Amin était un ambitieux, un « stalinien », le type d'homme qu'il fallait en ces moments difficiles. On pouvait compter sur lui pour accomplir certaines besognes, à condition de bien le tenir en laisse, quitte plus tard à s'en débarrasser en le chargeant, nouveau bouc émissaire, de tous les péchés du monde.

Amin commença à inquiéter quand il liquida par dizaines de milliers non plus des opposants religieux, mais les partisans de Taraki, mettant partout en place ses fidèles.

Les prisons surpeuplées se vidaient à la nuit. On passait directement de la cellule au peloton d'exécution sans même une halte de quelques minutes devant un tribunal populaire. Nous avons à ce sujet le témoignage d'un haut fonctionnaire afghan qui, pour des raisons compréhensibles, tient à garder l'anonymat. Il raconta que dans la prison de Foul I Shaki, les prisonniers ne séjournaient guère : « Ils sont appelés dès la tombée de la nuit ; un sous-officier leur lie les mains dans le dos et ils se dirigent à l'extérieur de la prison, sous l'œil de deux conseillers soviétiques. Un peloton composé exclusivement de sous-officiers et d'officiers assure la besogne. Les hommes sont abattus devant une tranchée ouverte le matin même par un bulldozer. Ce dernier recouvre le trou et les corps à la lumière de son projecteur. » (François Missen, *Le syndrome de Kaboul*, Edisud Ed.)

Si l'on croit M. Marchais, qui a de bonnes sources, le « camarade traître » Amin aurait fait exécuter 150 000 Afghans « partisans de la paix et de la démocratie ». Il n'y aurait donc plus de communistes en Afghanistan où ils n'étaient que quelques milliers. On se demande alors ce qu'y fait l'Armée Rouge. Et qui l'a appelée puisque cela ne peut être Amin.

Comme ses « amis » soviétiques reprochaient à Amin ses méthodes, trop expéditives, il rappela les précédents de Lénine et de Staline qui avaient d'abord épuré le parti et l'armée pour mieux venir à bout de la contre-révolution.

On put de justesse tirer de ses griffes un certain Babrak Karmal. Bon communiste terne, appliqué, plutôt brave homme, on pensait qu'il pourrait toujours servir de carte de rechange. Il n'était pas possédé par un athéisme farouche comme Taraki et Amin. On lui ferait dire sa prière et les mollahs afghans seraient satisfaits. Les Russes prirent quand même leurs précautions. Pour éviter à Amin toute tentation et prévenir Washington que l'Afghanistan était désormais chasse gardée soviétique, en février 1979, des « éléments incontrôlés » assassinèrent l'ambassadeur américain Adolph Dubs. Avec la bienveillante bénédiction d'un colonel du KGB qui se fit, hélas, un peu trop voir au cours de l'opération. Ce qui déplut au Département d'Etat pourtant résigné à voir l'Afghanistan basculer dans l'orbite soviétique. Amin comprit la leçon, mais pas comme l'entendaient les Soviétiques. S'il voulait sauver sa peau, il devait faire vite.

Afin de montrer qu'il n'est pour rien dans ce meurtre, il envoie un message personnel au président Carter pour lui exprimer ses « profonds regrets ». Il a truffé la délégation afghane des Nations Unies d'hommes à lui. Par leur intermédiaire il prend discrètement contact non seulement avec les Américains mais avec les pays musulmans modérés vers lesquels il lorgne. Enfin, par son frère Abdallah Amin, qui est prochinois, il est entré en relations avec les agents de Pékin qui soutiennent à bout de bras une guérilla collée à la petite frontière sino-afghane, la « Shula Yi Jowed ».

Amin ne fait pas mystère de son plan. Il se propose d'expulser tous les conseillers soviétiques et de demander aux Américains, aux Chinois, aux Yougoslaves, aux pays arabes, à l'ONU de garantir sa neutralité.

Amin est un véritable communiste aussi un sauvage que l'émir Abd er Rahman. Ce n'est ni un agent de la CIA ou du « révisionnisme » chinois, ce qu'on voudrait nous faire avaler aujourd'hui. Une fois débarrassé des Russes dont la présence est de plus en plus impopulaire, s'étant entendu avec certains mouvements de rébellion contre d'autres — et ils sont très désunis —, il espère créer en

Afghanistan une sorte de « monarchie » communiste héréditaire, familiale et absolue, tel qu'il en existe en Albanie avec Enver Hojda, en Corée du Nord avec Kim-il-Sung. Kim-il-Sung et Hojda sont ses modèles plus que Tito dont le train de vie somptueux était pourtant celui d'un monarque.

Son instrument sera l'armée afghane qu'il renforce, qu'il dote d'un armement moderne que fournissent les Russes. Une partie de ces armes s'égarent dans les montagnes voisines où vont et viennent les résistants musulmans que l'on n'inquiète plus.

En novembre 1979, les relations entre l'ambassadeur soviétique Pusanov et Amin sont à ce point tendues qu'ils en viennent aux insultes et aux menaces. Amin exige le rappel de l'ambassadeur. Intraitable, vaniteux, imprudent, bien Afghan en cela, il se répand, affirmant que les Soviétiques ont plus besoin de lui que lui d'eux.

En même temps, il prépare le soulèvement général de l'armée. Pour plus de précautions, il fait distribuer des armes à des « milices » qui lui sont acquises. Ce sont des bandes dont l'idéologie se limite à « chasser le Russe » et tailler en pièces le « Kafir », l'infidèle. Prévenu, le gouvernement soviétique envoie l'un de ses membres les plus éminents, à la fois général d'armée, haut responsable du KGB et premier vice-ministre de l'Intérieur, Viktor Papoutine.

Officiellement, il a pour mission de rappeler Amin à la raison. Mais comme on ne se fait plus guère d'illusions sur le personnage, il s'en débarrassera. Il organisera un contre-putsch comme on fait un contre-feu, au sein de cette armée afghane de 100 000 hommes que 6 000 conseillers militaires soviétiques tiennent bien en main. Du moins ils le croient.

Or les relations sont très mauvaises entre militaires soviétiques, férus de discipline à la prussienne, et afghans, traditionnellement indisciplinés et fiers de leur passé de guerriers indomptables. Quant à leur « conscience politique », elle est nulle. Faire entrer Marx dans un crâne afghan pose des problèmes insurmontables.

Amin, quand il apprend l'arrivée de Viktor Papoutine et quelle est sa besogne, décide de passer le Rubicon. Ne pouvant plus expulser les conseillers soviétiques, il les fera massacrer dans une sanglante Saint-Barthélemy. Les appels au meurtre des muezzins remplaceront les cloches.

Viktor Papoutine, général, ministre, membre important du Parti, dirigeant du KGB, se croit-il intouchable comme jadis les citoyens romains, dont le titre valait tous les passeports ? Il se risque dans l'antre fortifié d'Amin qui le fait abattre. Au même moment, Amin déclenche l'insurrection générale et proclame le couvre-feu pour permettre à ses troupes d'agir. A-t-il reçu des assurances des Américains et des Chinois ? Il semble que, sans vraiment le décourager, ils se soient méfiés de ce Pol Pot en puissance.

Dans la nuit du 26 décembre à Kaboul un certain nombre d'officiers soviétiques, servant comme conseillers, sont égorgés dans des conditions horribles, parfois avec leurs familles. Ce sera pire encore dans les garnisons lointaines où les Russes ne sont pas assez nombreux pour se regrouper et se défendre, à Hérat, à Kandahar, et parmi les unités en opérations. On a avancé le chiffre d'un millier de morts. On ne le connaîtra jamais exactement. L'Armée Rouge se doit d'intervenir sur-le-champ au risque de se perdre de réputation, d'être ravalée au même rang que celle des Etats bourgeois qui abandonnent leurs soldats et leurs diplomates. Caste puissante, organisée, elle fait passer sa sécurité, celle de ses membres, leur « honneur », avant les impératifs de la grande politique. Dans la confusion qui règne au sommet du Parti, elle est devenue le premier pouvoir de l'URSS.

« L'armée, explique Hélène Carrère d'Encausse, est devenue un milieu fermé qui s'autorecrute et qui s'autoperpétue. On est militaire de père en fils ; on se marie entre familles de militaires ; les enfants vont dans les mêmes écoles. C'est mieux qu'une armée de tradition.

« L'Armée Rouge où les cadres jouissent de toute sorte d'avantages constitue un monde clos et protégé.

« Au temps de Staline, elle payait ses privilèges d'une subordination totale au pouvoir politique. En 1979, en une période de grande tension internationale, au moment où elle est engagée sur des théâtres d'opération extérieurs, elle devient un élément de la décision politique ; elle pèse sur les choix ; elle tend à devenir, à l'image des USA, un Pentagone qui aurait ses coudées franches avec le pouvoir civil... L'armée jouit d'un plus grand poids ; elle présente un plus grave danger pour l'appareil... d'autant que le problème de la succession de Brejnev est ouvert. L'armée, c'est les militaires mais aussi la grande industrie qui travaille pour elle, tout un ensemble important, tout un complexe militaire, industriel dont les options priment sur les autres industries. »

Cette armée, sans en référer au pouvoir civil, intervient aussitôt. Il y a urgence et l'on sait combien les décisions du Kremlin sont longues à prendre. Brejnev, malade, « utilisable » deux heures par jour, on en est revenu à une forme de pouvoir collégial.

Toutes les troupes disponibles sur le pourtour de l'Afghanistan, des unités « asiatiques » composées surtout de Tadjiks, d'Ouzbeks et de Turkmènes, sont aussitôt envoyées par dizaines de milliers pour empêcher le massacre de s'étendre et sauver les familles des conseillers.

Hafizullah Amin, dans son palais fortifié, se battra avec les siens jusqu'à sa dernière cartouche. Il sera écrasé sous les bombes d'avion, sous les obus de l'artillerie. Il n'y aura pas de survivants. Il a vécu et il mourra comme un loup, Afghan avant tout.

Les dirigeants de la Russie soviétique, pour des questions internes — la succession de Brejnev —, se trouvaient ainsi réduits aux mêmes expédients « électoraux » que le président américain. Les partis étaient seulement remplacés par des clans, l'opinion publique par ce que pensait l'Armée Rouge.

Et dans une armée traditionnelle qui se respecte, ce sont les officiers qui pensent.

Le samedi 29 décembre, Radio Kaboul annonçait que l'ordre régnait dans la capitale, que le calme était total dans le reste du pays et que l'armée contrôlait entièrement la situation.

Avec 25 000 Soviétiques patrouillant dans Kaboul, de quelle armée s'agissait-il ? Quant au calme qui régnerait, personne n'ignorait plus qu'à part quelques villes, depuis des mois le pays échappait totalement au contrôle du gouvernement.

On sortit de sa boîte Babrak Karmal qui avait été de l'équipe Taraki. Il était de famille princière comme ce pauvre Daoud, mais de stricte obédience marxiste. Une marionnette. Il se retrouva secrétaire général du PC afghan, le Parti populaire démocratique, dont il ne restait pas grand-chose après que les deux tendances, le Khalq et le Parcham, se soient massacrées, chef suprême d'une armée dont la moitié avait déserté et l'autre partie s'était mutinée, chef d'un Etat qui avait cessé d'exister et président d'un Conseil révolutionnaire qu'on venait d'inventer. La résistance ne s'y laissa pas prendre et dénonça Karmal pour ce qu'il était : un « agent direct et un mercenaire de l'Union soviétique ».

Avant même que le nouveau chef d'Etat fût investi, au moment où il atterrissait dans un Antonov du pont aérien soviétique, Leonid Brejnev lui souhaitait « de grands succès dans son activité multiple au service du peuple afghan ami, ce peuple qui saurait défendre les conquêtes de la révolution, la souveraineté, l'indépendance et la dignité nationale du nouvel Afghanistan ».

Difficile de pousser plus loin la farce. Babrak Karmal, nouvel Ubu à l'afghane, allait faire mieux. Sitôt installé, il rappelait son attachement à la sainte religion de l'Islam et proclamait aussitôt la guerre sainte, la « Jihad », contre les ennemis : 90 % du peuple afghan, dressé contre le communisme au nom de l'Islam le plus pur, le plus intransigeant, et encadré par ses mollahs !

Par cette intervention massive, les Soviétiques prenaient d'énormes risques : perdre les fruits d'une politique d'expansion menée avec beaucoup de maîtrise, selon un principe cher jadis à Foster Dulles, par la carotte et le bâton. Avec en prime cette bonne vieille idéologie marxiste-léniniste, débitée en slogans simplistes à l'usage du Tiers Monde. Mais ils ne pouvaient agir autrement et les militaires en avaient décidé.

En ce Noël 1979, tout déconseillait une telle intervention. Un récent sondage révélait que les Américains, réveillés de leur torpeur, étaient prêts à accepter le risque d'une guerre. Carter, en pleine campagne électorale, ne pouvait se montrer insensible à ce changement d'ambiance. Abandonnant son image de colombe, il poussait déjà quelques cris aigres de faucon. C'était se mettre à dos le monde musulman, gâcher la carte iranienne, réveiller la contestation dans les républiques musulmanes d'URSS.

Pour éviter que l'Iran ne basculât dans le camp américain, les Russes comme nous l'avons expliqué ont dû faire donner la garde :

ces « étudiants » islamiques qu'ils contrôlaient secrètement depuis qu'ils avaient été formés à Beyrouth-Ouest, et qui s'opposaient à la libération des otages de Téhéran.

La situation économique de la Russie était catastrophique. Brejnev lui-même venait de le reconnaître. 40 % du produit national était absorbé par la fabrication des armes, l'entretien des corps expéditionnaires lancés dans de lointaines aventures coloniales, et des mouvements de libération qui parfois vous claquaient dans les mains.

Même un bidasse cubain, exporté en Afrique, doit se nourrir et toucher une solde.

Fatigués de travailler pour un paradis qu'ils ne voyaient pas venir, les Soviétiques s'adonnaient avec frénésie à l'absentéisme, à la paresse, au marché noir et à l'alcoolisme. Même les secteurs les mieux tenus comme les transports, les chemins de fer, allaient à vau-l'eau.

Les usines fermaient, d'autres ne fonctionnaient qu'à 30 %. N'étaient épargnés que l'armée et les secteurs industriels qu'elle contrôlait directement et qui absorbaient toute la main-d'œuvre qualifiée et les matières premières essentielles. Venait s'y ajouter un déficit agricole sans précédent. L'URSS devra acheter cette année 40 millions de tonnes de blé que seuls l'Amérique, le Canada et l'Europe de l'Ouest pourraient fournir.

Un mécontentement populaire qui n'avait rien d'idéologique se manifestait ouvertement. Il prenait sa source dans la pénurie des biens de consommation mais aussi des denrées essentielles. La viande, on n'en voyait plus. Il fallait se ravitailler en légumes au marché noir où les prix avaient doublé. On en rendait responsable « les guerres lointaines ».

Les intellectuels, les artistes, tous ceux qui étouffaient sous le régime et contestaient la caste au pouvoir, avaient donné de la Russie une image détestable que seuls les « croyants » récusaient encore.

Enfin les satellites, à part la Bulgarie qui était pratiquement devenue une république soviétique, et Cuba, montraient de plus en plus de réticences à emboîter servilement le pas à l'URSS et à la suivre dans ses aventures africaines ou asiatiques.

C'est dans ce contexte défavorable que se fait l'intervention en Afghanistan exigée par les militaires, devant lesquels les « civils » du Comité central ne pouvaient que s'incliner en sachant ce qu'ils risquent de perdre.

On espérait cependant au Kremlin et les maréchaux l'ont promis, que tout sera réglé en huit jours.

On imagine la scène. Rassurés, les dirigeants du Comité central après avoir envoyé Brejnev au lit car il est bien fatigué, portent un toast : « A Pierre le Grand, notre guide génial et notre maître. Qu'il se réjouisse dans sa tombe. Nous avons honoré son testament. Nos cosaques font régner l'ordre à Varsovie... Pardon, les blindés et les hélicoptères de notre vaillante Armée Rouge ont rétabli la légalité démocratique à Kaboul. »

Mais cette intervention improvisée se déroule mal. On n'a pu dégager à temps qu'une seule division d'élite, des parachutistes qu'on lance sur Kaboul. Ils sont moins de 10 000.

Les autres troupes se trouvant à proximité appartiennent à des unités recrutées parmi les républiques d'Asie, des conscrits, des appelés, dont le niveau se révèle peu brillant. Ils en donnent la preuve devant tous les observateurs journalistes et autres, réunis à Kaboul. Ils maîtrisent mal le matériel dont ils disposent, en particulier les chars. Leurs liaisons sont mauvaises ; leur électronique déficiente. Mauvaise coordination air-sol.

Ils ne comprennent rien à ce qu'ils viennent faire en Afghanistan. Turkmènes, Ouzbeks, Tadjiks parlent les dialectes des Afghans. Ils se sentent modérément solidaires des Russes d'Europe, ils sont plus proches de ces musulmans qu'ils doivent combattre. Certains déserteront.

Dès qu'il le pourra, le commandement soviétique les remplacera par des troupes mieux équipées, mieux entraînées, prélevées sur les réserves du Pacte de Varsovie. Il chassera les journalistes étrangers. Mais entre-temps la rébellion s'est gonflée de 60 000 déserteurs de l'armée afghane passés de son côté avec armes et bagages. Les 40 000 qui restaient ont été désarmés et enfermés dans leurs casernes, canons soviétiques braqués sur elles.

Plus tard, quand on les enverra en opération, les Soviétiques seront derrière, prêts à les prendre pour cibles, afin de leur éviter la tentation de foutre le camp ou de se retourner contre eux. Rien n'a été réglé ni en une semaine, ni en un mois. L'état-major soviétique doit rabattre de sa suffisance. Si les Américains fournissent aux résistants des petites fusées individuelles sol-air ou sol-sol type SAM 7 ou Milan ou Crotales, ils auront une casse effroyable. Ils ne pourront plus ravitailler leurs troupes par air. Leurs hélicoptères et leurs avions de transport se feront abattre comme des poulets ; leurs chars sauteront sur les mines, ils flamberont dans les défilés de l'Indoukouch. Ils perdront du matériel, des hommes. Il faut à tout prix obtenir de Carter qu'il laisse tomber la résistance afghane ou alors l'Armée Rouge s'enlisera pour des années dans une guerre interminable.

Les conseillers soviétiques sont de plus en plus mal tolérés. L'image de « l'horrible Américain » est remplacée par celle du Russe. On leur tire dessus en Syrie. Il a fallu l'intervention des Gardiens de la Révolution, encadrés par des Palestiniens, pour que l'ambassade soviétique à Téhéran ne soit pas occupée. Sans leurs troupes, sans leurs polices secrètes truffées d'Allemands de l'Est, aux belles gueules de nazis, ils seraient chassés d'Afrique.

Ils ne peuvent fournir que des armes, des canons, des chars qui se révèlent à l'usage de mauvaise qualité ; seuls les conseillers militaires sont valables. En matière d'économie ou d'agriculture, les experts venus de l'Est se révèlent catastrophiques. Ils ne fournissent ni les graines ni les semences qui font tant besoin, mais seulement la façon aberrante de les utiliser ; pas d'équipes médicales complètes.

Partout dans le monde où flotte le drapeau rouge, même dans les pays qui jadis subvenaient largement à leurs besoins alimentaires, on fait la queue dans les magasins vides et on crève de faim. En Afghanistan, la formidable Armée Rouge non seulement n'arrive pas à bout des bandes de rebelles mal armés mais subit des revers, montrant ses faiblesses humaines et techniques. Pour les excuser, elle accuse l'étranger, les Chinois, les Américains, qui, heureusement pour elle, ne s'en sont pas vraiment mêlés. Le monde étonné se demande s'il n'a pas été bluffé, si l'Armée Rouge est vraiment cette force invulnérable dont on lui a tant rebattu les oreilles. Les bidasses soviétiques au crâne rasé, malgré l'endoctrinement et les trois ans de service obligatoire, traînent la patte, comme les nôtres en Algérie. Ils ne sont pas chauds pour aller crapahuter en Afghanistan.

L'armée soviétique est dotée d'un matériel coûteux, impressionnant, qui produit son effet dans les défilés mais qui est démodé, mal fini, infiniment moins robuste qu'on ne le prétend. Il est surtout adapté aux grands déploiements de cavalerie dans la steppe. Il n'est pas fait pour résister aux armes modernes. Des missiles qui reviennent à peine à 1 000 dollars pièce, qui peuvent être utilisés par n'importe quel guérillero après une démonstration d'une demi-journée, être transportés en terrain difficile par un seul homme, transforment en ferraille fumante le char de 40 tonnes T 72 que l'on dit le plus moderne du monde, le Mig 27, l'hélicoptère blindé d'assaut et le gros Antonov. Un matériel qui, de surcroît, nécessite des servants, des pilotes, des conducteurs dont l'entraînement est long et hors de prix. Pour venir au secours de son armée, orgueil du régime, pour qu'elle ne perde pas ses plumes et son prestige dans les défilés d'Afghanistan, ce qui entraînerait la fin des ambitions soviétiques, tous les grands noms de la diplomatie soviétique sont mobilisés.

C'est Dobrynine que l'on envoie à Washington, précédant Gromyko, c'est Tchernovenko à Paris, c'est Lunkov à Londres. A propos des Jeux Olympiques, on s'efforce de dresser Européens et Américains les uns contre les autres. Le ton a bien changé. Pour « sauver la détente », disent-ils, ils proposent la neutralisation de l'Afghanistan. En échange, que demandent-ils ? Pas de fusées, pas de missiles individuels pour les résistants afghans. Le reste, du verbiage diplomatique, des promesses vagues. Comment pourrait-il en être autrement puisque l'on sait que jamais les Russes n'accepteront que l'Afghanistan, tout comme la Hongrie, la Pologne ou la Tchécoslovaquie, sorte de leur zone d'influence.

Les Soviétiques sont condamnés à gagner en Afghanistan, ils y jouent la crédébilité de leur armée, et de leur politique mondiale. Ils doivent aller jusqu'au bout, en prenant tous les risques quitte à exterminer le peuple afghan.

On en conservera quelques spécimens pour les montrer à la presse. Déjà ils emploient le napalm, et au mépris de toutes les conventions internationales, les gaz asphxyiants, comme au Laos.

Que fera Carter ?

Nixon porte sur lui ce jugement terrible :

« Quelqu'un a dit que M. Carter était un faucon de conversion récente. Eh bien nous connaissons tous ces réunions religieuses au cours desquelles l'ivrogne du village s'allonge dans la poussière et proclame qu'il est né à nouveau. Le lendemain il se remet à boire. »

On imagine ce que Nixon ferait à la place de Carter. Il fouillerait sans pitié dans la plaie soviétique ; il ferait payer le Vietnam au Kremlin. Ensuite, il traiterait à ses conditions et elles seraient dures.

Le président Carter profitera-t-il de l'occasion pour remettre de l'ordre dans cette partie du monde, aboutir à quelque partage dont l'Iran et l'Afghanistan feraient les frais ? (1).

L'URSS espérait conquérir l'empire du monde, au moins se tailler la première place, sans jamais recourir à la guerre totale, parce qu'elle la perdrait, que ni le peuple russe ni les vieillards du Kremlin n'en veulent. Ses stratèges comptaient sur leur habileté pour gagner la partie en prenant les pions de l'adversaire les uns après les autres, pour l'acculer insensiblement à la défaite, sans jamais s'attaquer directement aux pièces principales, ce qui déclencherait le cataclysme atomique.

En cette nuit du 26 décembre 1979, dans un médiocre règlement de comptes, la Russie a dû lever le masque et tout a été remis en question. Balayant l'échiquier d'un revers de main, le Destin a prouvé qu'il restait toujours le maître suprême du jeu car il n'était soumis à aucune règle et encore moins à une idéologie.

*
**

Durant des mois, avec plus ou moins de bonheur, j'ai arpenté l'Egypte, la Syrie, le Liban, Israël et l'Iran. J'ais rencontré des foules qui se réclamaient de Dieu, des prêtres et des politiciens qui s'en servaient. Ce Dieu avait tous les noms mais il ne cessait d'exiger des sacrifices et du sang, toujours plus de sang.

Partout, dans son ombre se camouflait la folie du pouvoir et la convoitise, convoitise de l'or jaune des mines d'Afrique, de l'or noir du Golfe, ce pétrole qui est le sang fétide de la terre. Des trônes vacillaient : on pendait à des potences, on fusillait les maîtres de la veille ; les ambassades brûlaient ou servaient de repaires à des gamins enfiévrés qui se prenaient pour les instruments de la colère divine et du peuple roi. Dans les Lieux saints, on s'entretuait et le sang giclait sur la pierre noire de La Mecque que l'ange Gabriel

---

1. On peut en douter. Carter, en pieux baptiste, a toujours mélangé politique et morale. Elles font mauvais ménage. Ce qui ne l'empêchera pas, pour être réélu et faire remonter la cote de ses sondages de sacrifier dans une mission impossible huit de ses meilleurs soldats, de compromettre le crédit de son armée, de pousser l'Iran dans les bras de la Russie.

Dieu ne vaut rien à ceux qui ont pour mission de conduire les peuples.

apporta à Abraham. Des divisions blindées semant la désolation et la mort, au nom d'un autre dieu qui niait tous les autres, refaisaient en Afghanistan la route des hoplites d'Alexandre, et elles tombaient dans les mêmes embuscades.

Il y avait Dieu, il y avait l'or, tout ce sang répandu et l'immense détresse des hommes. Dans le ciel des Phantoms et des Migs traçaient de longues traînées blanches avant de s'affronter sous le soleil et, nouveaux fils d'Icare, retomber en flammes ailes brisées.

Me revenait sans cesse cette phrase de Camus : « Ce qui m'intéresse, c'est de savoir comment se conduire quand on ne croit ni en Dieu ni en la raison. »

Comme lui, je ne savais pas. Sur ces plateaux d'Asie, dans ces déserts où étaient nées de l'imagination et de la peur des hommes les divinités, les plus justes comme les plus cruelles, je n'avais trouvé ni roi, ni sage, ni prophète pour me le dire.


*Le Caire-Beyrouth-Damas-Jérusalem-Téhéran-Paris.*

# TABLE DES MATIÈRES

ACHEVÉ D'IMPRIMER
SUR LES PRESSES DE
L'IMPRIMERIE HÉRISSEY
A ÉVREUX (EURE)

Nº d'Imprimeur : 25749
Nº d'Éditeur : 4235
Dépôt légal : 2ᵉ trimestre 1980